Hoop op bescherming

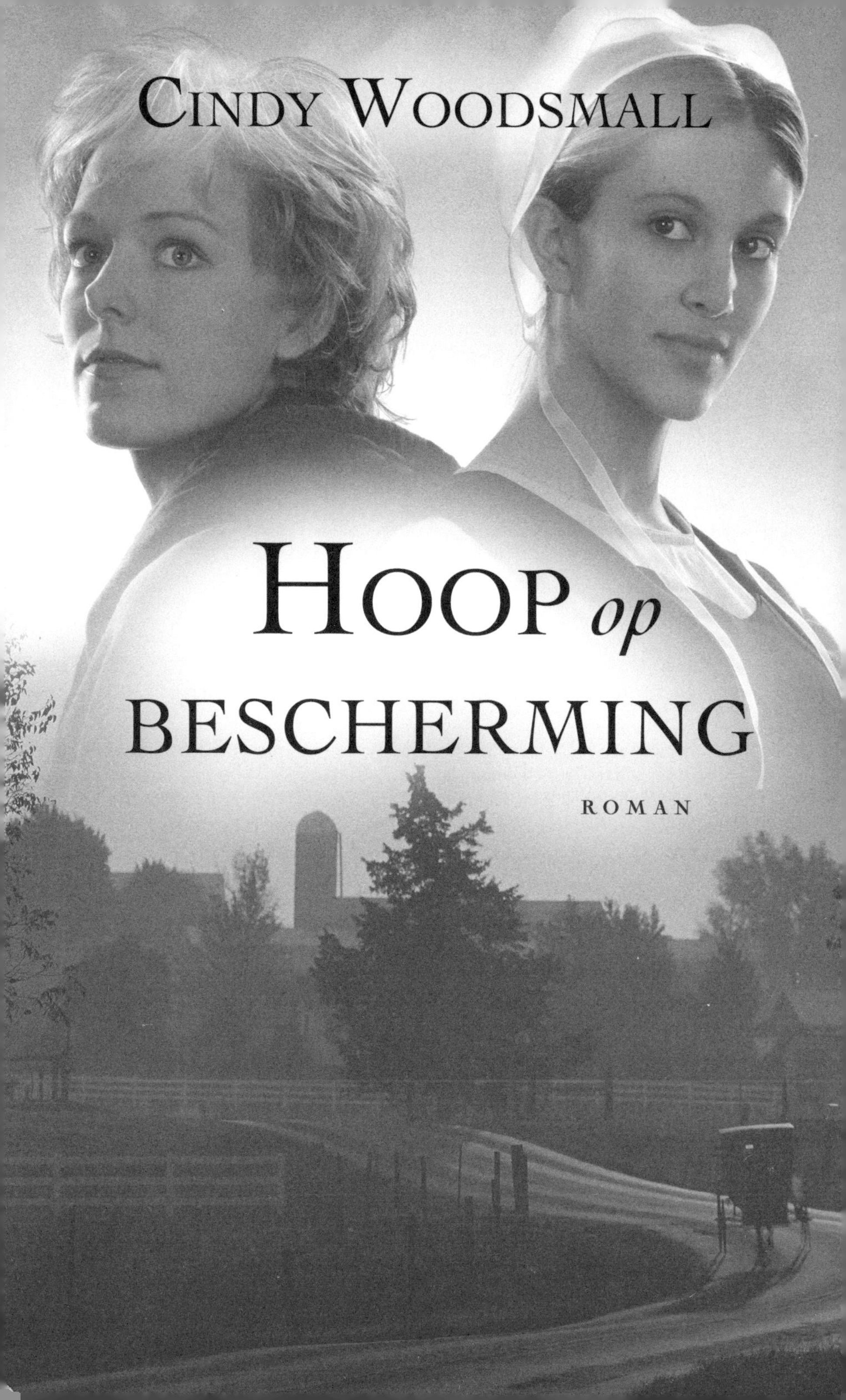
CINDY WOODSMALL
HOOP *op*
BESCHERMING
ROMAN

Originally published in English under the title *The Hope of Refuge* by Cindy Woodsmall.
Copyright © 2009 by Cindy Woodsmall
Published by WaterBrook Press, an imprint of The Crown Publishing Group, a division
of Random House, Inc. 12265 Oracle Boulevard, Suite 200, Colorado Springs, Colorado
80921 USA.

International rights contracted through Gospel Literature International, P.O. Box 4060,
Ontario, California 91761-1003 USA.

This translation published by arrangement with WaterBrook Press, an imprint of The
Crown Publishing Group, a division of Random House, Inc.

© 2011 Den Hertog B.V., Houten (Nederlandse editie)
vertaling: Stijn Postema
ISBN 978 90 331 2379 5

Belangrijkste personen

Cara Atwater Moore — achtentwintigjarige serveerster uit New York die als kind haar moeder verloor, verlaten werd door haar vader en opgroeide in de pleegzorg. Cara is jarenlang achtervolgd door een stalker, Mike Snell.

Lori Moore — De zevenjarige dochter van Cara. Johnny, de vader van Lori, stierf nog voor haar tweede verjaardag, en liet Cara als weduwe achter.

Malinda Riehl Atwater — Cara's moeder.

Trevor Atwater — Cara's alcoholistische vader.

Levina — Malinda's oma die haar opvoedde vanaf haar geboorte.

Ephraïm Mast — tweeëndertig jaar oude Amish. Vrijgezel. Hij werkt als een kastenmaker en helpt zijn vader met het noodlijdende bedrijf en om te zorgen dat er voldoende inkomen is voor hun grote gezin.

Deborah Mast — Amish van eenentwintig jaar die verliefd is op Mahlon Stoltzfus. Ze is de zus van Ephraïm.

Abner Mast — de vader van Ephraïm en Deborah, en echtgenoot van Becca.

Becca Mast	– De stiefmoeder van Ephraïm en Deborah, en de moeder van vier halfbroertjes en -zusjes en twee eigen kinderen.
Anna Mary Lantz	– Ephraïms vriendin.
Rueben Lantz	– vader van Anna Mary.
Leah Lantz	– moeder van Anna Mary.
Mahlon Stoltzfus	– Amish van drieëntwintig die samenwerkt met Ephraïm en al heel lang de geliefde is van Deborah Mast.
Ada Stoltzfus	– Drieënveertigjarige weduwe, moeder van Mahlon en vriendin en mentor van Deborah Mast.
Robbie	– een Engelse die werkt in Ephraïms meubelmakerij en helpt als chauffeur.
Israel Kauffman	– een vijfenveertig jaar oude Amish. Weduwnaar.
Voorspoed	– een vuilnisbakkenras puppy: een kruising tussen een blue heeler, een zwarte labrador en een chow, net als Jersey, de hond van de auteur.

Proloog

'Mama, kunt u het mij nog steeds niet vertellen?' Cara streelde het kleine plastic paardje zo teder alsof het op haar aanraking zou reageren. De bruine stof die zijn vacht moest voorstellen was langgeleden al verschoten tot een vaalgele kleur.

Mama hield zwijgend haar handen op het versleten stuur terwijl ze over onverharde wegen reden die Cara nog nooit eerder had gezien. Door de open raampjes woei stof naar binnen dat zich vasthechtte aan Cara's bezwete gezichtje, en de vinylbekleding van de zitting was heet als ze haar hand erop legde. Mama trapte op de rem en reed heel langzaam over weer een brug met een dak eroverheen. Een overdekte brug, noemde mama dat. Door de oneffenheid van de houten planken hotste Cara op en neer alsof ze in een bots-autootje zat.

Mama stak haar hand uit naar de achterkant van Cara's hoofd, waarschijnlijk in een poging om een van haar haarkruinen glad te strijken. Hoe kort mama haar haar ook liet knippen, die wilde haardoos liet zich niet temmen. 'We gaan een ehh... een vriendin van mij opzoeken. Ze is Amish.' Ze legde haar wijsvinger op haar lippen. 'Nu wil ik dat je net zo met kostbare dingen omgaat als de moeder van Jezus. Ze bewaarde ze in haar hart en dacht erover na. Ik weet dat je erg gek op ons dagboek bent en sinds je achtste jaar schrijf je daarin alles op, maar dat kan nu niet – deze keer niet. Geen tekeningetjes en geen verhaaltje over dit tochtje. En je mag het nooit aan je vader vertellen, goed?'

Toen ze weer onder de overdekte brug uit reden, brandde het zonlicht weer op hen neer. Cara zocht de velden af naar paarden. 'Ga je nu naar je schuilplaats?'

Cara had een schuilplaats, een plaatsje dat haar moeder voor haar gemaakt had in de wand op de zolder. Ze hadden daar soms een feestje als er wat geld was voor theezakjes en suiker. En als papa rust nodig had bracht haar moeder haar naar dat veilige plekje. Als haar mama tegen de avond niet terugkeerde, sliep ze daar en sloop er alleen maar even uit als ze naar de wc moest.

Mama knikte. 'Ik zei je toch dat ieder meisje een veilig plekje nodig heeft waar ze voor een poosje naartoe kan gaan?'

Cara knikte.

'Nou, dit is mijn schuilplekje. We blijven daar een paar dagen en als je het er leuk vindt, verhuizen we er misschien wel voorgoed naartoe – alleen wij tweeën.'

Cara vroeg zich af of mama de deurwaarders die haar en haar vader belaagden zo zat was dat ze erover dacht om stilletjes weg te gaan en dat ze zelfs papa niet zou vertellen waar ze naartoe zou gaan. Het bekende gevoel keerde weer terug – het misselijkmakende gevoel in haar maag. Ze pakte haar speelgoedpaardje nog steviger vast, keek uit het raam en stelde zich voor dat ze op een paard een wereld in galoppeerde waar het eten gratis was en waar haar ouders gelukkig waren.

Nadat ze weer over een heuvel heen gereden waren, ging haar moeder langzamer rijden en sloeg ze de oprit van een huis in. Mama zette de motor af. 'Kijk eens naar dit huis, Cara. Dat huisje ziet er nog net zo uit als toen ik het als kind voor het eerst zag.'

De luiken hingen scheef en waren in jaren niet geverfd. 'Het is erg klein en het lijkt wel of er spoken in wonen.'

Haar mama lachte. 'Het wordt een *Daadi Haus* genoemd, wat betekent dat het een huisje is voor grootouders als hun kinderen eenmaal volwassen zijn geworden. Het heeft slechts een keukentje, twee slaapkamers en een badkamer. Het huisje staat hier al jaren. Je hebt gelijk – het ziet er erg verwaarloosd uit. Kom mee.'

Net nadat Cara het portier van de auto had dichtgeslagen, kwam er een oude vrouw van tussen de hoge rijen maïs tevoorschijn. Ze keek naar hen alsof ze van een andere planeet kwamen en Cara vroeg zich af of haar moeder deze mensen wel echt kende. De vrouw droeg een lange donkerrode jurk en geen schoenen. De rimpels in haar gezicht leken wel op een wegenkaart die veranderde toen ze haar wenkbrauwen fronste. Hoewel het juli was en veel te warm voor een muts droeg ze een wit mutsje.

'*Grossmammi Levina, ich bin kumme bsuche. Ich hab aa die Cara mitgebrocht.*'

Cara keek geschrokken op naar haar moeder. Wat zei ze nu? Was het een geheimtaal? Ze had haar moeder nog nooit een vreemde taal horen spreken.

De oude vrouw liet haar schort los en er vielen een aantal maïskolven op de grond. Ze haastte zich naar mama toe. 'Malinda?'

Mama kreeg tranen in haar ogen en knikte. De oude vrouw slaakte een doordringende gil en sloeg haar armen om mama heen.

Uit het maïsveldje kwam een slungelachtige jongen lopen. 'Levina, *was ist letz?*' Hij bleef staan, staarde even naar de twee vrouwen en toen naar Cara.

Terwijl hij haar opnam, vroeg ze zich af of zij een even vreemde indruk maakte op hem als hij op haar. Vanaf het moment dat de winter voorbij was had ze geen jongen meer gezien in een zwarte lange broek en ze had nog nooit een jongen gezien die bretels droeg en een strohoed. Waarom zou hij in zijn zondagse kleren in de tuin werken?

Hij raapte een aantal maïskolven op die de vrouw had laten vallen, liep naar de houten kruiwagen en gooide ze erin.

Cara raapte de rest van de kolven op en volgde hem. 'Hoe heet je?'

'Ephraïm.'

'Als je het goedvindt, kan ik je wel helpen.'

'Heb je wel eens eerder maïs geplukt?'

Cara schudde haar hoofd. 'Nee, maar ik kan het leren.'

Hij zei niets, maar keek haar alleen maar aan.

Ze stak hem haar paardje toe. 'Mooi hè?'

Hij haalde zijn schouders op. 'Nogal versleten, lijkt me.'

Cara stak het paardje in haar zak.

Ephraïm fronste zijn wenkbrauwen. 'Mag ik je iets vragen?'

Ze knikte.

'Ben je een jongen of een meisje?'

De vraag ergerde haar niet. Nieuwe onderwijzers op school stelden haar ook voortdurend die vraag. Ze zagen haar voor een jongen aan tot ze erachter kwamen dat ze een meisje was. Meestal had ze er alleen maar voordeel van, zoals de keer dat ze langs de onderwijzer glipte die toezicht hield bij de jongenstoiletten en ze het toilet binnenging om Jake Merrow op zijn nummer te zetten omdat hij haar geld voor de schoolmelk gestolen had. Ze kreeg haar geld terug en dat een meisje hem een tand door de lip had geslagen, heeft hij nooit verteld. 'Mag ik je meehelpen met maïs plukken als ik zeg dat ik een jongen ben?'

Ephraïm lachte haar vriendelijk toe. 'Weet je, ik had net zo'n versleten paardje als jij mij net liet zien. Ik bewaarde hem ook in mijn zak, tot ik hem verloren ben.'

Cara stopte het paardje dieper in haar zak. 'Ben je hem verloren?'

Hij knikte. 'Waarschijnlijk bij de kreek waar ik aan het vissen was. Vis jij wel eens?'

Ze schudde haar hoofd. 'Ik heb nooit een kreek gezien.'

'Nooit een kreek gezien? Waar kom je dan vandaan?'

'Uit New York City. Mijn mama moest voor ons een auto lenen toen de metro niet verder reed.'

'Nou, als je hier nog bent als de werkdag voorbij is, zal ik je de kreek laten zien. We hebben er een touw hangen en als je mama het goedvindt kun je boven de kreek zwaaien en je dan laten vallen. Hoe lang blijf je hier eigenlijk?'

Ze keek om zich heen. Haar mama en de oude vrouw zaten in de schaduw van een boom; ze hielden elkaars hand vast en praatten met elkaar. Aan de andere kant van de weg stond een schuur en ze zag dat er een paard in stond. Tot aan de horizon waren groene velden te zien. Ze haalde een keer diep adem. De lucht rook heerlijk, zoals grond, maar niet de grond in een stad. Als vruchtbare grond. Misschien was dit de plek waar haar paard haar in haar dromen naartoe bracht. De maïshalmen schoten hoog op en het leek wel of haar hart danspasjes maakte in haar borst. Ze had moeten weten dat als haar moeder iets mooi vond, het de moeite waard moest zijn. 'Tot het geen geheim meer is, denk ik.'

EEN

Twintig jaar later

Zonlicht stroomde door de vuile ruiten van het café waar mensen een plaatsje zochten voor de lunch. Cara zette bij een paar stamgasten twee flessen bier op tafel.

De vertrouwde gasten kenden de regels: voor alle alcoholische drankjes werd onmiddellijk afgerekend. Een van de gasten stak haar een vijfdollarbiljet toe, maar hield zijn ogen op de tv gericht. De ander nam een grote slok terwijl hij een briefje van honderd over de tafel naar haar toe schoof.

Ze staarde naar het biljet en haar hart bonsde van begeerte. Mac hield het grootste deel van haar fooien voor zichzelf, alsof een beetje geld verdienen als dienster al niet moeilijk genoeg was. Het geld dat de klant over de tafel naar haar toe schoof betekende niet alleen maar contant geld maar ook macht. Ze zou ermee in staat zijn om Lori de komende week iets anders voor te zetten dan alleen maar gekookte aardappels en ze zou een paar schoenen voor haar kunnen kopen die niet knelden.

Zou de klant het merken als ik hem van zo'n groot bedrag te weinig wisselgeld teruggaf?

Door haar wanhoop nam ze het niet altijd meer zo nauw met de eerlijkheid. Cara vond het verschrikkelijk dat ze in aanmerking kwam voor sociale hulpverlening en dat ze iedere paar maanden moest verkassen om uit handen van een gek te blijven. Verhuizen kostte altijd geld. Aanbetalingen op de steeds maar toenemende huur. Tijd die verloren ging als ze weer een ander baantje moest gaan zoeken – het volgende nog vervelender dan het vorige. Mike had kans gezien om alles van haar te stelen behalve haar bestaan. En haar dochter.

'Ik zal het wisselgeld even halen.' *Alles.* Ze pakte het geld.

'Cara.' Van de andere kant van het vertrek klonk Macs norse stem en hij wenkte haar van achter de bar. 'Telefoon!' Hij stak de hoorn naar haar op. 'Kendal zegt dat het een noodsituatie is.'

Alle geluiden in het vertrek verstomden. Ze haastte zich naar hem toe, zocht haar weg tussen de tafeltjes door.

'Hou het kort.' Mac gaf haar de telefoon en richtte zich weer tot zijn klanten.

'Kendal, wat is er?'

'Hij heeft ons gevonden.' De gewoonlijk zo kalme stem van haar vriendin beefde en Cara merkte dat ze banger was dan ze de andere keren was geweest.

Hoe kan dat nu na alles wat we gedaan hebben om ons schuil te houden?

'Heeft hij een brief naar ons nieuwe adres gestuurd?'

'Nee, veel erger.' Kendals stem trilde. 'Hij was hier. Hij heeft het slot geforceerd en is naar binnen gekomen om je te zoeken. Hij heeft alles overhoop gehaald.'

'Hij heeft wat?'

'Hij wordt gemener, Cara. Hij heeft alle kussens opengesneden, de matrassen omgekeerd en de laden en dozen leeggegooid. Hij heeft je leren boek gevonden en… en hij stond erop dat ik zou blijven terwijl hij het op zijn gemak ging zitten lezen.'

'We moeten de politie bellen.'

'Je weet dat we dat niet…' Kendal brak haar zin af en Cara hoorde haar huilen.

Ze wisten alle twee dat naar de politie gaan een vergissing zou zijn die ze niet zouden overleven.

Een van de diensters zette met veel lawaai een blad met vuile borden op de bar. 'Hou nou maar eens op met bellen, prinses.'

Cara stak haar wijsvinger in haar oor en probeerde wanhopig na te denken. 'Waar is Lori?'

'Ik weet zeker dat ze haar naar de naschoolse opvang hebben gebracht.' Door de telefoon hoorde Cara een autoportier dichtslaan. Zelf hadden ze geen auto.

Een mannenstem vroeg: 'Waar naartoe?'

Cara klemde de telefoonhoorn steviger vast. 'Wat is er aan de hand?'

Kendal snikte. 'Het spijt me. Ik kan dit niet meer aan. Het enige wat we doen is in angst leven en van het ene gedeelte van New York naar het andere verhuizen. Hij…. hij zit niet achter mij aan.'

'Je weet dat hij probeert mij van iedereen te isoleren. Alsjeblieft, Kendal.'

'Het… het spijt me. Ik kan je niet langer helpen,' fluisterde Kendal. 'De taxi wacht.'

Ze kon het niet geloven. 'Hoe lang is het geleden dat hij heeft ingebroken?'

Van achter Cara viel een schaduw over de bar die haar helemaal opslokte. 'Hoi, Troetelbeer.'

Ze verstijfde. Ze zag het silhouet en het viel haar op hoe klein ze was in vergelijking daarmee.

Mike's grote hand legde een boek naast haar op de bar. Toen hij zijn hand weghaalde bleek het haar dagboek te zijn. 'Ik wilde het niet op deze manier doen, Troetelbeer. Dat weet je best. Maar ik moest bij je binnen gaan om erachter te komen waarom je steeds maar weer voor mij op de loop gaat.'

Ze slikte een golf van angst weg, keek hem aan maar zag geen kans om antwoord te geven.

'Johnny is al een poosje dood. Nu ben je hier… bij mij.' Zijn enorme lichaam boog zich dreigend over haar heen. 'Ik ben bereid om te vergeten dat je die minkukel ooit hebt opgepikt. We kunnen opnieuw beginnen. Kom op, schoonheid, ik kan je helpen.'

Mij helpen? De enige persoon die Mike bereid was te helpen was zichzelf – tot in haar bed toe.

'Alsjeblieft… laat me met rust.'

Zijn staalharde grijns maakte haar bang en te midden van alle lawaai aan de bar viel er een stilte. Er gingen allerlei onsamenhangende gedachten door haar heen, hoe ze aan hem zou kunnen ontsnappen. Maar voor ze er verder goed over kon nadenken waren ze alweer in het niets opgelost. Angst leek een eigen leven in haar te leiden en achtervolgde haar altijd weer.

Hij tikte op haar dagboek. 'Ik weet het nu allemaal, zelfs waar je je verstopt hebt als je wegliep, wat natuurlijk niet nog eens zal gebeuren.' De dreigende toon in zijn stem was onmiskenbaar en de schrik sloeg haar om het hart. 'Ik ken je dochter net zo goed als jij. Wat zou er gebeuren als ik op zekere dag na schooltijd op zou duiken met een hondje dat Shamu heet?'

Cara wankelde. Zonder enige inspanning hield hij haar bij haar elleboog overeind.

Nadat ze jaren verstoppertje had gespeeld in de hoop Lori te kunnen beschermen, wist hij nu Lori's naam, waar ze naar school ging en waar ze wel en niet van hield. Bevend keek ze om zich heen voor hulp. Op de planken achter de bar stonden flessen drank van allerlei grootte en vorm. De tv schalde. Nietszeggende gezichten staarden haar aan. De man die haar het biljet van honderd dollar had gegeven, keek even naar haar voordat hij zich tot een andere dienster wendde.

Ze voelde een kille onverschilligheid om zich heen, waardoor ze eraan herinnerd werd dat er voor mensen als zij en Lori geen hulp was. Op een goede dag was er een beetje afleiding waardoor ze alles een paar uur konden vergeten. Zelfs als haar gedachten alle kanten op schoten leek het wel of haar leven uiterst traag verliep. Ze had eigenlijk geen leven.

'Je weet wat ik voor je voel.' Zijn stem werd een bezitterig gefluister waarvan ze huiverde. 'Waarom maak je het allemaal zo moeilijk?' Mike streelde met zijn vinger over de zijkant van haar hals. 'Mijn geduld is op, Troetelbeer.'

Waar kon ze zich nu verbergen? Op een plaats die hij niet kende en waar hij haar niet zou kunnen opsporen. Er schoot plotseling een herinnering door haar heen – een kleurloos stuk wasgoed dat aan een waslijn hing.

Een schort. Een hoofd met een mutsje. Een oude vrouw. Rijen hoge maïsplanten.

Hij kneep in haar bovenarm. Pijn schoot door haar heen en de onsamenhangende gedachten verdwenen. 'Waag het niet om nog eens weg te gaan. Ik zal je vinden. Je weet dat ik je zal vinden… iedere keer weer.' Zijn ogen weerspiegelden die bekende vermenging van boosaardigheid en onzekerheid als hij haar zijn wil wilde opleggen. 'Ik ben de baas. Niet jij. En ook die ouwe Johnny niet. Ik.'

Maar misschien was dat wel niet zo. Ze kreeg een sprankje hoop. Als ze die herinnering weer terug kon halen – als die echt was – zou ze misschien een plaats hebben waar ze heen zou kunnen gaan. Een plaats waar Mike haar niet zou kunnen vinden en waar ze haar leven niet zou hoeven opofferen voor eten en onderdak. Twijfel overviel haar weer en ze voelde haar hoop verdwijnen. Het was waarschijnlijk een film die ze gezien had. Zich nog iets van haar leven te herinneren dat echt gebeurd was voordat haar moeder was overleden, scheen even moeilijk als los te komen van Mike. Ze was pas acht geweest toen haar moeder bij het oversteken van de straat was overreden door een chauffeur die was doorgereden. Daarna was haar leven zo zwaar geworden dat alles daarvoor niets meer dan een vage droom leek.

Terwijl ze haar best deed zich het een en ander te herinneren, zag ze in gedachten vage beelden. Een keukentafel met klaargemaakt eten. Een warme bries die door een onbekend raam stroomde. Lakens die aan een waslijn in de wind heen en weer waaiden. Gedempt gelach toen een jongen in een beek sprong.

Was het zomaar een dagdroom? Of was het een plaats waar ze ooit echt geweest was, een plaats die ze niet meer kon bereiken omdat ze zich die niet meer herinnerde.

Haar hart bonsde wild. Ze moest het antwoord vinden. Mike trok de telefoon uit haar hand en hij probeerde zijn onzekerheid te verbergen achter een grijns. 'Voor een ding ben je banger dan wat ook en ik weet wat het is.' Hij legde de hoorn op het toestel neer en sloeg haar dagboek open. 'Als je de sociale dienst geen enkele aanleiding wilt geven om haar van je weg te halen...' Hij tikte met zijn dikke vinger op een foto van Lori. 'Denk erover na, Troetelbeer. Als je werk erop zit zie ik je wel weer bij je thuis.' Hij liep de deur uit.

Cara liet zich tegen de bar aan zakken. Hoe ze haar best ook deed, ze kwam steeds weer op dezelfde plaats terecht – in de klauwen van een krankzinnige.

Ondanks de absurditeit ervan verlangde ze hevig naar een sigaret. Ze zou erdoor kunnen nadenken en zich wat kunnen ontspannen.

Ze had nog steeds het bankbiljet in haar hand dat de man haar gegeven had voor zijn drankje. Ze wreef het tussen haar vingers. Als ze de achterdeur uit zou glippen, zou niemand in het café er enig idee van hebben waar ze heen zou gaan. Ze zou Lori op kunnen pikken en verdwijnen.

❦

TWEE

*E*phraïm en Anna Mary schommelden zachtjes heen en weer op het erf van zijn huis. Vanaf de grote eik boven hen liepen kettingen die vastgemaakt waren aan de schommelbank op de veranda. De ijzeren ketting voelde koel aan in zijn hand en boven zijn hoofd ritselden de nieuwe voorjaarsbladeren. Hij stak zijn vrije hand naar Anna Mary uit. Ze glimlachte zonder iets te zeggen en liet haar hand in de zijne glijden.

Het afgezonderde plekje waar ze zaten werd aan drie kanten omzoomd door hoge heggen. De vierde kant was open en keek uit op een weiland met vee en een grote vijver. De schuilplaats – zoals hij het noemde – gaf een beetje afzondering, wat op het perceel van de familie Mast moeilijk te vinden was. Ephraïm had, toen hij negen jaar geleden was teruggekeerd naar de boerderij, dit bijzondere plekje gecreëerd en hij had zijn familie duidelijk gemaakt dat ze hier slechts op uitnodiging welkom waren.

Langs de avondhemel gleden wolken waardoor zijn uitzicht op de sterren en de maan belemmerd dreigde te worden. Zelfs zonder telescoop kon hij de zeeën op de maan gemakkelijk onderscheiden. Anna Mary kneep in zijn hand. 'Waar denk je aan?'

'Aan die donderwolken die zich daar verzamelen.' Hij wees naar het zuidwesten. 'Zie je ze? Over een paar minuten zullen de sterren niet meer zichtbaar zijn, maar voorjaarsregen is precies wat de ingezaaide maïs nodig heeft.'

Ze hield haar hoofd een beetje scheef en keek hem aan. 'Ik begrijp niet wat je erin ziet om iedere avond naar diezelfde hemel omhoog te kijken.'

De enkele keren dat ze hem 's avonds hier buiten vergezelde, besteedde ze maar weinig aandacht aan het ontzagwekkende uitspansel boven haar. Als ze bij hem was probeerde ze juist zijn aandacht te trekken. Ze was niet iemand die zomaar rechtstreeks zei wat ze dacht of wilde, maar ze zette hem ertoe aan om te praten. Het irriteerde hem een beetje maar hij begreep haar wel.

'De uitgestrektheid van de hemel. De ruimte achter de donkere nacht. Elke ster is een zon en verspreidt licht op de plaats waar ze is. Onze God is veel groter dan ik ooit kan begrijpen.'

Ze kneep in zijn hand. 'Weet je wat ik zie? Een man die steeds rustelozer wordt met het leven dat hij gekozen heeft.'

Binnen de Amish-gemeenschap die hem een paar jaar geleden naar huis had geroepen, had hij vrede gevonden. Maar nu zij vierentwintig was, hoopte ze op een belofte. Hij was vier jaar jonger geweest dan zij nu was toen hij eropuit getrokken was, vrij van alle beperkingen die de Amish-gemeenschap hem oplegde. Maar toen hij drieëntwintig was, had zijn stiefmoeder hem gebeld en gezegd dat zijn *Daed* ziek was en dat de familie hem nodig had.

Hij moest thuiskomen. Zijn *Daed* had een virus opgelopen, wat zijn hart ernstig had aangetast. Ephraïm moest de meubelmakerij van zijn vader overnemen en de kost verdienen voor zijn zieke vader, zijn zwangere stiefmoeder en een huis vol jongere broertjes en zusjes. Het deed er niet toe dat hij eigenlijk juist was weggegaan omdat hij het er niet mee eens was geweest dat zijn vader zo snel na de dood van zijn moeder hertrouwd was. En nu, negen jaar later, was hij dan hier, nog steeds niet helemaal passend in de rol die hem was opgelegd.

Toen hij het geluid van een paard en een koetsje in het grind van de oprit hoorde, stond hij op en liep in die richting om te zien wie eraan kwam. Anna Mary liep vlak achter hem aan. Toen ze door de smalle opening van de heg liepen, zag hij zijn zus samen met Mahlon die het rijtuigje tot stilstand bracht.

Deborah hield een bord omhoog dat was afgedekt met aluminiumfolie. 'Verjaardagstaart.' Ze toonde hem een mes en liet duidelijk merken dat ze hoopte dat de langverwachte dag eindelijk gevierd zou worden. Mahlon stapte uit en hielp Deborah met uitstappen. Ephraïm had geweten dat deze dag eraan kwam, maar het was moeilijk te geloven dat de tijd gekomen was om haar haar zin te geven. Twee jaar geleden, toen ze negentien was geworden, was ze naar hem toe gekomen en had hem gezegd dat ze met Mahlon wilde trouwen. Aangezien het in de Amish-gemeenschap niet gebruikelijk was dat een meisje aan haar vader toestemming vroeg voor een huwelijk, laat staan aan een broer, was hij zeer verbaasd geweest. Hij was niet bereid geweest om tegen haar te liegen maar had haar ook zijn bezwaren niet kenbaar willen maken en daarom had hij haar gewoon gezegd dat ze nog een poosje moest wachten. Daarop had hij zijn jas gepakt en was naar de deur gelopen... hij liet Deborah achter, die er niets van begreep.

Maar ze was hem gevolgd. 'Ephraïm, we moeten hier nog verder over praten.'

Hij had zijn jack aangetrokken. 'Voorlopig praten we hier niet meer over.'

De teleurstelling op haar gezicht was hem niet ontgaan.

'Wanneer dan wel?' had ze gevraagd.

Hij was ervan overtuigd dat een paar jaar voldoende zou zijn en had gezegd: 'Tot je eenentwintig bent.'

Als ze besloten zou hebben om hem te negeren, zou hij haar niet hebben kunnen tegenhouden. Maar ze dacht dat hij haar alleen had gezegd om nog een poosje te wachten omdat de familie haar nodig had en daarom had ze zonder verdere vragen te stellen gedaan wat hij haar gevraagd had. Vandaag was ze eenentwintig geworden en ze had het grootste deel van de dag haar geluk gevierd met Mahlon en zijn moeder Ada. Soms was Ephraïm niet helemaal zeker van wie Deborah meer hield, van Mahlon of van Ada.

Ephraïm had twee zussen die qua leeftijd tussen hem en Deborah in zaten, maar ze waren allebei een paar jaar geleden getrouwd en naar een Amish-gemeenschap in een andere staat verhuisd. Toen ze wilden trouwen, had niemand zich daartegen verzet.

Ondanks de bezwaren die hij nog steeds had, wenkte Ephraïm hen. '*Kumm,* dan zal ik het fornuis aansteken en koffie voor ons zetten. Daarna zullen we praten.'

Deborah gaf de taart aan Mahlon en zei iets waar Anna Mary zachtjes om lachte.

Er klonk een claxon waardoor ze allemaal bleven staan. Op de oprit kwam een auto achter Mahlons koetsje tot stilstand en Robbie liet het raampje zakken. 'Hé, ik heb mijn truck naar de garage gebracht, zoals ik zei, maar ze willen hem een paar dagen houden. Moet ik er een huren om je morgen naar je werk te rijden?'

Ephraïm schudde zijn hoofd. 'Nee, Mahlon en ik laden een wagen en spannen de paarden ervoor. We moeten een paar kasten naar de boerderij van Wyatt brengen, zo'n vijf kilometer hiervandaan. Ik heb in de werkplaats wat werk voor jou en Grey klaarliggen.'

'Aha, je moet het dus geweten hebben.'

'Ja. Toen jij over de garage praatte, heb ik de plannen veranderd. Het lijkt erop dat je truck, als je hem naar de garage brengt, een poosje niet beschikbaar is. Als hij dinsdagmiddag nog niet klaar is, zullen we er een moeten huren. We hebben woensdag een klusje in Carlisle. Weet je, als ik mijn paard naar de hoefsmid breng, heb ik nooit technische problemen.'

Robbie grijnsde breed. 'De truck is tegen die tijd wel weer klaar. Ik heb de garage jouw telefoonnummer gegeven zodat ze ons kunnen bellen zodra hij klaar is.' Robbie wees op Mahlon. 'Jij gaat dus met de grote baas mee en ik werk met de voorman. Ze gunnen ons nooit eens een beetje vrije tijd, hè?'

'Daar zou ik inderdaad maar niet op rekenen,' spotte Mahlon.

Robbie lachte en reed achteruit de oprit af. 'Ik zie jullie morgenochtend wel weer.'

'Reken maar.' Ephraïm wendde zich weer tot de twee anderen. 'Hebben jullie misschien ook zin in een stuk taart?'

Deborah streek de plooien in haar schort glad. 'Om eerlijk te zijn... ik wil liever met je praten over het onderwerp waarvoor we hiernaartoe gekomen zijn.'

Ephraïm knikte. Mahlon was vandaag eerder met zijn werk opgehouden en eerder weggegaan dan gebruikelijk. Helaas leek het erop dat Mahlon nogal makkelijk vroeger wegging als hem dat zo uitkwam en hij trok zich er weinig van aan dat Ephraïm hem moeilijk kon missen. Maar de liefde van zijn zus voor Mahlon werd er niet minder om en het werd tijd dat Ephraïm vertrouwen kreeg in haar intuïtie.

Mahlon leek wat onzeker. 'Ze is vandaag eenentwintig geworden.'

'Ja, dat weet ik.' Ephraïm schudde hem de hand, waarmee hij hem stilzwijgend geruststelde dat hij zich niet langer zou verzetten. 'Dan wordt het tijd om plannen te gaan maken.'

Deborah sloeg haar armen om Ephraïms nek. *'Denki.'*

Haar bedankje was niet nodig, maar niettemin beantwoordde hij haar omhelzing. *'Gern geschehne.'*

Ze liet hem los en omhelsde Anna Mary, waarbij ze allebei glimlachten en opgewonden fluisterden.

'Ephraïm!' klonk de stem van zijn stiefmoeder.

Hij keek om naar het huis van zijn *Daed* en zag Becca het veldje oversteken dat de beide huizen van elkaar scheidde. Er waren dagen dat zowel zijn werk als zijn familie hem volkomen in beslag namen, waardoor hij nauwelijks tijd voor zichzelf overhield. Maar hij had zijn grenzen wel aangegeven en dat hielp. Van zijn familie mocht alleen Deborah zomaar bij hem binnenvallen omdat ze slechts weinig van hem vroeg en altijd wel iets nuttigs deed – eten koken of de vaat doen.

'Is Simeon bij je?' riep Becca.

'Ik heb hem al sinds het avondeten niet meer gezien.' Maar hij wist dat hij niet ver weg was. Zijn broertje had een geheim – een onschuldig geheimpje zoals jongens van acht die erop nahielden. Becca liep dichter naar hen toe en ze gingen haar tegemoet.

'We misten hem al voor het eten.' Haar handen beefden van de zenuwen toen ze die aan haar schort afveegde. 'Dit is al de derde keer binnen twee weken dat hij op die manier verdwenen is. Daar moet je een eind aan maken, Ephraïm, voordat je vader weer in het ziekenhuis terechtkomt. Hij schijnt maar niet te begrijpen hoe slecht zijn *Daed* eraantoe is.'

'Weet *Daed* dat hij weg is?'

Becca schudde haar hoofd. 'Nog niet. Ik hoop dat ik het hem niet hoef te vertellen. En als Simeon thuiskomt, ben ik van plan hem zonder eten naar bed te sturen.'

'Zeg maar niets tegen *Daed*. Simeon is niet ver weg. Als ik hem vind, zal ik hem duidelijk maken dat hij dit niet meer moet doen.'

'*Denki.*' Zonder nog iets te zeggen, ging ze weer weg.

Mahlon keek rond over het erf. 'Heb je hulp nodig, Ephraïm?'

'Dat heeft geen zin. Blijf maar hier en help Deborah met het aansteken van de houtkachel en met koffiezetten.' Hij keek naar Anna Mary. 'Ik ben zo weer terug.'

'Als je niet te lang wegblijft, zullen we wat taart voor je bewaren.' Anna Mary trok spottend een wenkbrauw op bij die dreigende opmerking. Hij onderdrukte een glimlach en trok eveneens zijn wenkbrauwen op.

Hij draaide zich om en wilde weggaan toen hem plotseling iets te binnen schoot. Hij haalde een grote zakdoek uit zijn zak. 'Kan ik een stukje van de taart meenemen?'

'Ben je dan van plan om lang weg te blijven?' Anna Mary verwijderde het aluminiumfolie.

Hij keek haar aan en lachte.

Deborah sneed een stuk taart af en legde dat in de zakdoek. 'Alsjeblieft.'

'*Denki.*'

Mahlon grinnikte. 'Wil je de jongen omkopen om thuis te komen?'

'Zoiets ja.' Ephraïm stopte het stuk taart in zijn wijde broekzak. 'Ik ben zo weer terug.' Hij liep de velden in.

Door de rijen pas geplante maïs ging hij naar wat hij nog steeds Levina's land noemde. Levina was altijd zoiets als een grootmoeder voor hem geweest, ook al was ze geen familie van hem. Toen ze overleden was, had hij de oude boerderij gekocht, voornamelijk omdat die grensde aan het perceel waarop hij zijn huis had gebouwd. Er waaide een zachte avondwind en zijn gedachten dwaalden af naar de tijd voordat zijn vader ziek werd. Toen hij naar huis geroepen was, gaf hem dat een reden om een wereld achter zich te laten die hem allerlei vrijheden bood maar ook even zoveel soorten gevangenschap. Maar het hinderde hem dat, sinds hij was teruggekeerd, zijn familie hem ieder jaar meer in plaats van minder nodig scheen te hebben.

Toen hij langs de oude oprit van Levina liep, viel zijn aandacht op de aaneengesloten rij bomen die langs het pad stond – majestueus, en voor hem vol herinneringen. Uit gewoonte liet hij zijn hand over de bast glijden terwijl hij erlangs liep. De aanraking maakte tal van herinneringen los.

Door de kieren van de verlaten schuur vielen streepjes licht en hij was er zeker van dat hij daar zijn broer – in feite zijn halfbroer – zou aantreffen. Hij stak de weg over en de deur kraakte toen hij die openduwde.

Simeon keek op, met allemaal jonge hondjes op zijn schoot. 'Ephraïm, kijk. Ik heb ze vandaag een beetje getraind en ik heb er een gezien die heel geschikt is voor jou.'

'En ik heb vandaag een *Mamm* gezien die jou zonder eten naar bed gaat sturen. Het is al donker, Sim. Wat denk je eigenlijk? Als ze in de gaten krijgt waarom jij hiernaartoe gaat, zal ze de hondjes weghalen. En als ze hier blijven, zullen ze ook een keer doodgaan.'

'De moederhond is weg.' Simeon pakte het kleinste hondje op en knuffelde het. 'Ik zag iemand bij de schuur toen ik hierheen ging. Hij liep hard weg toen hij mij aan zag komen. Denk je dat hij de moeder heeft gestolen?'

'Het lijkt me niet logisch dat hij de moeder meeneemt en de jonge hondjes achterlaat.' Ephraïm zette de puppy in het bedje van hooi dat Simeon voor de hondjes had gemaakt. 'Luister, dit moet je niet meer doen – wegblijven als het al donker is en je moeder bezorgd maken – anders breng ik deze hondjes naar de veiling. Begrepen?'

Hoewel hij vierentwintig jaar ouder was dan Simeon, had hij er een hekel aan om als een vader op te treden. Hij zou een broer en vriend moeten zijn, maar hij had een andere rol dan alleen een familielid dat geld in het laatje bracht.

Er kwamen tranen in Simeons ogen en hij knikte.

Ephraïm pakte de lantaarn. 'Laten we nu maar gaan.'

Met neerhangende schouders liep zijn broer met hem de schuur uit. Zwijgend liep Simeon naar de weg en wilde die oversteken. Ephraïm ging naar het weiland.

'Ephraïm?'

Hij stond stil. 'Kom maar. We kunnen de moederhond daar echt niet vinden. Ik ben daar net vandaan gekomen.'

Simeon veegde zijn tranen af.

Ephraïm haalde de zakdoek uit zijn zak. 'Ik heb een stuk taart meegebracht. Als we bij de hond in de buurt komen, dan komt ze vast op de geur af.'

*D*e herrie en drukte van station Port Authority veroorzaakten een déjà vu bij Cara. Ze was al veel vaker in het stationsgebouw geweest, maar ditmaal kreeg ze een vreemd gevoel...

Met haar dagboek onder haar arm en haar dochter aan de hand, liep ze langs winkels, restaurants en loketten. Het vreemde gevoel werd sterker toen ze de roltrap naar beneden nam, richting de ondergrondse.

Opeens had ze haar vaders hand vast, niet die van Lori. De herinneringen kwamen terug. Eindeloze roltrappen brachten haar en haar vader steeds dieper in de onderbuik van de stad. In haar hand hield ze een bruine papieren zak, de bovenzijde verkreukeld tot een rolletje. Alles ging maar door. De honderden, misschien duizenden mensen rondom haar, die het niets konden schelen dat haar moeder vorige week was gestorven. Haar vader ging een café binnen en zette haar op een kruk. 'Droog je tranen, Cara. Het komt wel goed, dat beloof ik.'

Hij haalde een kaart tevoorschijn uit zijn jaszak. Die had hij de avond daarvoor getekend en zij had moeten helpen met inkleuren. Hij spreidde de kaart uit op de tafel. 'Kijk, jij staat hier, bij het busstation van New York City. Een vrouw komt je ophalen. Haar naam is Emma Riehl. Samen met haar stap je in de bus die je richting het zuidwesten brengt. Waarschijnlijk stap je over in Harrisburg en daarna rijdt de bus ongeveer een uur verder naar het westen. Tot hier.' Zijn grote vinger hamerde op het papier.

Waarschijnlijk gaf ze een vreemd antwoord, want hij staarde haar aan en bestelde vervolgens iets te drinken aan de bar. Hij dronk tot hij nauwelijks meer een woord kon uitbrengen. Vervolgens bracht hij haar naar een bankje, zei haar te blijven zitten en beloofde dat Emma haar zou komen halen.

Toen vertrok hij.

Met het verstrijken van de tijd verdween het afschuwelijke gevoel dat ze had toen ze hem weg zag lopen. Omdat ze bang was dat Emma weer weg zou gaan als ze haar niet vond, ging ze alleen naar het toilet als ze het echt niet meer kon ophouden.

Na een tijdje viel ze in slaap en werd ze gewekt door een man in uniform. Hij had een vrouw bij zich van wie ze hoopte dat het Emma was. Maar ze was het niet. Ze brachten haar naar een ruimte met metalen stapelbedden die halfvol zaten met boze kinderen die ook door niemand waren opgehaald.

Lori kneep in haar hand en ze keerde terug naar de realiteit. Ze keek in Lori's onschuldige bruine ogen.

'Gaan we op zoek naar Kendal, mama?'

Ze schudde haar hoofd. De tijd van samenzijn met haar vriendin was voorbij. Eerder op de dag had ze definitief afscheid van Kendal genomen, maar het had er al een tijdje aan zitten komen. Ooit, toen ze in hetzelfde pleeggezin zaten, waren ze hartsvriendinnen geweest, maar de laatste jaren had Kendal van haar gestolen, tegen haar gelogen en veel ruzie met haar gemaakt. Omdat ze de enige 'familie' was die ze had, weigerde Cara haar op te geven. Maar...

Lori onderbrak haar gedachte en wees naar een foto. 'Gaan we ergens met de bus naartoe?'

'Ja.'

'En Kendal dan?'

'Voor deze keer gaan we met z'n tweeën.'

'Maar...'

'Sst.' Terwijl ze verder liepen, sloeg Cara liefdevol haar arm om Lori's schouders. Ze werd geplaagd door de gedachte aan Kendal en voelde zich een dwaas dat ze zo lang had geprobeerd om hen bij elkaar te houden. Ze had altijd gedacht dat ze door bij Kendal te blijven nog een beetje familie had. Een mens kan tenslotte niet zelf uitkiezen wie zijn familie is, of door wie hij wordt gered. En dat had Kendal gedaan. Op haar negentiende had ze de smerige deur van haar kleine, rommelige appartement geopend voor een vijftienjarige vluchteling. Ze had haar voedsel gegeven en een schuilplaats. Het gebaar had Cara vervuld met hoop. Zonder haar had ze geen kans gehad om het te redden en om uit de greep van Mike te blijven. Maar toen was het makkelijker geweest om de zwakke plekken van Kendal te negeren: mannen en drugs. Wat dat betreft leken Kendal en zij op de kinderen in een echt gezin: ze waren volslagen elkaars tegenpool.

Ze dacht aan het dagboek onder haar arm. Misschien kwam het door wat haar moeder meer dan twintig jaar geleden voor haar had opgeschreven, waardoor ze geen mannen opzocht en geen drugs gebruikte om de pijn te verzachten – misschien ook niet. Ze had de prachtige passage wel tienduizend keer herlezen in de loop der jaren, en kon zichzelf niet los zien van de vrouw van wie haar moeder hoopte dat ze die zou worden.

Een docent op de middelbare school had opgemerkt dat het dagboek van Cara's moeder ervoor had gezorgd dat ze dol was op het uitpluizen van studieboeken. Waarschijnlijk was dat ook zo. Ze was een goede studente, tot haar leven drastisch veranderde. Boeken en school werden betekenisloos in vergelijking met de kennis die nodig was om te overleven. In die tijd verscheen Kendal.

Zo liet Cara de ene gedachte volgen op de andere, en terwijl ze dat deed, realiseerde ze zich diep vanbinnen, voorbij haar angsten en onsamenhangende gedachten, dat het voor Kendal ook pijnlijk was er op deze manier een punt achter te zetten. Ze had op het laatste moment geen bemoedigende woorden meer gesproken voor haar of Lori. Ze had ook niet meer gefluisterd dat ze Cara graag wilde ontmoeten als ze zich weer van Mike had los geworsteld. Ze had gewoon een laatste keer gedag gezegd. Nádat ze had ingepakt en een taxi had aangehouden.

De moedeloosheid gaf ruimte aan verdriet en op de een of andere onbegrijpelijke manier, leek het Cara logisch om op dit moment op dezelfde plek te lopen als waar haar vader haar had verlaten.

'Mam,' zei Lori. Ze rekte het woord lang uit, half zeurderig, half eisend. 'Ik wil weten waar we naartoe gaan.'

Cara dacht even na. Ze moesten de stad uit, maar geld om ver te reizen had ze niet. 'Ik denk naar Jersey. Alles is in orde, dus maak je maar geen zorgen, goed?' De woorden kwamen niet zo makkelijk over haar lippen.

Ze had geen echte oplossing. Maar ze wist één ding zeker: elk leven dat ze Lori kon geven was oneindig veel beter dan de pleegzorg waar ze zelf in had gezeten onder de hoede van vreemdelingen die betaald werden om te doen alsof ze om haar gaven.

Het leek zo oneerlijk dat Cara haar hele leven probeerde goed te doen – op een manier waarop haar overleden moeder trots kon zijn – om telkens weer het slachtoffer te worden van Mike's slimheid om haar op te sporen. Misschien dat ze daarom wel zo'n gemakkelijk doelwit was voor Mike.

Maar of ze ervoor moest liegen, bedriegen of stelen, niemand zou haar scheiden van haar dochter.

Ze had tijd nodig om na te denken en ging zitten aan een leeg tafeltje bij een broodjeszaak. Ze sloeg haar dagboek open en bladerde erdoor, op zoek naar de aanwezigheid van een leven waarvan ze niet zeker wist of het had bestaan. Het verschoten leer van de kaft en de beduimelde pagina's bewezen hoeveel ze van dit boek hield. Ze schreef er geen alledaagse zaken in. Het boek werd vooral gebruikt om dingen te delen tussen moeder en dochter – eerst voor Cara en haar moeder en nu voor haar en Lori. Het vulde haar met afschuw om te bedenken dat Mike de gedachten van haar moeder had gelezen, welke hoop ze koesterde voor haar, de speciale momenten die ze hadden gedeeld en Cara's meest geliefde herinneringen aan momenten met Lori.

Toen ze minder dan een uur geleden tegenover hem stond, had ze plotseling rijen vol hoge maïshalmen voor zich gezien, het lachen van een jongen, een warm welkom van een oude vrouw in een donkere rok en een witte hoofddoek. Maar daarover stond niets in haar geliefde dagboek. Waarom niet?

Lori haalde een zakje oude koekjes uit haar rugtas – van het soort dat je nog niet aan je hond zou voeren – maar ze smaakten prima en zorgden er in elk geval altijd voor dat de ergste honger verdween. Omdat Mike waarschijnlijk buiten hun appartement stond te wachten – of misschien wel binnen – moesten zij en Lori New York verlaten met alleen de kleren die ze aanhadden, de spullen die in de schooltas zaten en het dagboek.

Cara bladerde door de teksten die haar moeder had geschreven. Ze had dit boek al toen ze jonger was dan Lori nu. Op één ruimte na was elk plekje van het boek beschreven. Elke regel was volgepropt met twee zinnen boven elkaar. De kantlijnen waren gevuld met losse woorden en tekeningen. Zelfs de binnenzijde van de kaft stond vol schrijfsels. Op sommige plekken waren er losse blaadjes vast getapet en geniet aan bestaande bladzijden – ook volgeschreven. Slechts één plekje, een ruimte van zeven bij tien centimeter, was blanco gebleven.

De aanwijzing van haar moeder, bovenaan die bladzijde, luidde dat ze op dat plekje niets moest opschrijven, maar hem moest herinneren.

Schrijf niets in de ruimte die ik gemarkeerd heb. Als de tijd er rijp voor is mijn liefste, dan zal ik hem invullen.

'Mijn liefste.' Net als altijd voelde ze haar maag samenknijpen als ze de woorden las. Had haar moeder ooit van haar gehouden?

Het was duidelijk dat haar moeder de plannen die ze had nooit had kunnen uitvoeren. Cara had geen idee waarover ze het had. Volgens de datum was Cara vijf jaar toen haar moeder die woorden noteerde. Ze liet haar wijsvinger over de woorden glijden.

Ze moest haar zinloze rusteloosheid de baas worden en verborg haar hoofd in haar handen om haar emoties onder controle te krijgen.

Lori klopte met haar vlakke handje op de lege ruimte in het dagboek. 'Wat is dat?'
Cara veegde de koekkruimels weg die van haar dochters hand op
de pagina waren gevallen. 'Een lege ruimte waarvan mijn moeder
zei dat ik er niets in mocht schrijven.'
'Waarom niet?'
Cara haalde haar schouders op. 'Ik weet het niet.'
'Mag ik mijn naam daar schrijven?'
Ze aarzelde even voordat ze het boek naar Lori schoof. 'Natuurlijk,
waarom niet?'
Lori dook in haar tas en haalde een potlood tevoorschijn. Op
school leerde ze schoonschrift. Met haar zeven jaar, leken Lori's
letters meer krullen dan echte letters. Cara wierp een steelse blik op
de overgebleven koekjes, maar ze weigerde te eten. Ze had weinig
geld en Lori had de koekjes misschien hard nodig, voor Cara weer
werk had gevonden.
Het voordeel van het werk als serveerster was dat je meteen geld in
het handje had. Ze moest weliswaar wachten op haar loonstrookje,
maar vanaf de eerste dag had ze fooien ontvangen. De noodzaak
van dagelijks geld om te eten, zorgde ervoor dat ze bleef werken als
serveerster. Dat, en het feit dat ze op jonge leeftijd was gestopt met
school. Toch wist ze dat ze tot meer in staat was. Haar schooltijd was
daarvoor het bewijs. Ze had goede cijfers, sloeg de derde klas over
en behoorde altijd tot de besten van de klas. Jammer genoeg zou
ze waarschijnlijk nooit meer een kans krijgen om aan de anderen
te bewijzen dat ze niet was wat ze dachten: een kansloze misluk-
keling zonder potentie.
'Mama, kijk!'
Cara keek op terwijl ze de zak koekjes dichtdeed. Haar dochter had
haar poging tot schoonschrift opgegeven en maakte nu een grote
L-vorm die ze arceerde. 'Heel mooi, Lori.'
'Nee, mama, kijk.'
Cara trok het boek naar zich toe en zag dat er letters verschenen

onder de arcering van het potlood.

'O, dat zijn woorden die doorschijnen van de andere bladzijde.' Ze schoof het boek terug naar Lori.

Er is veel tijd voorbijgegaan, mijn liefste... Als een fluistering hoorde ze de stem van haar moeder in haar gedachten.

'Wacht even Lori, stop met schrijven.' Cara trok het boek weer naar zich toe. Onder de lichtgrijze toon van het potlood kwam een gedeelte van een woord tevoorschijn. 'Geef me je potlood eens even.'

'Nee.' Lori rukte het boek terug. 'Het is mijn plekje. Dat zei u zelf.'

Cara weerstond de aandrang om ongeduldig te reageren. 'Goed. Je hebt gelijk. Jij mocht daar wat schrijven.' Ze stopte de koekjes in de rugzak en ritste die dicht. 'Volgens de datum bovenaan deze bladzijde was ik een paar jaar jonger dan jij nu bent, toen oma die woorden opschreef.' Ze wees naar de woorden boven de lege ruimte. 'Misschien is het niets. Of misschien heeft jouw oma een geheime boodschap verstopt in het dagboek. Maar als je liever je naam op wilt schrijven...'

Lori bracht het dagboek naar haar gezicht en inspecteerde de lege ruimte. 'Denkt u dat ze mij iets wilde vertellen?'

'Nee, schat. Dat kan toch niet? Ze heeft jou nooit gekend. Maar we kunnen wel ontdekken wat ze geschreven heeft.'

Lori fronste haar wenkbrauwen. 'Zullen we het samen doen?'

Cara knikte. 'Goed idee. We moeten met het potlood heel lichtjes over het hele vlak gaan, anders wissen we de boodschap uit, in plaats dat ze zichtbaar wordt.'

Lori gaf haar het potlood. 'Ik ben net al geweest. Nu bent u aan de beurt.'

Opgelucht nam Cara het potlood over en bracht een lichte arcering aan over de pagina. Woorden die daar al stonden voordat haar moeder was gestorven, verschenen plotseling op de pagina. Het leek op een adres. De straatnummers waren verdwenen onder de dikkere potloodstrepen van haar dochters tekening, maar de straatnaam, de stad en de staat waren duidelijk.

Mast Road, Dry Lake, Pennsylvania.

'Wat staat er, mama?'

Tranen sprongen in haar ogen, terwijl de hoop terugkeerde. Lori had niemand behalve haar alleenstaande moeder, die zelf was opgegroeid als wees. Ze hadden geen enkele steun. Ze wilde... nee, ze hunkerde ernaar om Lori te verbinden met het leven, met de familie en vrienden van Cara's moeder, verbindingen die lieten zien hoe een leven eruit zou moeten zien – waardevolle relaties. Misschien was dit het antwoord. Het was zeker een betere plek dan Jersey. 'Er staat waar we naartoe gaan.'

'Waarheen dan?'

Cara sloot het dagboek. 'Zo ver als een bus ons brengt in de richting van Dry Lake in Pennsylvania.' Ze hing de rugzak over een schouder en stak haar hand uit naar Lori. 'Je hebt een geheim ontdekt waarvan ik niet wist dat het bestond. Kom mee. We moeten buskaartjes kopen.'

In een waas van ontreddering en angst, kocht Cara kaartjes naar Shippensburg in Pennsylvania. Volgens de loketbeambte reisde ze naar het hart van de Amish-gemeenschap. Toen ze nietszeggend haar schouders ophaalde, zei hij dat je ze gemakkelijk kon onderscheiden – ze droegen kleren die uit de achttiende eeuw leken te komen en reisden per paard of rijtuig.

Met de kaartjes in de hand waren ze in een bus gestapt. Ze reden uren achtereen, liepen een flinke vertraging op bij een ander station en stapten over op een andere bus. Nu was het opnieuw nacht. Door de aankoop van de buskaartjes en extra eten had ze nauwelijks geld over. De onzekerheid beangstigde haar en overschaduwde de triomf van de ontsnapping aan Mike en de ontdekking van het geheim in haar dagboek.

Terwijl Lori sliep, observeerde Cara de steden die ze onderweg aandeden, in de hoop dat ze iets bekends zou zien.

Eindeloze flarden mist veranderden in slagregens, waardoor het lastig was om oriëntatiepunten te onderscheiden. Haar oogleden werden zwaar. Ze knipperde verbeten, ging rechtop zitten en probeerde zich te concentreren op alles wat voorbijkwam.

De regen geselde de ramen van de bus. Ze wiste de condens van het glas en bestudeerde de waterige wereld. Toen de bus stopte op de parkeerplaats van een grote supermarkt riep de chauffeur: 'Shippensburg. Shippensburg, Pennsylvania.'

Een eigenaardig gevoel bekroop haar. Een bejaarde dame stond op en liep naar de uitgang voorin de bus.

Het was eigenlijk belachelijk dat ze Lori moest wekken uit haar veilige, droge slaap, om de onbekende regenwereld in te gaan. Ze had nog een paar dollar over. Misschien was het genoeg om nog verder te rijden.

'Shippensburg?' De chauffeur keek in zijn achteruitkijkspiegel om alle passagiers de kans te geven om uit te stappen.

Ze klemde de armleuning vast en hield zichzelf voor dat elke goede moeder zou blijven zitten. Maar toen de deuren van de bus begonnen te sluiten, sprong Cara op en wuifde dat ze uit wilde stappen. Ze propte haar dagboek in Lori's rugzak en nam haar slapende kind in haar armen. Bij de chauffeur stopte ze even en vroeg: 'Enig idee hoe we in Dry Lake komen?'

'Volg deze weg een paar blokken.' Hij wees naar de voorkant van de bus. 'Als je bij Earl Street bent, sla je rechtsaf. Dan is het nog een kleine tien kilometer.'

'Bedankt.'

'Verderop ligt een aardig hotel. Het Shippen Place Hotel is de enige in deze buurt, voorzover ik weet.'

'Bedankt.' De koude regen sloeg in haar gezicht toen ze uitstapte. Omdat ze geen geld had voor een duur hotel, zou ze ergens een gratis slaapplaats moeten vinden.

Lori hief haar hoofd op van Cara's schouder en sputterde: 'Nee, mama. Ik wil naar huis toe.'

'Stil maar.' Cara vleide Lori's hoofd weer tegen haar schouder en hield de rugzak tegen de wang van het meisje om haar te beschermen

34

tegen de regen. 'Luister eens, je moet me vertrouwen. Weet je nog?'
Lori sloeg haar handjes om Cara's nek en jammerde nog wat. Binnen enkele seconden viel ze weer in slaap, doof voor het geluid van de regen die ritmisch op haar rugzak roffelde.

᠁

VIER

Deborah tuurde door het raam achter het aanrecht in de keuken, en zag hoe de zon met gouden stralen door de stapelwolken brak. Ze sneed het stoofvlees in hapklare stukjes en dacht ondertussen aan Mahlon.

Sinds haar verjaardag, eergisteren, was ze samen met Mahlon op pad geweest in de omgeving om alle familie en vrienden te vertellen van hun trouwplannen. Ze kon zich niet herinneren ooit zoveel plezier te hebben gehad als donderdag, toen ze bij het ene na het andere huis binnenvielen om het goede nieuws te delen. De officiële aankondiging kwam pas in oktober, als de bisschop alle aanstaande echtparen publiek zou maken. Hij stelde een aankondiging op waarin iedereen vermeld werd die dat seizoen in het huwelijk trad, maar ze zouden hun plannen al lang van tevoren klaar moeten hebben. Het verlovingsgeschenk voor Mahlon – waar ze een jaar voor gespaard had – was al besteld. Zodra het cadeau arriveerde bij het warenhuis, zou ze het hem geven.

Haar hart klopte vol verwachting voor de komende maanden. Ze gooide de blokjes vlees in de braadpan om het aan te braden en begon de ontbijtborden af te wassen. Ze haastte zich om de ochtendkarweitjes af te ronden en naar Mahlon te gaan. De bedden waren opgemaakt, ze had de was gewassen en buiten te drogen gehangen en samen met Becca had ze ontbijt gemaakt voor het gezin. Haar lijst met klussen werd ieder uur korter. Mahlon had tot na de lunch vrij genomen, zodat ze een begin konden maken met hun plannen – en ze wilde geen seconde verliezen.

Becca kwam de keuken binnen met op elke heup een van de tweeling. Met haar ronde blozende wangen zag ze er gezond uit. Doordat haar haren steeds grijzer werden, en ze na elke bevalling een paar kilo was aangekomen, leek ze niet langer de veel jongere tweede echtgenote van twaalf jaar terug. Ze leek vooral een moeder van een steeds groter wordend gezin, en zo voelde ze zich ook.

'Naar hoeveel huizen ga je vandaag met Mahlon kijken?' Becca zette Sadie en Sally achter het kinderhekje voor de speelkamer en liep naar de oven.

'Er zijn er maar twee binnen Dry Lake. Misschien drie, want er is een huis dat toebehoort aan Engelsen, en mogelijk valt dat binnen ons district.'

Ze tilde de deksel van de vleespan en roerde met de spatel. 'O ja? Waar staat dat dan?'

'Ongeveer een kilometer bij Mahlon vandaan.'

'Links of rechts?'

'Links. Ze heten Waters van hun achternaam.'

Ze haalde haar schouders op. 'Dat zou ook onder het district Yoder kunnen vallen. Hun kerkzondagen vallen precies op onze tussenzondagen. Dus als het huis in dat district valt, dan wordt het moeilijk om je familie te komen bezoeken. Dat zal je *Daed* niet leuk vinden.'

'Ja, ik weet het. Mahlon is vastbesloten om een plek te vinden in Dry Lake, maar hij zei al dat we misschien genoegen moeten nemen met een plekje in het Yoder district.'

'Vind je dat huis mooier dan de andere huizen?'

Deborah droogde haar handen af. 'Het maakt mij niet uit waar we wonen.' Ze trok de koelkast open en haalde wortels, uien en aardappels tevoorschijn. 'Ik zou het uitstekend vinden als we het huis betrekken waar hij nu met Ada woont.'

'Tja, het is wat klein, maar het lijkt me een prima plek om te beginnen.' Becca zette de oven laag, goot een liter water over het vlees, en deed de deksel weer op de pan.

Deborah maakte de wortels en aardappels schoon en legde ze op de snijplank. 'Mahlon zegt dat de eigenaar van het huis wil dat zijn

dochter daar komt te wonen. Daar heeft hij het al een jaar over.'
'O, dat is ook zo. Ik weet het weer. Ze hadden die plek gehuurd. Het is toch schandalig dat Ada destijds op die manier haar huis moest verkopen nadat de *Daed* van Mahlon was overleden.'
Becca pakte een theedoek en begon het afdruiprek leeg te ruimen. 'De gemeenschap wilde het niet laten gebeuren, maar de meeste onder ons hadden te maken met onze eigen verliezen. Bovendien was Ada vastbesloten om niemand te belasten.'
Terwijl ze de aardappels schilde, voelde Deborah hoe het oude verdriet haar weer overspoelde. Het deed niet meer zoveel pijn als ooit, maar toch stak het nog. Dertien jaar geleden was ze haar moeder verloren in hetzelfde ongeluk als waarin Mahlon zijn vader was kwijtgeraakt. Becca's echtgenoot was ook omgekomen, net als zes anderen uit hun gemeenschap. Allemaal in hetzelfde fatale ongeluk. De Amish van Dry Lake hadden drie Engelse chauffeurs ingehuurd om hen naar een trouwerij in Ohio te brengen. Ze reden vlak achter elkaar toen een van de voertuigen verongelukte. Niemand haalde de bruiloft. In die tijd woonden er dertien gezinnen in hun district en negen daarvan hadden een geliefde verloren. Het had Deborah jaren gekost om het idee van zich af te zetten dat ze vervloekt waren.
Becca zette het laatste bord in de kast. 'Komt Ada bij jou en Mahlon inwonen?'
'Ja. Het heeft niet Mahlons voorkeur, maar hij kan zich geen twee woonruimtes permitteren – een voor ons en een voor haar. Ik snap niet waarom hij het vervelend vindt. Ada is tenslotte niets anders dan een zegening, de rest van haar leven.' 'En dat is een lang leven, want ze is nog jong. Drieënveertig, is het niet?'
Deborah knikte.
Becca sloeg de theedoek over haar schouder. 'Ik vind het vreemd dat ze nooit hertrouwd is, maar zolang jij er geen problemen mee hebt om een woning met haar te delen, blijft er vrede in huis.'
'Het moeilijkste wordt waarschijnlijk dat we allebei van koken houden. Ik hoop dat een van de huizen een grote keuken heeft. Dan

maken we elk onze eigen werkplek, en houden we kookwedstrijden. En dan maar hopen dat de jongste kok wint.'

Becca giechelde. 'Ada moet oppassen. Volgens mij heeft ze al haar kookgeheimen jarenlang toevertrouwd aan een ambitieuze jonge vrouw.'

Voor het eerst in lange tijd moest Deborah weer denken aan de droom die ze ooit had om een eigen Amish restaurant te openen. Helaas woonden ze te ver van de stroom toeristen om het haalbaar te maken. Hope Crossing had een meer toeristische Amish-gemeenschap, maar haar familie kon haar thuis niet missen. Bovendien was ze al vanaf haar tiende verliefd op Mahlon, dus ze kon zich niet indenken dat ze ergens anders ging wonen. Gelukkig had zijn moeder haar de mogelijkheid gegeven om iets te doen wat bijna net zo leuk was, namelijk desserts maken voor de verkoop. Ada had haar geleerd hoe ze allerlei soorten zoetigheden moest bereiden, en samen bakten ze die voor een bakkerij die driemaal per week iemand langs stuurde om de lekkernijen op te halen.

'Mocht je ooit om een keuken verlegen zitten, dan ben je hier altijd welkom.' Een van Becca's mondhoeken krulde op in een glimlach: 'Maar wat hier gekookt wordt, blijft natuurlijk hier.'

Deborah grinnikte. 'Maar niet voor lang... het wordt meestal snel opgegeten.'

Becca lachte. 'Ga maar snel je paard halen. Misschien dat Ephraïm de winkel wel even alleen wil laten om je te helpen met inspannen.'

'Weet je het zeker?'

Een van de tweeling begon te huilen alsof ze zich bezeerd had, of omdat de ander een speelgoedje had afgepakt.

Becca wierp een blik op de speelkamer voordat ze haar vinger naar Deborah schudde. 'Ga maar snel nu het nog kan. Je zusje Annie moet nog een hoop leren voor ze net zo'n goeie hulp is als jij. Maar ze is veertien jaar en jij gaat komende herfst trouwen, dus wordt het hoog tijd dat ze wat meer oefening krijgt, nietwaar?'

Deborah knikte. 'Als de grond vandaag niet te nat is, wil Mahlon vanmiddag de tuin nog een keer omspitten, nadat hij en Ephraïm klaar zijn met werken.'

'Gelijk heeft-ie. Wat we geplant hebben is nog niet voldoende om ons van voedsel te voorzien voor het huwelijksfeest komende herfst. Dus als je onderweg bent, moet je even langs het warenhuis om extra zaden te halen – doe maar vooral selderij en wortels. En koop ook maar een paar kratten, zodat we met de zaailingen kunnen beginnen. We hebben komende herfst heel wat meer groente nodig dan normaal.'

Deborah's wangen gloeiden van blijdschap 'Het is allemaal veel te spannend!'

Becca's ogen vulden zich met tranen. 'Ja, dat is het zeker. Ik kan nauwelijks onder woorden brengen hoe blij ik voor je ben. We zullen je verschrikkelijk missen, maar je *Daed* en ik zijn echt heel blij voor je. Het verrast me dat je zolang gewacht hebt.'

Deborah vertelde niet dat Ephraïm haar kalm maar streng had gezegd te wachten. Destijds hadden Becca en *Daed* zes kinderen onder de dertien jaar, en de tweeling was pas enkele maanden oud. Aan de hulp van *Daed* hadden ze niet veel, wegens zijn gezondheidsproblemen.

Maar over een paar weken was Annie klaar met school, dus dan kon zij Becca hele dagen helpen.

Opgewonden begaf ze zich naar het weiland om haar paard te halen. Mahlon zou verrast zijn als ze een uur eerder dan afgesproken zou verschijnen.

Nog voor ze bij het hek was, werd ze geroepen door een wagen vol met vriendinnen die juist de oprit opreden. Het waren Rachel, Linda, Nancy, Lydia, Frieda, Esther en Lena. Ze zaten te kletsen en lachten onderling terwijl ze naar haar zwaaiden. De glimlach van Lena alleen al was voldoende om haar gelukkig te maken. Haar nichtje liet het nooit bij een enkele glimlach. Ze was er dol op om te lachen en mensen aan het lachen te maken. De geboortevlek op haar wang maakte haar nooit somber en volgens Deborah was ze veruit het mooiste meisje dat er tussen zat. Toch was Lena op haar drieëntwintigste nog nooit door een man thuisgebracht na de samenzang.

Lena liet paard en wagen halt houden. 'We komen je helpen met je klusjes.'

'Ja,' zei Nancy. 'Zodat je zeker op huizenjacht kunt met Mahlon.'

'Ik ben klaar voor vandaag,' zei Deborah.

De vragende wenkbrauwen maakten al snel plaats voor lachende gezichten.

'Kom op,' gebaarde Lena, 'dan rijden we een rondje en halen we een grap uit met Anna Mary, voordat we je naar Mahlon brengen.'

Terwijl Deborah op de wagen klom, klopte Lydia op een zak siersteentjes uit de winkel. 'We hebben een mooi plannetje. Lena had toevallig wat interessante informatie, zoals het feit dat Anna Mary nog geen tijd gehad heeft om haar binnenplanten te verpotten, maar dat ze al wel een zak tuinaarde heeft aangeschaft.'

De meiden begonnen herinneringen op te halen aan grappen die ze in het verleden met elkaar hadden uitgehaald. Toen ze bij het huis van Anna Mary aankwamen, bracht Lena paard en wagen tot stilstand. Twee meisjes bleven bij de wagen, de anderen slopen langs het huis naar de schuur. Ze pakten de zak tuinaarde en verruilden die met de zak met stenen. Even later waren ze op weg naar het huis van Mahlon, terwijl ze onderling gisten hoe lang het zou duren voor Anna Mary de ruil zou ontdekken.

Deborah zat op de bok naast Lena. 'Als ze denkt dat ze per ongeluk de verkeerde zak heeft gekocht, moeten Lena en ik proberen om met haar mee te gaan als ze het terugbrengt. Dan kan een van ons hem nog een keertje omruilen als ze andere spullen aan het inladen is.'

De meisjes barstten uit in gelach.

'En toch zie je er zo onschuldig uit,' plaagde Lena.

Deborah sloeg de koordjes van haar *Kapp* over haar schouder. 'Niet alleen ik, lieve nicht. Jij ook. Het gaat erom hoe we ermee wegkomen, ja toch?'

Lena sloeg af naar de weg die richting Mahlons huis leidde en Deborah zag een auto naderen vanuit de tegenovergestelde richting. Ze besteedde er geen aandacht aan, tot de auto langs de weg stopte, op twintig meter van Mahlons huis. Er ging een autodeur open, een Amish stapte uit. Pas toen hij de deur van de auto dichtsloeg en naar de bestuurderskant liep, zag ze dat het Mahlon was. Zelfs op deze afstand herkende ze hem aan de manier waarop hij zich nonchalant voortbewoog. Door al het gezellige gebabbel leek niemand van haar vriendinnen de auto of Mahlon op te merken. Hij praatte door het raampje aan de bestuurderskant met degene die in de auto zat. Vervolgens zette hij een stap naar achteren, zwaaide en liep door het veld richting zijn huis.

Alsof ze naar de kinderen in een toneelstukje van school zat te kijken, zo kwamen de herinneringen in haar op: de jaren dat ze samen lunchten, speelden in de pauze, van en naar school wandelden. Het was begonnen toen zij in groep vier zat en hij in groep zes.

Ze deelden het verdriet toen ze op dezelfde dag allebei een ouder verloren. Ze hadden samen geleerd dat verlies te accepteren, ze leerden samen weer te lachen en vertrouwen te krijgen in het leven. Samen hadden ze de veranderingen doorgemaakt die plaatsvinden bij tieners. Hij was in New York geweest op 11 september 2001, en hij had met haar zijn trauma gedeeld, zijn verwarring en gevoel van hulpeloosheid, zijn verborgen verlangen naar wraak en zijn terugkerende nachtmerries.

Zwijgzaam.

Diepzinnig

En... gesloten?

De auto waaruit hij was gestapt reed nu langs hun rijtuig. Ze zag een man van Mahlons leeftijd met een militair uniform aan. Toen ze opkeek naar waar ze Mahlon het laatst had gezien, was hij nergens meer te bekennen. Terwijl Lena afsloeg naar de oprit, realiseerde Deborah zich dat hij waarschijnlijk de houten trap had gebruikt die rechtstreeks naar zijn slaapkamer leidde – een privé-ingang waarvan ze dacht dat hij die nooit gebruikte.

Ze stapte uit, zwaaide naar haar vriendinnen en liep naar de voordeur.

Wat was er aan de hand? Zijn zwijgzaamheid werkte soms in zijn nadeel. Het was niet altijd eenvoudig om zijn gedachten te volgen. Maar in de loop der jaren had ze zijn geheimen leren kennen. Vrijwel niemand wist hoe zwaar het op hem gedrukt had om te moeten zorgen voor zichzelf en zijn moeder nog voordat hij op zijn dertiende van school ging, en hoe hij na de gebeurtenissen op 11 september had geworsteld met de oude gebruiken van de Amish.

Ze klopte op de tussendeur en stapte naar binnen.

Ada zette het strijkijzer op de kachel, stapte om de strijkplank heen en omhelsde haar. 'Goedemorgen.'

'Goedemorgen, Ada. Waar is Mahlon?'

'Hij slaapt nog. Ik kan me de laatste keer dat ik hem moest wakker maken niet meer herinneren, dus ik begin er maar niet aan. Bovendien heeft hij een hoop werk te doen voor de veiling van morgen. Tel daarbij op wat hij vandaag nog wil doen, dus ik had zo gedacht dat hij elke seconde rust die hij krijgt, goed kan gebruiken.'

Ze hoopte dat haar gezicht niet verried wat er in haar omging, en ze hapte naar adem. 'Vind je het erg als ik hem ga wekken?'

'Absoluut niet.'

Terwijl ze de smalle trap beklom, hoorde ze water lopen. Zijn huis bestond uit een kleine keuken en een huiskamer beneden en twee kleine slaapkamers en een badkamer boven. Een wolkje waterdamp ontsnapte onder de badkamerdeur door.

Ze klopte op de deur. 'Mahlon?'

'Ha Deb. Ik sta onder de douche. Je bent vroeg. Ik ben zo klaar.'

Hij klonk niet anders. Ze hoorde geen schuldgevoel in zijn stem.

'Oké.' In plaats van naar beneden te gaan, ging ze zijn kamer binnen. Het zag eruit als een vrijgezellenkamer en verschilde nauwelijks van de laatste keer dat ze het gezien had toen hij nog een tiener was. Schone kleren lagen opgestapeld op zijn ladekast, vieze kleren lagen op een stapel in de hoek. Naast z'n stoel lagen verschillende katernen van een krant, zo gevouwen dat ze kon zien welke delen hij nog moest lezen en welke hij besloot over te slaan. Een stapeltje bankbiljetten op zijn nachtkastje trok haar aandacht en ze liep ernaartoe.

Hij kwam de kamer binnen terwijl hij zijn overhemd dichtknoopte. Zijn gezicht en wat ze kon zien van zijn borstkas waren nog steeds nat – het deed haar denken aan de jongen die ze van vroeger kende. 'Je zit vandaag vol verrassingen. Eerst verschijn je hier vroeg, en dan sta je in mijn kamer.' De lach op zijn gezicht kon de cirkels onder zijn ogen niet verbergen. Hij hees zijn bretels over zijn schouders en stopte zijn overhemd in zijn broek. 'Scheelt er wat?'

Haar emoties afwegend tegen wat ze van hem wist, probeerde ze niet kil of gespannen te klinken. 'Ik weet het niet.'

'Nou, vertel me maar wat er is. Als het een probleem is, dan zal ik kijken wat ik kan doen om het op te lossen.' In zijn ogen lag een glans die ze niet kon thuisbrengen, maar ze herkende de toon waarop hij sprak. De toon die duidde op geforceerd geduld, meestal verschijnend als hij werd geconfronteerd met tal van verantwoordelijkheden die hij liever ontliep.

'Je hoeft niets op te lossen. Ik ben nu niet bepaald het belangrijkste in jouw leven.' Toen hij niet lachte of grinnikte of haar ervan verzekerde dat ze beslist het belangrijkste in zijn leven was, voelde ze zich plotseling onzeker. 'Of wel?'

Hij schudde zijn hoofd. 'Je weet wel beter dan dat. Ik heb honger. Jij?'

Gekwetst omdat hij de vraag ontweek, wilde ze hem in de ogen kijken, maar dat lukte niet. Ze had wel honderd keer gezien hoe hij de vragen van zijn moeder ontweek, maar ze had altijd gedacht dat hij haar alles zou toevertrouwen.

Ze wendde zich naar het nachtkastje en wees naar het geld. 'Ben je met een tweede baan bezig?'

'Nee. Zelfs als zou ik willen, dan zou ik daar geen tijd voor hebben.

Je broer laat me teveel overuren maken. Ik had graag de hele dag samen doorgebracht, maar ik kon slechts vrij krijgen tot de lunch.' Zonder iets te zeggen over het geld, draaide hij haar de rug toe en stapte naar het nachtkastje.

'Als je maar één baan hebt, waar kwam je dan vandaan toen ik je uit de auto van die man zag stappen?'

Hij bleef even met zijn rug naar haar toe staan. 'O, is het je daar om te doen?' Nadat hij een paar sokken uit een la had gevist, ging hij op de rand van zijn bed zitten. Nog steeds met de rug naar haar toe. 'Eric Shriver is met verlof, dus brengen we wat tijd met elkaar door. Dat is alles.'

'Ik wist niet dat hij terug was in Amerika.' En ze wist ook niet dat Mahlon die Eric nog steeds als vriend zag met wie hij tijd wilde doorbrengen. Ze waren ongeveer zes jaar geleden bevriend geraakt toen hij en Ephraïm een set keukenkastjes installeerden bij de ouders van Eric. Mahlon had die vriendschap opgegeven toen hij tot geloof was gekomen. Of niet? Was hij bevriend gebleven met een soldaat? Toen hij zijn schoenen had aangetrokken, stond hij op. 'Hij is vorige week teruggekeerd. Hé, heb je een beetje zin om op huizenjacht te gaan vanmorgen?'

Ze begreep dat hij geen zin had om over Eric te praten, dus drong ze niet aan, maar ze voelde zich er nog meer door gekwetst.

Hij bestudeerde haar voor hij dichterbij kwam. 'Het stelde niets voor, Deb. Hij kwam hier gisteren naartoe en wilde praten, dus ben ik met hem meegegaan.'

'Je bent de hele nacht weggeweest... alleen om te praten?'

'Hé, jullie twee,' riep Ada. 'De makelaar staat voor de deur.'

'We komen eraan.' Hij legde zijn handen op haar schouders. 'Zie ik bij mijn Deb een tikje onzekerheid? Want als dat zo is, dan wil ik ons geloof even opzijzetten, een camera pakken en dit zeldzame moment vastleggen.'

Ze rolde met haar ogen. 'Ik twijfel niet aan jouw liefde of trouw, alleen aan je goede verstand – dat roept zo af en toe wel eens vragen op.'

Hij duwde zijn lippen op haar wang. 'Ik heb jou, wat maar bewijst dat ik uitstekend bij mijn verstand ben.'

'Tja... nou, dat is waar.'

Lachend liet hij haar los. 'Jij hebt nooit gebrek gehad aan vrienden, dus is het moeilijk je voor te stellen hoe Eric zich voelt. Maar zelf heb ik nooit makkelijk vrienden gemaakt, dus wat dat betreft lijken we een beetje op elkaar. Moet ik hem uit de weg gaan omdat hij in Irak diende terwijl ik in dezelfde periode bij een kerk ging die in pacifisme gelooft?' Hij pakte een kam van z'n kastje en kamde ermee door zijn bruine haar, geïrriteerd trekkend aan de krullen.

Tijdens de eerste jaren nadat ze Eric had leren kennen, vroeg ze zich soms af of Mahlon tot geloof zou komen. Hun band leek dieper te gaan dan de religieuze en politieke grenzen die hen scheidde. Het was een irrationele band. Maar ze wist dat Mahlon alleen maar stiller zou worden als ze teveel aandrong. En daar was niemand mee geholpen.

Ze ging voor hem staan. 'Zonder jou zou ik altijd vrienden tekortkomen. Dus ik kan enigszins begrijpen hoe Eric zich voelt. Maar het lijkt zo vreemd dat twee mensen die zo verschillend tegen het leven aankijken, tijd met elkaar willen doorbrengen.'

'Op sommige gebieden sta ik ervan verbaasd hoeveel overeenkomsten we hebben. Bovendien is het juist een belangrijk onderdeel van vriendschap om verschillend te zijn. Ik heb beslist heel andere gevoelens dan jij als het gaat om koken, keukens of nieuwe jurkjes.'

Ze besloot op zijn oordeel te vertrouwen en sloeg haar armen om zijn middel. 'Maar de nieuwe jurken die ik genaaid heb zouden je juist zo goed staan.'

Hij liet de kam zakken en trok haar naar zich toe. 'Zoals je hier in mijn slaapkamer in mijn armen staat, kom je zo'n beetje weg met elke denkbare belediging.' Hij boog zich naar haar toe en kuste haar. 'We kunnen maar beter gaan.' Hij pakte haar bij de hand en leidde haar de trap af.

VIJF

Hoewel ze twijfelde, bleef Cara doorlopen. Ze zocht naar Mast Road en hoopte ergens iets vertrouwds te zien. Het werd dadelijk alweer donker en ze waren momenteel niet beter af dan toen ze meer dan veertig uur geleden New York verlieten. De tijd leek verloren geraakt in een waas van onzekerheid, slaaptekort en voedselgebrek, maar de dagen stonden in haar geheugen gegrift. Op woensdag waren ze rond middernacht uit de stad vertrokken, donderdagavond waren ze op de tweede bus gestapt en vrijdag, vandaag, begon de zon alweer te verdwijnen achter de boomtoppen. Ze was doorweekt geraakt van de regen van afgelopen nacht en haar dijen waren aan de binnenkant rauw geworden. Haar benen waren zo zwak dat ze voortdurend struikelde. Ze verlangde naar een warm bad en een bed. Maar het zag er niet naar uit dat ze daar binnenkort op hoefde te rekenen. Haar dunne sweatshirt voelde nog altijd vochtig op haar huid, maar het was haar gelukt om een paar kledingstukken te kopen die ze haar dochter droog kon aantrekken. Nadat ze uit de bus waren gestapt, had ze Lori bijna anderhalve kilometer gedragen voor ze een vergeten benzinestation zag, met in de schappen drank, kruidenierswaren en zelfs een rek te dure T-shirts, sweatshirts en joggingjasjes.

De omgeving had niet het landelijke gevoel dat ze zich erbij had voorgesteld. Het had een ruigheid die haar bekend voorkwam, het deed niet onder voor New York. Een groepje van zes mannen, allemaal dronken gezien de hoeveelheid bierblikjes en whiskyflessen die verspreid rondom hen lagen, zat op een veranda aan de overkant van de weg, tegenover de winkel. Ze speelden op versleten gitaren en sloegen elke beweging van haar gade.

De bel van de winkel rinkelde luid toen ze naar binnen stapte en Lori werd wakker. Ze probeerde zich los te worstelen om op de grond te komen. Toen Cara haar losliet, begon ze chagrijnig op de vloer te stampen: 'Ik ben helemaal nat! Hoe kom ik zo nat?' Haar gekerm doorkliefde de ruimte en Lori liet zich op de vloer vallen – overweldigd door honger en uitputting.

De man achter de toonbank keek van Lori naar Cara, de afkeer droop van zijn gezicht. Hij leek klaar te staan om hen eruit te gooien. Toen Cara later de winkel uitkwam met sokken en een joggingjasje in de kleinste volwassen maat voor Lori, een paar broodjes, melk en toiletspulletjes, hoorde ze de mannen aan de overkant fluiten, roepen en onbehoorlijk commentaar leveren. Gelukkig kwamen ze niet naar haar toe. Waarschijnlijk waren ze te dronken om op te staan, en dat was maar goed ook, want hun manier van nafluiten wekte de indruk dat ze weinig fatsoenlijks in de zin hadden. Ze waren zeker in staat haar kwaad te doen. Die waarheid stond van hun gezichten af te lezen. Ze verspilde geen tijd en maakte zich met Lori uit de voeten. Anderhalve kilometer verderop vond ze een oud schuurtje en daar waren ze die nacht gebleven. Na de hele dag gelopen te hebben in Dry Lake, had Lori blaren op haar voeten gekregen. Cara wist niets anders te verzinnen dan haar schoenen uit te trekken en haar op sokken te laten lopen. Verdwaald en moedeloos bestudeerde Cara de omgeving. Dit was precies iets voor haar: ergens vol goede moed aan beginnen, om dan weer ingehaald te worden door de harde werkelijkheid. Ze voelde de woede in zich opwellen. Als het gevoel van ontworteling en de lange reis nog niet voldoende waren om haar opvliegend te maken, zorgde het nicotinegebrek er wel voor dat ze honderd keer meer prikkelbaar was dan normaal. Maar vooralsnog hield ze haar kribbigheid verborgen.

Het verlangen naar een sigaret kwelde haar. De rookverslaving was begonnen op haar vijftiende en anders dan de rest van het leven, ging dit haar gemakkelijk af. Het feit dat ze zelden hoefde te betalen voor de gewoonte, had het nog eenvoudiger gemaakt om verslaafd te raken. Op haar werk boden vaste klanten haar vaak sigaretten aan als ze aan hun tafeltje serveerde. Bijna elke nacht vergaten andere klanten per ongeluk, of als fooi, halve pakjes sigaretten. Als ze op dit moment vier of vijf dollar had gehad, dan had ze het uitgegeven aan een pakje. Natuurlijk was geld voor sigaretten maar een van de problemen. Het andere probleem? Ze had Lori bij zich en die wist niet dat haar moeder rookte. Toen Lori klein was had ze wel eens gevraagd naar de rooklucht die om haar kleren hing en Cara had gezegd dat dit nu eenmaal het nadeel was van werken als serveerster in een bar waar gerookt mocht worden. Haar dochter had nooit meer naar de lucht gevraagd.

'M'n voeten doen nog steeds zeer,' dreinde Lori. 'En ik heb ook nog bloed aan mijn sokken, kijk maar.'

'Dat komt van de blaren. Moet ik je dragen?'

Ze schudde haar hoofd. 'Maar de straatstenen doen zo'n pijn aan m'n voeten, mama.'

'Ik weet het, schat. Ik verzin er zo snel mogelijk iets op.'

Lori pakte haar hand en liep zwijgend verder. Aan de voet van de heuvel was een zijweg. Zou ze hier af moeten slaan, of kon ze beter rechtdoor lopen om Mast Road te vinden?

Ze had geen idee. Steeds als ze iemand passeerde, of langs een huis liep, durfde ze niet te stoppen om het te vragen. De mensen zouden niets vreemds zoeken achter een moeder en een dochter die op een mooie lenteochtend een stukje wandelen. Maar zodra ze de weg zou vragen, werd hun nieuwsgierigheid gewekt. Dan begonnen ze vragen af te vuren: ben je verdwaald? Wie zoek je? Is je auto stuk? Waar kom je vandaan? Waarom ben je lopend?

Nee, vragen kon niet.

Lori trok aan haar hand. 'Die weg begint met een "M", mama.'

'Echt waar?' Cara knipperde met haar ogen en probeerde te focussen, ondanks een kloppende hoofdpijn.

Mast Road.

Haar vermoeidheid overschaduwde de opluchting die ze voelde. De zoektocht naar deze straatnaam was al begonnen voor zonsopkomst. De meeste wegen in Dry Lake waren lang en heuvelachtig, maar eindelijk hadden ze de weg gevonden die ze zochten – hoewel ze geen idee had wat hen op deze plek te wachten stond.

Ze hadden nauwelijks vijftig meter gelopen op de Mast Road, toen ze een man te voet zag die een paard en wagen naar de voorkant van een huis leidde. Hij stapte naar binnen en kwam een moment later weer naar buiten met een vrouw en vijf kinderen. Ze stapten allemaal in de wagen. Als ze zo reisden, waren het waarschijnlijk Amish. Toen ze langsreden zag ze een meisje zitten dat hooguit een jaar ouder was dan Lori.

Haar schoenen zouden Lori passen zonder dat ze teveel zouden klemmen.

Toen Cara het huis naderde, zag ze dat er alleen maar een hordeur voor de ingang zat. 'Laten we aankloppen.'

'Waarom?'

'Gewoon om te kijken of er iemand thuis is.'

'Mama, kijk.' Lori wees naar een bierflesje in de goot.

'Dat is vies, lieverd. Laten we doorlopen.'

Lori trok haar hand los en pakte het op. 'Het lijkt wel bruine topaas, dat is een steen die de meester ons op school heeft laten zien.'

'Kom op, meisje, nu even niet. Het is een leeg bierflesje.' Cara pakte het af.

'Niet gooien!'

Omdat ze haar dochters bezwaarde emoties niet wilde voeden, hield ze het flesje vast.

Toen ze de veranda beklommen, zette Cara de fles op het trapje. Ze klopte en wachtte af. Toen er geen antwoord kwam, klopte ze harder. 'Hallo?' Ze hoorde niets. 'Laten we even naar binnen gaan.'

'Maar mams...'

'Het mag best. Er is niemand thuis. Als ze wel thuis waren geweest, dan hadden ze ons vast wel pleisters gegeven en een paar schoenen die je zouden passen, denk je niet?'

'Ja, ik denk het wel. Maar ik wil niet naar binnen.'

Ze liet Lori achter bij de voordeur en rende het huis door, op zoek naar schone sokken, verband, zalf en schoenen. Met twee paar schoenen, een flesje peroxide, een doos verband, schone sokken en een tube blarenzalf, kwam Cara struikelend het huis uit. De spullen vlogen over de veranda.

Lori had het bierflesje vast en Cara griste het uit haar handen en zette het terug op de verandatrap. 'Ik heb hier twee paar schoenen. Probeer deze maar en dan gaan we ervandoor. Later maak ik dan je blaren schoon en verbind ik ze, hou je dat nog vol?'

'Ik denk het wel.'

'Zo ken ik je weer, meisje.'

Terwijl ze Lori hielp met het aantrekken van de schoenen, keek Cara rond in de tuin. In de opening van een hek stond een man naar hen te kijken. Haar hart stond stil. Hoe lang stond hij daar al? Hij leek niet van plan om haar aan te spreken. Op basis van de beschrijving die de kaartjesverkoper had gegeven, moest hij Amish zijn. De man leek iets voorbij de middelbare leeftijd, hij droeg een blouse, een nette broek, een strohoed en bretels.

Terwijl ze hem in de gaten hield, zette ze één paar schoenen op de veranda. De andere spullen verzamelde ze in de rugzak. 'Passen ze?'

'Ja, maar mijn voeten doen nog steeds zeer.'

Ze wierp een blik op de man. Die stond stokstijf naar haar te kijken. 'Ik verzorg je voeten strakjes, we moeten echt gaan.'

Cara struikelde terwijl ze opstond en schopte het bierflesje de trap af. Zonder dat ze het wilde, vloekte ze.

Cara pakte Lori's hand beet en trok haar mee richting de weg. 'Mama, wacht even. Je vergeet het bierflesje.'

'Lori, stil. Kom mee.' Ze sprak kortaf en Lori gehoorzaamde. De man leek niet in staat te bewegen, behalve dat hij over zijn linkerschouder wreef. 'Malinda?'

Haar hart sloeg over toen ze de naam van haar moeder hoorde noemen.

Hij knipperde met zijn ogen en deed zijn mond open om iets te zeggen, maar hij zweeg.

'*Daed*?' Een jonge vrouw riep hem.

Hij keek om. Cara kon niet zien wie hem geroepen had, maar de stem kwam van dichtbij. De man keek opnieuw naar Cara. 'Het maakt niet uit wie je bent, we hebben hier geen behoefte aan dieven, dronkelappen of verslaafden.'

'Maar ik ben geen...'

Hij bleef niet wachten op een antwoord en liep het weiland in en sloot het metalen hek met veel misbaar, zodat Cara's poging zich te verdedigen niet gehoord werd.

Een deel van Cara wilde een nieuwe kans om zichzelf te verdedigen en om vragen te stellen, of om tenminste achter hen aan te lopen terwijl ze met de rug naar haar toe door het veld liepen. Waarom had hij haar bij haar moeders naam genoemd? Maar ze was bang dat hij kwaad zou worden en Lori bang zou maken als ze vragen zou durven stellen. Niemand zou erbij gebaat zijn als haar zoektocht naar antwoorden slecht zou beginnen. Overweldigd door emoties nam ze Lori bij de hand de weg op. Leek ze misschien op haar moeder? Kende die man haar moeder?

'Mama, wat zei die man tegen u?'

Ze wilde haar de waarheid niet zeggen en daarom verzon Cara maar wat. 'Iets met ouwe lappen of zo?'

Ze grinnikte. 'Ik denk dat hij in de war is.'

'Ik denk dat je gelijk hebt. Ik ben zelf ook een beetje in de war eigenlijk. Hoe lopen je schoenen?'

'Best wel goed. Misschien heb ik die pleisters helemaal niet nodig.'

'Je bent een dappere meid, weet je dat?' Cara boog zich en kuste Lori op haar hoofd.

Ze had gedacht dat ze verbondenheid kon vinden bij mensen die haar moeder hadden gekend, maar dat leek nu een vergissing. Het verleden van haar moeder was verborgen voor haar, en de man leek te schrikken omdat ze, misschien, op Malinda leek.

Ze liepen steeds verder, tot er bijna twee kilometer tussen haar en die man was. Terwijl ze zijn reactie verwerkte, keek ze rond. Zo'n honderd meter verderop stond een schuurtje dat hoognodig geverfd moest worden. Maar ze zag nog altijd niets bekends. Haar armen en schouders deden pijn van de kilometers dat ze Lori had gedragen. Ze hadden absoluut elke kilometer van Dry Lake gezien, elke straat en zandweg. Terwijl ze verder liepen over Mast Road had ze geen idee wat ze nu moesten beginnen.

Ze struikelde opnieuw, dat leek vaker te gebeuren naarmate de dag vorderde. Als ze een plek wilden vinden voor de nacht, moest Cara haast maken. Er was geen enkel huis in de buurt, maar misschien konden ze in dat scheefgezakte schuurtje schuilen.

Terwijl ze het oude gebouwtje naderden, zag Cara iets dat haar aandacht trok aan de andere kant van de weg. Ze hield Lori bij de hand en stak over. Ze liepen een korte oprit op en zag dat er hier ooit een grote tuin was aangelegd. Vlak voor haar lag een kaal fundament, met alleen een stenen schoorsteen die overeind stond. Ze stapte de betonnen vloer op en liep naar de vuurplaats. Er hing een zwarte ketel aan een metalen haak in het midden van de haard. 'Dat lijkt wel een heksenketel, hè mams?'

Cara streek met haar vingers over het metaal. 'Het is gemaakt om boven een open vuur te koken. Het huis dat hier stond moet honderden jaren oud zijn geweest.'

Er was nog iets, maar ze kon er niet goed de vinger op leggen.

Lori trok aan haar moeders hand. 'Kijk die boom eens. Ik heb altijd al boompje willen klimmen, weet u nog, mama?'

Ze wist het nog.

'Ik denk dat ik daar wel in kan klimmen.'

'Misschien wel.' Terwijl ze geconfronteerd werd met de realiteit, probeerde ze toch vast te houden aan het positieve. Ze waren ontsnapt aan Mike. Ze had Lori. Toch had ze geen idee hoe ze opnieuw zou moeten beginnen en een leven moest opbouwen zonder hulp, geld of eigendommen.

Nadat ze haar vingers had samengevouwen, gaf ze Lori een zetje om op de onderste takken te komen. Hoewel ze niets had, kon ze toch een van Lori's wensen in vervulling laten gaan: een klimboom. En deze was daar perfect geschikt voor: een hoge boom met takken op anderhalve meter hoogte.

Cara liet haar blik over de velden glijden en vroeg zich af of ze het kleine beetje geld dat ze hadden, besteed had aan absolute onzin. Ze had nu ergens op zoek moeten zijn naar werk in plaats van de schaduwen van het verleden na te jagen.

De feiten waren haar bekend: alle kinderen die in pleeggezinnen opgroeiden, koesterden het geloof dat ze ergens een familielid hadden dat van hen hield. Zij was geen uitzondering. Sinds haar moeder was gestorven, was ze elke nacht naar bed gegaan in de hoop dat een geliefde van haar bestaan zou horen en haar kwam halen. In het begin was ze nog zo dwaas om te hopen dat haar vader zou komen. Maar toen de jaren voorbijgingen, besefte ze dat hij haar nooit gewild had. Dus fantaseerde ze over een familielid dat ze nog nooit ontmoet had, maar dat op een dag zou verschijnen. Tegen de tijd dat ze veertien werd, weigerde ze nog langer te geloven in het droombeeld. Het leven werd er dragelijker door. Toch verdween het verlangen naar familie nooit helemaal. Verdween het maar. Dan zou de pijn die diep vanbinnen zat misschien ook verdwijnen.

'Mama, er zit hier een zadel waar je paardje op kunt rijden. Kijk, die bult lijkt wel een paardenkop.'

Cara keek op. Een verlaging in de tak waar Lori bovenop zat, was inderdaad een perfecte plek om schrijlings op te zitten en te doen alsof je paardje reed. 'Het lijkt er echt op, vind je niet? Je hebt alleen nog een paar teugels nodig.'

'Hoe wist u dat, mama?'

Cara trok zich los van het uitzicht over het veld. 'Hoe wist ik wat?'

Lori hield een paar roestige kettingen omhoog. Ze waren klein, waarschijnlijk van een schommel.

'Hoe wist u dat hier teugels zaten?' Lori trok aan de kettingen die rond het gedeelte van de tak waren geslagen die op een paardenkop leek. 'Ze zijn een beetje in de boom gegroeid, maar ze doen het wel.' Cara liep naar de boom en liet haar handen over de bemoste stam glijden. Ze dacht aan de herinnering die was opgekomen toen Mike verscheen op haar werk – een oudere vrouw, maïsvelden, een keukentafel vol eten, lakens die in de wind wapperden. Ze nam de boom en het landschap in zich op, en langzaam bekroop haar het gevoel dat de onsamenhangende fantasieën misschien geen verbeelding waren.

ZES

Deborah liep gearmd met haar vader en leidde hem de glooiende helling op. Hun huis lag aan de andere kant van het veld, maar dit was niet de gemakkelijkste route. 'U ziet bleek en bent wat beverig. Wat bezielt u om vandaag zo'n lange wandeling te maken?' Hij antwoordde niet en ze probeerde hem verder te leiden. '*Kumm*, laten we naar huis gaan.'

Hij trok zijn arm terug en bracht hun beiden tot stilstand. 'Zag je die vrouw met dat kind uit het huis van de familie Swarey komen?'

'Nee.' Deborah stak haar arm weer door de zijne en probeerde hem aan te moedigen verder te lopen richting huis. 'Kent u haar?' Haar vader zette zich schrap en het leek erop dat ze hem er niet toe kon overhalen zich te verroeren.

Hij keek naar de lucht voordat hij zijn ogen sloot. 'Maar ze kan het niet zijn. Ze zou nu veel ouder moeten zijn, en haar dochter is zeven of acht jaar ouder dan jij.'

'Wie, *Daed*?'

Hij wreef over zijn schouder alsof die diep vanbinnen pijn deed. 'Je moeder hield zoveel van haar. Ze heeft nooit geloofd dat haar verbanning eerlijk was, zelfs niet toen ze acht jaar later terugkeerde met een kind. Toen ze terugkwam met haar dochter, was ik nog maar heel kort predikant.' Hij haalde zijn schouders op en wreef over de ruimte onder zijn sleutelbeen.

'*Daed*, waar hebt u het over?'

Hij draaide zich om en begon richting het hek te lopen. 'Ze kan het niet zijn. Een geestverschijning... een luchtspiegeling, meer is het niet. Of...' Hij versnelde zijn pas, 'of het is iemand anders die in haar plaats is gekomen om dat wat zij heeft achtergelaten ook nog te ruïneren.'

'*Daed.*' Deborah pakte hem weer bij zijn arm en trok hem voorzichtig de andere kant op. 'Je maakt me aan het schrikken met zulke onzin. Laten we naar huis gaan.'

Hij wees met zijn vinger naar haar. 'Ik leid dan misschien aan een chronische ziekte, maar ik ben geen kind.'

Ze begreep de terechtwijzing, knikte en liet zijn arm los. Ze kwamen bij het hek en hij wachtte terwijl Deborah het hek opende, hen erdoor liet en het hek weer achter zich sloot. Haar hart bonsde van angst.

Ze hield haar mond en probeerde zijn woorden te plaatsen.

'Zelfs al was ik nog maar pas aangesteld als voorganger, toch denk ik niet dat ik het verkeerd had.' Hij begon al mompelend sneller te lopen. 'Maar Pontius Pilatus dacht ook dat hij het bij het rechte eind had. Rueben wist zeker dat ze een misleidende, wellustige en manipulerende manier over zich had. Wie kon het beter weten dan de man die met haar verloofd was geweest? Wat kon ik anders. Wat had ik anders moeten doen?'

'Waar hebt u het over?'

'En die vrouw die ik zojuist zag, was dronken en ze stal van de familie Swarey. Het was absoluut Malinda niet. Onmogelijk.'

'Wie is Malinda, *Daed*?'

'Je moet de kinderen dichtbij huis houden. Ik moet onze mensen waarschuwen.'

Hij bazelde maar wat. Het zweet parelde op zijn voorhoofd, hoewel het nauwelijks zestien graden was en er een lichte bries stond. Toen hij enigszins leek te wankelen, pakte ze zijn arm en hielp hem overeind te blijven.

'*Liewi* Deborah.' Hij klopte op haar arm en noemde haar liefje. 'Het is niet eenvoudig om de dochter van een voorganger te zijn, of wel?'

Ze was bezorgd dat hij nog steeds niet alles op een rijtje had en probeerde hem weer over te halen zich om te draaien en richting huis te lopen. Er waren niet veel telefoons in het district, maar de bisschop had toegestaan dat er een aanwezig was in de werkplaats van de meubelmakerij.

Hij zette een paar stappen en stopte toen. 'Of ik ergens goed of fout aan heb gedaan, dat weet alleen God. Maar beslissingen, ook de zwaarwegende, die iemand kunnen helpen of juist ruïneren, moeten nu eenmaal genomen worden om ons geloof te beschermen.'

'Ik begrijp het. U bent rechtvaardig en zorgzaam en doet het beste wat u kunt. Daar ben ik altijd van overtuigd geweest.'

Hij knikte. 'Ik hoop dat dat zo blijft.'

Hij wankelde en ze deed wat ze kon om hem overeind te houden. '*Daed?*'

Zijn knieën knikten en hij zakte onderuit.

'*Daed!*'

⚘

Cara probeerde een plan te bedenken terwijl Lori in de boom speelde. De man die haar Malinda had genoemd zat haar dwars en ze wist dat ze hem niet snel zou vergeten. Het getrappel van paardenhoeven op de weg deed haar opspringen. 'Kom lieverd. We moeten van het land af.' *Of tenminste niet de indruk wekken dat we geen toestemming hebben om hier te zijn.*

'Nog eventjes mama, alstublieft?' Lori omklemde de tak met haar benen en hield de teugels stevig vast.

'Lori, we moeten gaan. Nu.'

'Ik ben al op weg. Kijk maar.' Ze gaf de boom de sporen en deed alsof ze paard aan het rijden was.

Het geluid van echte paardenhoeven zwol aan. Ze kon het rijtuig nog niet zien, maar hij kon elk moment boven de heuvelrug tevoorschijn komen.

'Lori.' Cara vernauwde haar ogen en keek haar scherp aan. 'Nu.'

Lori protesteerde maar ze ging met haar armen aan de tak hangen en probeerde met haar benen zo dicht mogelijk bij de grond te komen. Cara pakte haar om haar middel: 'Oké, laat maar los.'

Lori luisterde.

'Kom mee. We moeten lopen alsof we gewoon een wandelingetje maken, goed?' Ze haastten zich naar de andere kant van de weg, vlak bij de oude schuur.

Haar dochter tikte haar hand aan om haar tegen te houden. 'Hoorde u dat?'

Wat bedoel je, het geluid van mijn tekortschieten tegenover jou?

Lori's bruine ogen werden groot. 'Ik hoor puppy's.' Ze trok aan haar moeders hand en probeerde haar mee te trekken. 'Het komt uit dat huisje.'

Het hele terrein leek verlaten, van het kale fundament tot deze vervallen schuur, en Cara kreeg de ingeving dat het misschien beter was om bij de weg vandaan te gaan, helemaal uit het zicht. Met z'n tweeën renden ze naar de schuurdeur. Toen ze naar binnen doken, zag Cara twee paarden hun kant op rijden met een open koetsje achter zich aan. Het kon zijn dat zij en Lori gezien waren. Ze sloot de deur en gluurde tussen de latten door in de hoop dat ze de wagen voorbij zou zien rijden.

'Mama, kijk!'

Toen ze zich omdraaide zag ze dat haar dochter middenin een nest met zes puppy's zat die haar allemaal enthousiast begroetten.

'Sst.' Cara gluurde door een spleet in de deuropening en probeerde te zien waar de paarden en de wagen gebleven waren. Ze hoorde geen hoefgetrappel meer.

'Neem me niet kwalijk,' riep een mannenstem.

Ze schrok terug en keek in een andere richting. Twee mannen zaten op de bok, ze keken naar de schuur.

'Hier blijven,' fluisterde Cara streng voordat ze naar buiten stapte.

❧

Ephraïm hield de blik van het meisje vast met het gevoel dat hij haar eerder had gezien. Ze was zeker niet iemand die hij ontmoet had tijdens zijn werk als kastenmaker. Met haar korte blonde haar, haveloze spijkerbroek en strakke sweatshirt die haar buik bloot liet, zou hij het zich zeker herinneren als hij in haar huis was geweest. Maar die bruine ogen... waar eerder had hij ogen gezien met zo'n goudbronzen kleur... ogen waaruit zo'n sterke attitude sprak. Aan de ene kant straalde ze onzekerheid uit, misschien doordat ze zich ervan bewust was zich op andermans terrein te bevinden. Maar er lag nog iets anders in die blik, iets cynisch en kouds.

Ze stapte bij de schuur vandaan. 'Is er een probleem?'

'Dat vroeg ik me ook af. Je bevindt je op privéterrein.'

'Ja, dat dit geen openbaar park is had ik ook wel begrepen. Ik kijk gewoon rond. Deze oude plek heeft karakter.'

'Bedankt, maar dat het oud is zorgt er ook voor dat het gevaarlijke situaties kan opleveren. Ik zou het beter vinden als u verder ging.'

'Dat zou u zeker graag willen. Ik ben ervan overtuigd dat u heel bezorgd bent over mijn veiligheid.'

Het gevoel dat hij haar kende veroorzaakte een tinteling over zijn lichaam. Misschien was ze een van de tieners uit New York die door de Millers gesponsord werden om hier elke zomer de frisse lucht op te zoeken. Meestal verschenen ze niet voor half juni, maar... 'Kom je hier uit de buurt?'

De hardheid in haar ogen maakte even plaats voor verrassing. 'Is dat de Amish-versie van: "Hebben wij elkaar niet eerder ontmoet?"'

Ephraïms gezicht liep rood aan bij de suggestie dat hij haar probeerde te versieren. Hij deed zijn hoed af, plantte zijn elleboog op zijn knie en leunde naar voren. 'Het was de vriendelijke versie van "ik wil dat je van m'n terrein afgaat." Maar als je hier nieuw bent in de omgeving en slechts een wandelingetje maakt, dan leek het me netjes om dat op een aardige manier te brengen.'

Ze bracht een wenkbrauw omhoog en hij kreeg het gevoel dat ze haar werkelijke gedachte achterhield. Hij had voldoende ervaring met haar soort Engelse vrouwen uit de tijd dat hij te midden van hen werkte, om te weten dat haar terughoudendheid niets met respect te maken had, maar met zelfbescherming.

Ze stak haar vingertoppen in de voorzakken van haar spijkerbroek. 'Zoals ik al zei, we waren alleen maar een minuutje gestopt. Ik wist niet dat even rondkijken zoveel opwinding zou veroorzaken.'

Hij schoof zijn hoed naar achteren en woog zijn woorden af. Dry Lake had wel vaker problemen met tieners en in zijn voorzichtigheid kwam hij stugger over dan de bedoeling was. 'Ik... ik...'

Opeens klonk er geschreeuw. Ephraïm tastte de omgeving af met zijn ogen en zag Deborah druk gebarend zijn kant oprennen. 'Het is *Daed*. Snel!'

Klaar om de uitzonderlijke vreemdelinge uit zijn hoofd te zetten, klakte hij met de teugels over de paardenrug en het rijtuig zette zich in beweging.

ZEVEN

Cara gleed terug door de smalle opening van de schuurdeur en hield haar oog gericht op het wegrijdende rijtuig. De man die het woord had gevoerd was net zo kil en afstandelijk als de winter in eigen persoon. Daarvan had ze er genoeg gezien: knappe, sterke mannen die zo ongevoelig en harteloos waren als de dood. 'Kom mee, schat. We moeten gaan.'

'Nee, mama. Kom kijken.'

Eén blik op Lori deed al haar zorgen en vermoeidheid verdwijnen. Het voelde vreemd om te glimlachen, maar de zachte zwarte pups, allemaal zeker zwaarder dan twee kilo, lagen verspreid over haar dochters schoot te slapen, terwijl zij ze aaide.

Lori keek naar haar op. 'We kunnen niet weg. Ze vinden me aardig.' Bespeurde ze nu een spoor van bezorgdheid en opwinding in de ogen en stem van haar dochter?

Cara knielde naast haar en aaide een van de pups. 'Ze zijn erg schattig, Loralief, maar we kunnen hier niet blijven. Die harteloze man komt misschien terug.'

'Alstublieft mama.' Lori's bruine ogen reflecteerden een verlangen dat zo sterk en hoopvol was dat als ze één wens zou hebben die ooit in vervulling mocht gaan, dan was dit het.

Cara zat met haar benen gekruist en vroeg zich af hoe kwalijk het zou zijn om Lori een paar uur te laten doorbrengen met de puppy's. Bovendien moesten ze vannacht toch ergens slapen. Rondkijkend zag ze roestige hooivorken, grote emmers en half vergane hooibalen. Een verrot rijtuig stond in de hoek naast een afdekzeil, touwen en een gieter. Verschillende dakpannen ontbraken op het dak. Haar aandacht werd getrokken door een silo die verbonden was met de schuur. Ze liep ernaartoe en rukte aan het deurtje. Ze viel bijna toen die openzwaaide. Het luik was duidelijk lange tijd niet geopend. Als de man terugkwam, konden zij en Lori zich daar verstoppen. Hij zou er nooit aan denken hen daar te zoeken. Toen ze op de weg liepen, waren ze over een bruggetje gekomen. Dat betekende water om te drinken, te wassen en hun tanden te poetsen. Als het lukte om de viezigheid van twee reisdagen van zich af te wassen, dan lukte het haar en Lori vast ook om hier te slapen, al was het dan in een smerige schuur. Een stuk metaal dat tegen de muur stond rammelde en verschoof. Er kwam een oude hond achter vandaan. Na een blik op Cara liet de moederhond haar kop zakken en deed ze haar staart tussen de poten.

Cara knielde neer en wenkte. 'Ik weet precies hoe je je voelt. Maar je kunt je zo niet blijven gedragen.' De oude hond kwam naar haar toe en bleef stilstaan terwijl Cara over haar kortharige zwarte vacht streek. 'Als je zo triest en afgedankt reageert, worden de mensen alleen maar gemener. Weet je dat nog steeds niet?'

De hond kwispelde met haar staart. Alsof ze de nabijheid van hun moeder roken, ontwaakten de puppy's en begonnen ze te janken en naar haar toe te kruipen. Ze likte Cara's hand en ging vervolgens in een hoekje liggen om haar pups te voeden.

'Wat zijn ze aan het doen, mama?'

Cara haalde de zak met broodjes uit Lori's rugtas. 'Ze worden gevoed. Dat betekent dat ze melk krijgen van hun moeder.'

'Ben ik ook gevoed?'

Cara gaf haar een broodje. 'Het is gratis. Wat denk je zelf?'

Lori veegde haar handen af aan haar jurk. 'Als ik de helft van mijn broodje eet, mag ik de rest dan aan de moederhond geven?'

'Je krijgt maar een half broodje, dus nee, daar mag je niks van delen. Ze redt het wel. We zouden zelf het geluk moeten hebben om ons eten als een hond bij elkaar te kunnen scharrelen, zonder ziek te worden.'

'Weet u wat?'

Cara haalde haar schouders op. 'Ik heb niet zo'n zin in raadspelletjes, oké?'

'Als ik zelf ooit meer eten heb dan ik op kan, dan zou ik het aan andere hongerige jongens en meisjes geven.'

Cara rolde met haar ogen. 'Als dat ooit gebeurt.' Het sarcasme in haar stem kwam van heel diep, dat besefte ze maar al te goed.

Terwijl ze dacht aan hoe ze zelf droomde dat ze op een paard de wereld in reed vol mensen die van haar hielden, vol tafels gevuld met eten, staarde ze naar haar eigen helft van het broodje. 'Nooit bang zijn om te hopen, Loralief. Nooit.'

Deborah trilde nog steeds toen Ephraïm de oprit op reed. *Daed* zat naast haar, met Mahlon aan de andere kant van hem, terwijl ze op de achterkant van de wagen zaten met hun benen bungelend over de rand. Zij en Mahlon hielden haar *Daed* goed vast, zodat hij niet van de wagen zou vallen als het rijtuig hobbelde. Zijn asgrauwe gezicht kwelde haar.

Heere, neemt U hem alstublieft niet weg. Ze schreeuwde de woorden diep vanbinnen. Het verlies van haar moeder had bijna de hele familie kapotgemaakt. Ze kon het niet verdragen nog iemand te moeten verliezen. Niet nu *Daed* en Becca al die jaren hadden gebouwd aan een nieuw gezin, terwijl ze ondertussen kracht gaven aan het gezin dat ze al hadden.

Mahlon sprong van de wagen voordat die volledig tot stilstand was gekomen. Zijn ogen ontmoetten de hare en ze zag dat hij haar begreep en met haar meeleefde. Ze wist dat. Zo was hij altijd geweest en ze steunde op zijn stille kracht.

Becca rende naar buiten. 'Abner?'

'Hij is flauwgevallen.' Deborah stikte haast in de tranen die ze probeerde tegen te houden.

'Roep een dokter en bel een chauffeur.' Becca sprak met een fluisterstem die haar paniek niet kon verbergen.

Ephraïm was al halverwege de winkel.

'Het gaat alweer.' *Daed* wuifde met zijn arm dat iedereen hem los kon laten. 'Hou eens op met al die drukte over mij.'

Ze lieten hem los.

'Maar je laat je wel nakijken door een dokter, Abner. Dat moet gewoon,' pleitte Becca.

'Ik zei dat het alweer ging.'

Deborah ging voor hem staan. 'U was aan het bazelen, *Daed*. En u had een steek in uw borst.' Ze veegde haar vingers over zijn voorhoofd. 'U bent nog steeds bezweet.'

Hij keek haar aan. 'Het gaat goed met me. Ik heb alleen rust nodig.'

'Alstublieft.' Deborah kneep zachtjes in zijn arm. 'Ik vind het echt nodig dat u naar het ziekenhuis gaat om zeker te weten wat er aan de hand is. Niet morgen of later deze week, maar nu meteen.'

Hij reikte traag naar haar gezicht en omsloot haar wangen in de palmen van zijn ruwe handen. 'Goed dan. Maar laat de kinderen niet ontglippen terwijl we weg zijn. Houd ze dicht bij huis. Ver weg van die dronken dievegge. En sluit de deuren.' Zijn raspende ademhaling kwam met horten en stoten en zijn handen beefden. 'Als ik eenmaal naar het ziekenhuis ga, dan houden die dokters me zeker een nacht vast. Dat doen ze altijd.'

Deborah legde haar handen over de zijne. 'Mahlon zal hier blijven om Ephraïm te helpen alles klaar te krijgen voor de veiling. En Ada kan Becca's rol overnemen. De gemeenschap kan de veiling ook houden, zonder dat u links en rechts instructies uitdeelt.'

Daed knikte.

Becca stapte naar voren. '*Kumm.*' Ze nam *Daed* bij de arm en hielp hem het huis in.

'Het komt wel goed met hem.' Mahlon kwam achter haar staan en legde zijn handen op haar schouders. 'Het is vast een kleinigheidje dat eenvoudig verholpen kan worden. Weet je nog dat hij vorig jaar teveel zout had gegeten en toen zoveel vocht vasthield.'

'Daar had hij toen geen pijn van.'

'Nee, maar iedereen met een hartconditie zoals de zijne moet van tijd tot tijd de medicijnen bijstellen. Dat weten we van ervaringen uit het verleden. Ik weet zeker dat het iets is waar de dokters wat aan kunnen doen.'

'Hij had het steeds over een vrouw die hij uit het huis van Swarey zag komen en dat ze spullen gestolen had en dronken was. Maar ik zag niemand. Daarna begon hij over een geestverschijning en dat mama van haar hield en dat hij het misschien fout had gehad, net als Pontius Pilatus.' Ze slikte en probeerde haar emoties onder controle te houden. 'Ik kon niets doen om hem te helpen.'

'Het komt wel goed met hem, Deb.' Hij kwam voor haar staan. 'Je hebt alles gedaan wat je moest doen.' De diepe zachte stem van Mahlon stelde haar gerust. 'Je hebt zelfs de kracht van jouw liefde gebruikt om hem te laten doen wat nodig is.'

Ze liep naar een tuinstoel en ging zitten. 'Ik... ik weet gewoon niet of ik het aankan om hem kwijt te raken.'

'Deb.' Zijn rug verstijfde en de frustratie flikkerde op in zijn ogen. 'Niet doen. Het komt goed met hem. En natuurlijk kun je wel omgaan met wat er ook gebeurt. Welke keus heb je anders... compleet instorten? Het enige waar dat toe leidt is dat de anderen jou moeten dragen.' De angst voor haar vaders dood week, doordat ze zich aangevallen voelde. Maar ze kende Mahlons achtergrond ook en begreep waarom hij zo reageerde, dus haalde ze diep adem en herwon de controle over zichzelf. 'Je hebt gelijk. Ik wilde niet... Het is gewoon omdat het leven soms zo beangstigend is, en tegen de tijd dat je hebt geleerd om te gaan met het ene, dan gebeurt alweer het volgende.'

Hij liet zijn hoofd een moment zakken voordat hij haar aankeek. 'Ik weet het. Maar er is een verschil tussen bezorgdheid voor iemand en je laten overweldigen door de angst voor alles wat er zou kunnen gebeuren. Je doet zo je best voor iedereen, je wilt zo graag dat iedereen gezond is en veilig. Maar... ga niet...'

Hij klonk alsof hij nog meer wilde zeggen. Ze vond dat ze een verontschuldiging had verdiend, geen preek, dus wachtte ze. Een auto toeterde en ze begreep dat de chauffeur was gearriveerd om *Daed* mee te nemen naar het ziekenhuis.

∞

ACHT

Het onweer rommelde en Cara werd wakker. Haar hoofd duizelde van de pijn en ze wilde roken en koffiedrinken om het effect van het tekort aan beide te verminderen. De duisternis omringde haar, maar als ze door de gaten in het dak keek, zag ze dat de eerste zonnestralen net achter de horizon tevoorschijn kwamen. De haveloze doek die ze over zichzelf en Lori had getrokken, hield de kou niet buiten. Gelukkig werd Lori voor een groot gedeelte toegedekt door de puppy's, dus zij was in elk geval lekker warm ondanks alle stof en vuil.

Geuren van het hooi, de stoffige vloer en de verouderde schuur vermengden zich in de lucht. Ze zag zichzelf als jong meisje aan een touw heen en weer slingeren vanaf een vliering en in een hooiberg neervallen. Was ze misschien ooit eerder in deze schuur geweest?

De moederhond hief haar kop op en legde die op Cara's been. Ze klopte op haar vacht en vroeg zich af wat deze dag zou brengen en waar ze vannacht moesten slapen. Ze verlangde naar de meest basale menselijke voorzieningen, ze miste een toilet, een douche en schone kleren.

Toen ze opstond en het muffe hooi van zich afklopte, leek haar kleine appartement in de New Yorkse wijk de Bronx ineens een glans te hebben als nooit tevoren. Het had warm water. Een keuken. Een badkamer. Een voordeur met sleutels die haar het recht gaven daar te zijn. Ze trok een zwarte kever van haar shirt. Daar kropen de insecten tenminste over de vloer tijdens de nacht, niet in haar bed. Terwijl ze probeerde na te denken over hoe ze het vandaag zou moeten aanpakken, glipte ze door een opening van de wand, waar een paar verticale planken misten. De koele ochtend in mei rook naar regen. Haar ogen brandden van het slaaptekort of misschien kwam het door de groezelige stoflaag die haar bedekte. Ze kreeg het verlangen om naar de kreek te lopen om zich te wassen, maar hield zich in. De zon verscheen traag boven de horizon. Vogels floten. Dauw bedekte de velden. Ze had nog nooit eerder zo'n zonsopkomst meegemaakt. Het licht fonkelde in de waterdruppels die het veld bedekten.

Toen ze geluid hoorde, perste ze zichzelf opnieuw door de opening en zag een jongetje naast Lori staan met een pup in zijn hand.

'Ik moet ze verstoppen,' fluisterde hij. 'Mijn broer wil ze vandaag verkopen op de veiling.'

Cara kwam dichterbij. 'Is hij al onderweg hiernaartoe?'

De jongen draaide zich om. 'Nog niet. Hij wacht denk ik tot ze het vee gaan verkopen. Dan komt hij ze vast halen.'

'We moeten ze verstoppen, mams. Simeon zegt dat ze te jong zijn om zonder hun moeder te zijn.'

In plaats van gehoor te geven aan de neiging om snel weg te gaan, voelde ze dat iets in het scenario haar bekend voorkwam: de stro-hoed van de jongen, zijn shirt met kraag, zijn bretels en de nette broek.

Simeon trok een zakdoek tevoorschijn uit zijn broek, legde die op de grond en vouwde hem open. De moederhond verspilde geen tijd en begon onmiddellijk de stukjes voedsel naar binnen te schrokken.

'Wat is een veiling?' vroeg Lori.

'Daar kun je allemaal dingen kopen. Het is altijd bij ons want wij hebben de enige plek met genoeg parkeerruimte en een groot gebouw voor als het regent. We hebben ook tenten met alleen een dak, zonder zijkanten, zodat we daaronder kunnen verkopen, maar ook binnen. En er is altijd genoeg te eten voor iedereen.'

Simeon vertelde waar hij woonde en waar het huis van zijn broer was en hij praatte maar door over een samenkomst die morgen-avond in zijn huis was en dat zijn broer helemaal alleen woonde.

Hij ratelde, alsof hij helemaal vergeten was waarom hij hiernaartoe was gekomen.

'Simeon!' schreeuwde een mannenstem.

Het jongetje zette grote ogen op. 'Dat is mijn broer.'

Cara greep Lori's arm, pakte de rugzak en repte zich naar de silo. Terwijl ze het luik sloot, deed ze haar vinger voor haar lippen in de hoop dat Simeon niets zou zeggen.

De jongen trok het deurtje open. 'Wat moeten we met de puppy's doen?'

'Die maken teveel herrie.' Ze sloot de deur, maar door de frons in zijn voorhoofd vroeg ze zich af of hij hen zou verraden.

'Simeon Mast.'

Ze herkende de mannenstem. Simeons broer en de harteloze man waren een en dezelfde. Cara hield haar adem in. Landloperij was strafbaar. Het was geen grote misdaad, maar erg genoeg om ervoor te zorgen dat de autoriteiten haar gangen zouden nagaan en dan zouden ze snel genoeg ontdekken dat ze geen geld had, geen vaste verblijfplaats en een dochter op sleeptouw.

'Mama,' fluisterde Lori, 'er is eten bij de veiling en ik heb honger.'

Cara legde kalm haar hand op Lori's mond. 'Sst.' Hoe moest ze uitleggen dat geldtekort, niet het tekort aan spullen, het grote probleem was? Nadat ze eten en kleren had gekocht in de winkel in Shippensburg, had ze nog tweeëndertig cent over. Misschien als ze goed zocht in Lori's rugtas, kwam ze nog voldoende wisselgeld tegen om een kleinigheidje te kopen.

De donkere, vochtige ruimte zat vol kruipende griezelige dingen. Waar was ze mee bezig, dat ze op deze manier leefden?

De vraag riep het verlangen wakker om Mike terug te pakken. Hij achtervolgde haar al bijna tien jaar. Hij zou in een donkere ruimte vol griezelige dingen moeten zitten, niet zij.

De mannenstem werd luider, alsof hij recht op de silo afkwam. 'Natuurlijk neem ik de pups niet mee naar de veiling.' Hij klonk alsof hij tegen de silo aanleunde. 'Over een paar weken, als ze oud genoeg zijn, dan vinden we wel een onderkomen voor ze. Maar nu *Daed* in het ziekenhuis ligt en al je zussen druk bezig zijn met de veiling, moet je bij mij in de buurt blijven. En nu meekomen voordat ik m'n geduld verlies.'

Het bleef even stil en toen sloeg de schuurdeur dicht. Ze wachtte een moment en duwde toen het luik van de silo open en hielp Lori naar buiten. Simeons broer moest een hele pan eten mee hebben genomen, de staart van de moederhond kwispelde terwijl ze at.

Het geluid van de hoeven van een heleboel paarden trok haar aandacht. Ze gluurde door de deuropening van de schuur. Een lange rij paard en wagens reden over de weg oostwaarts. Auto's reden de optocht voorbij in dezelfde richting.

'Simeon zei dat er meer dan duizend mensen op de veiling komen,' zei Lori. 'Mogen wij ook gaan? Alstublieft.'

Als ze gingen en als ze nog een klein beetje meer geld vond, dan konden ze misschien een hot dog kopen of zoiets, om Lori's honger te stillen. Bovendien, als deze omgeving antwoorden had op haar nevelige herinneringen en op de vraag waarom die man haar moeders naam had genoemd, dan was de kans groter dat ze die vond op een publieke bijeenkomst, dan door verder te reizen over verlaten wegen in gezelschap van haar dochter. Omdat de veiling voor iedereen toegankelijk was, kon het geen kwaad om daar te verschijnen.

Cara pakte de rugtas. 'Laten we door de achterdeur gaan en ons eerst wassen in de kreek. We kunnen daar niet rondlopen alsof we in een schuur hebben geslapen.'

&

De partytent boven Deborah's hoofd zou in elk geval de dreigende regen tegenhouden. Ze bedekte de kaneelbroodjes met een laagje glazuur op het dienblad. Sinds twee uur 's ochtends waren zij en Ada bezig met bakken, en nu waren ze bijna klaar voor de honderden klanten die begonnen binnen te druppelen. Zes warmhoudplaten stonden op een rij voor het ontbijt. Ze waren gevuld met roerei, worstjes, bacon, bolletjes, brood en scrapple – een traditioneel lokaal gehaktbrood.

Haar hoofd liep om van alles wat ze nog moest doen, maar ze zocht naar een gelegenheid om met Mahlon te praten. Ze was druk met het bakken van bolletjes en kaneelbroodjes voor de veiling, en de zorg voor haar broertjes en zusjes, en sinds de chauffeur afgelopen avond was langsgekomen voor haar vader, had ze nauwelijks meer een glimp van Mahlon opgevangen.

'Hé, kleine Debby.' Ze draaide zich om toen ze de vertrouwde stem van Jonathan hoorde. Ze schoot in de lach toen ze de neef van Mahlon zag staan in zijn normale Amish-kledij, maar met een witte koksmuts op zijn hoofd en kniehoge baggerlaarzen vol modder aan zijn voeten.

Hij rolde met zijn ogen. 'Hé, aardig blijven. Mijn geïmproviseerde keuken ligt midden in de modderbende.'

'Blijf jij maar aardig. Wat ik maak is veel lekkerder dan de cake die je in de winkel koopt. Dus hou maar op met die bijnaam.'

Hij stak zijn hand uit om de hare te schudde. 'Afgesproken.'

Ze gluurde naar zijn hand om te kijken of er niets in zat.

Hij glimlachte en liet zijn lege handpalm zien voor hij zijn hand weer liet zakken. Jonathan maakte meestal een vriendschappelijk grapje over haar naam. Misschien dat er ooit ergens een Amish was die mogelijk de naam Deborah droeg, maar er was niemand die haar dan kende. Ze was vernoemd naar de Engelse vroedvrouw van haar moeder.

Ze tilde haar been iets op en keek naar de rand van haar rok. Er zaten nu al modderspetters op. 'Aan het eind van de dag ben ik druk bezig om alle modder weer uit onze kleren te schrobben.'

'Ja, dat zal wel. Je had ook een donkere rok moeten aantrekken. Heb je het kleedhokje meegenomen?'

'Nog niet. Dat was ik eigenlijk vergeten.'

'Er gaat niets boven een irritante vriend die je herinnert aan de zaken die je vergeten hebt.' Hij grinnikte. 'Ik kan het helaas ook niet voor je regelen. Te druk met het bakken van worstjes. Maar als ik iets voor je kan koken, dan geef je maar een gil.'

'*Denki.*'

Het leek vreemd dat Jonathan en Mahlon directe neven van elkaar waren, terwijl de enige overeenkomst was dat ze dezelfde kleur ogen hadden. Jonathans lichtvoetige openheid stond in groot contrast met Mahlons diepe stilzwijgen. Mahlon begrijpen was niet eenvoudig. Maar hij trok haar aan alsof zij een droog land was en hij een bron met koel water.

Haar aandacht werd getrokken door iets wat zo onbenoembaar was dat het bijna niet bestond, ze draaide zich om en zag Mahlon die aan rand van de tent naar haar stond te kijken. Wist ze maar wat er precies schuilging achter die reebruine ogen. Waarschijnlijk een brede en diepe rivier die wemelde van de gedachten en emoties die dieper gingen dan de meeste mensen ervoeren op hun meest reflectieve dagen.

Hij knikte haar zwijgend gedag en ze ging naar hem toe. De verontschuldiging die ze afgelopen avond van hem had willen horen, las ze in zijn ogen.

'Goedemorgen.' Zijn diepe zorgzame stem deed haar huid tintelen. Hij liet zijn hand om de hare glijden en kneep er in. 'Heb je al nieuws over je *Daed*?'

'Becca heeft gisterenavond om tien uur nog met de winkel gebeld. De dokters zijn vrij zeker dat het geen hartaanval was. Dat is het goede nieuws.' Ze haalde haar schouders op, onzeker of ze de rest wel goed genoeg begrepen had. 'Het blijkt dat hij een spastische spier heeft in de ribbenkast. Er was weer vocht vastgehouden in zijn lichaam, ook rond zijn hart en longen. Volgens de dokter veroorzaakt dat ademtekort en ook de druk op zijn borst. Ze geven hem nu medicijnen die de opzwelling moeten tegengaan. Maar dat verklaart allemaal niets over zijn vreemde gedrag en dat gemompel over een geestverschijning.'

'Wanneer komt hij weer thuis?'

'Waarschijnlijk dinsdag. Becca heeft me gevraagd om me die dag door de chauffeur te laten oppikken. Ze heeft ook nog het een en ander nodig van de apotheek en de kruidenier, en ze is te afgepeigerd om het allemaal zelf te doen.'

Mahlon keek naar iets achter haar en ze draaide zich om.

Israel Kauffman liep langs Mahlons moeder met een pakket van tien kilo rauwe worst. Hij zag er goed uit voor een man van halverwege de veertig – slank maar robuust, met een volle bos glanzende bruine haren en een onafgebroken glimlach. Wat hij ook zei tegen Ada, ze moest erom lachen. Ada was maar iets jonger en allebei hadden ze een partner verloren. In de ogen van Deborah zouden ze een leuk stel vormen, maar voorzover ze wist zagen ze elkaar nooit buiten de bijeenkomsten die in het district en de gemeenschap georganiseerd werden.

Israel nam het vlees mee naar de achterkant van de tijdelijke muur die ze hadden opgericht en waar Jonathan de pannen met worstjes beheerde in de geïmproviseerde keuken. Deborah nam Mahlon bij de hand en liep terug naar haar werkplek. Ze gaf hem een kaneelbroodje om op te eten en daarna begon ze broodjes ei met spek te maken.

Ada liep naar de wastafel en waste haar handen. 'Ik vertelde Israel dat we al vanaf twee uur in jouw huis bezig zijn met bolletjes en kaneelbroodjes bakken. Weet je wat hij waagde te zeggen?'

Deborah schudde haar hoofd.

'Dat we er beter nog meer kunnen maken omdat hij alles nog voor de middag in z'n eentje op kan eten.'

Deborah grinnikte. 'Als hij dat doet blijft hij niet met een lege maag zitten, maar wel met een lege portemonnee.'

Jonathan kwam de hoek om met een dienblad vol gebakken worstjes. Hij zette het blad naast de warmhoudplaat en begon de worstjes erbovenop te leggen. 'Ik weet dat je allerlei soorten worstenbroodjes kunt maken, maar kun je ook worstrollen?'

Deborah haalde haar schouders op. 'Hoe moet dat dan?'

'Door ze een duwtje te geven.'

Lachend gluurde ze naar Mahlon, maar die reageerde helemaal niet. Hij leek de laatste dagen niet helemaal op z'n gemak. Aan de andere kant, hun week zat vol tegenslag sinds Ephraïm hen drie dagen geleden zijn zegen had gegeven voor de trouwplannen. Misschien was hij gewoon moe.

Ze deed een broodje worst met ei in folie en vouwde dat dicht. Daarna scheurde ze een nieuw stuk plastic folie af. 'We moeten zoveel mogelijk verschillende broodjes met worst en ei inpakken als we kunnen. Die verkopen het snelst.'

Jonathan tilde zijn lege dienblad op en vroeg: 'Wil je een nieuwe pan roerei?'

'Graag.'

'Ik kom het zo snel mogelijk brengen, maar je krijgt het pas van me als ik in ruil een kopje van je beste koffie krijg.' Hij tikte tegen zijn hoed en maakte een buiging. Zijn brede lach maakte duidelijk dat hij haar plaagde.

Deborah pakte de koffiemolen, stopte er verse bonen in en begon te draaien. 'Als jij me de eieren brengt, dan mag je ze komen ruilen.'

'Tot uw dienst, mevrouw.' Hij verdween.

Mahlon tikte haar schouder aan. 'Ik kom over een paar uur weer langs. Ik moet gaan.'

In de paar seconden die voorbijgingen terwijl ze elkaar diep in de ogen keken, verzekerde ze zich ervan dat hij van haar hield, wat er ook op hem drukte.

'Misschien kunnen we morgen een lange, rustige rit maken – met z'n tweeën.'

'Dat betwijfel ik, nu Becca weg is en jij het huishouden runt. Maar ik zou het fijn vinden als het zou kunnen.'

Ze ging verder met haar werk om alles klaar te maken voor de eerste klanten: ze zette papieren bordjes klaar, doosjes met servetten, ze

vulde zout-en-peperstelletjes en flesjes met specerijen.
'Het wordt een gekkenhuis, Deborah.' Jonathan kwam de hoek om met een grote pan vol dampend roerei. Hij knikte naar het volk dat hun voertuigen parkeerde op het gemaaide grasveld. Dadelijk vormden ze een rij voor het ontbijt van Deborah en Ada, een rij die pas zou oplossen tegen lunchtijd.

$\mathcal{E}\!\mathcal{S}$

NEGEN

Cara en Lori volgden de stoet rijtuigen in de richting van de veiling. Gelukkig waren ze niet de enigen te voet, dus vielen ze niet op, of in elk geval niet teveel. Geen van de vrouwen droeg een spijkerbroek. Ze was in het land van de jurken en rokken, en haren die lang genoeg waren om in een staartje te zitten. Dat leek haar niet bepaald handig. Als je toch je haar altijd in een staart draagt, kun je het toch net zo goed afknippen?

Na bijna een kilometer te hebben gelopen, zag ze auto's geparkeerd staan in een veld aan de kant van de weg. Rijtuigen stonden in een ander veld, met een omheind weiland waar de uitgespannen paarden in rondliepen. Verschillende mobiele toiletten en wastafels waren neergezet, duidelijk voor deze gelegenheid. Verderop ontdekte ze een grote boerderij vlak bij de weg. Zo'n tweehonderd meter daarnaast stond een gebouw dat leek op een magazijn of een werkplaats.

'Ruikt u het eten, mama?'

Het aroma vulde de lucht en deed haar watertanden. Nog aantrekkelijker dan de verrukkelijke geur van voedsel, was de aroma van koffie – een zware geur. Maar tenzij ze nog wat verstopt geld vond in Lori's boekentas, zouden ze tevreden moeten zijn met het muffe halve broodje en het water uit de kreek dat ze als ontbijt gedronken hadden. 'Misschien kunnen we later nog iets nemen. We hebben net gegeten. We hebben nu voldoende.'

Een paar regendruppels kondigden de dreigende regenbui aan. Zij en Lori renden naar de dichtstbijzijnde tent, waar ze bij elkaar kropen met nog een heleboel anderen die droog wilden blijven. Ze bestudeerde de ligging van het land. Aan de andere kant van het grondgebied, zo'n vijf- á zeshonderd meter verderop en bijna verborgen achter een rij struiken en bomen, lag nog een gebouw. Misschien was het iemands woning, maar dat kon ze niet goed zien. Als het een huis was, dan was dat waarschijnlijk de plek waarover Simeon verteld had dat die van zijn broer was. Het leek erop dat er een weg binnendoor liep naar de schuur terug, via het veld en langs dat huis bij de bomen. Als ze hier vertrokken, zou ze die weg proberen.

Uit het magazijn kwam het geluid van een man die in een rap spreektempo een item veilde. Met zachte hand leidde ze Lori het gebouw binnen. Het gebouw leek verdeeld te zijn in verschillende ruimtes. Aan het begin stond een man potplanten te verkopen. Daarnaast was een geïmproviseerde keuken met tafels en banken ernaast. Cara vermoedde dat hier straks de lunch werd verkocht.

Een enorme wagen vol diversen stond in het midden en werd omringd door bezoekers. Twee mannen in precies dezelfde kleding als Simeon en zijn broer – marineblauwe broek, een effen blouse met een kraag, bretels en een strohoed – stonden erbovenop. De veilingmeester boog zich voorover en pakte iets wat naast hem stond. 'Wie biedt er hier op?' Fronsend hield hij een kartonnen doos vol spullen omhoog. 'Wat is het eigenlijk?'

Het publiek rondom de wagen lachte. De veiling-assistent haalde zijn schouders op en nam het uit zijn handen. Hij gaf er een grote handgeschilderde gieter voor terug. 'Aha, daar heb ik iets wat ik kan verkopen. Morgen is het moederdag. Deze gieter is werkelijk prachtig in combinatie met een van de potplanten die worden verkocht bij kraam één.'

Lori zette grote ogen op. 'Is het morgen moederdag?'

Cara knikte.

Lori's ogen schoten vol tranen. 'Maar... maar ik was iets voor u aan het maken op school.'

Ze knielde naast haar dochter neer. 'Ik heb jou toch. Als alle moeders een dochter zoals jij hadden, dan zou moederdag niet eens hoeven bestaan.'

Het verdriet in Lori's ogen verdween. 'Echt niet?'

Cara tekende met haar vinger een kruisje over haar hart. 'Eerlijk waar.'

'Ik had een verftekening voor u gemaakt.'

'Ik weet zeker dat het zo mooi is dat de meest verdrietige mama er vrolijk van zou worden. De meester geeft het vast aan de moeder van Sherry. Als er iemand is die een mooi cadeautje verdient, dan is zij het, want haar kind is niet de makkelijkste.' Cara kende de moeder niet, maar ze had gezien hoe haar dochter zich gedroeg op school en hoe brutaal ze altijd was tegen de meester.

Lori glimlachte en sloeg haar armen rond Cara's nek en klemde zich vast. Cara tilde haar op terwijl ze zich tegen haar schouder vlijde. 'Mama, ik wil naar huis.'

'Ik weet het, lieverd.' Cara liep voorbij de mensenmassa naar de achterzijde van het gebouw. Rijen met verschillende modellen tuinstoelen stonden tegenover een muur met rekken vol quilts. Op de tafel naast de rekken stond een bordje waarop stond: 'De verkoop van quilts begint om twaalf uur.'

Ze ging in een lege stoel zitten en wiegde haar dochter. De afgelopen week waren er teveel snelle veranderingen geweest, met daarbij ook nog te veel lopen en te weinig eten. Ze streelde kalmerend de golvende haren van haar dochter, tot ze haar helemaal voelde ontspannen. Lori's rug rustte op Cara's borst en in stilte keken ze naar de mensen.

Het begon harder te regenen, maar onder de overdekking van het gebouw gingen de veilingmeesters gewoon door met het aanbieden van goederen. Niemand leek Cara te zien. Amish-vrouwen met klemborden en pennen bekeken de prijskaartjes op de quilts en maakten notities. Ze verplaatsten een paar quilts van de ene plek naar de andere en spraken daarbij in een taal die Cara niet begreep. Ze sloot haar ogen en doezelde weg, vreemde beelden vlogen haar gedachten in en uit. Een keukentafel vol vers eten. Een warme omhelzing door een vrouw die haar moeder Levina noemde. Twee bomen die naast elkaar stonden. Zij klauterde in de ene, een jongen klom in de andere. Hij riep naar haar terwijl zij schrijlings op een dikke tak ging zitten alsof het een paard was waarop ze heel ver weg kon rijden.

Haar moeders schaterlach omringde haar. *'Levina, ich bin kumme...'*

Cara schrok wakker. Vlak naast haar stond een Amish-vrouw te praten met een andere Amish-vrouw. De taal... was dat niet dezelfde die haar moeder had gebruikt om te praten met... met... wat was de naam nu ook alweer van de vrouw over wie ze gedroomd had? Ze kon het zich niet herinneren, maar ze moest een aantal zaken over haar jeugd te weten komen. Het zou niet uit moeten maken – niet op haar achtentwintigste. Maar dat deed het toch. En ze was niet van plan om Dry Lake te verlaten voordat ze antwoorden had. Eerst moest ze nog een aantal zaken oplossen; ze moest kunnen aangeven waar ze woonden als iemand daarnaar vroeg, maar daarna zou ze beginnen met haar zoektocht naar antwoorden.

De broer van Simeon stond dicht bij de voorkant van de ruimte. Gelukkig had hij haar nog niet gezien. Ze voelde het verlangen opkomen om weg te gaan, maar buiten stroomde het van de regen. Zij en Lori zouden drijfnat aankomen bij de schuur om daar opnieuw te kunnen schuilen. Dan zouden ze de hele dag en nacht met natte kleren zitten.

Een veilingmeester liep naar het tafeltje bij de quilts. 'We wachten op de assistenten om terug te keren met nieuwe velletjes papier, en dan beginnen we.'

Ze besloot dat ze Lori maar het beste op haar schoot kon laten zitten en hoopte dat Simeons broer haar dan niet zou zien. En zelfs als hij haar wel zag, het was een publieke veiling. Zij had net zoveel recht om hier te zijn als elke andere niet-Amish.

De aroma van gegrilde kip vulde de lucht. Haar maag rommelde. Ze had nog nooit zoveel zelfgemaakte etenswaren op een plek gezien. Ze doorzocht Lori's rugtas en vond een dubbeltje.

Fantastisch. Nu hebben we tweeënveertig cent. Dat is niet genoeg om iets voor Lori te kopen.

Vrouwen maakten het uiteinde van een quilt vast aan een lange houten pen die was verbonden met touwen en een katrol. De broer van Simeon trok de quilt omhoog, zodat iedereen kon zien waarop ze boden. Als de quilt verkocht werd, dan liet hij hem zakken en liep hij naar de andere kant, waar verschillende vrouwen een andere quilt hadden vastgemaakt aan een tweede houten pen en een katrol. Hij hielp de vrouwen, ongeacht hun leeftijd, uiterlijk of gewicht en lachte als hij een paar woorden met elk van hen wisselde. Hij haastte zich om de ene quilt na de andere omhoog te hijsen, zodat de vrouwen nooit zelf de zware kleden hoefden te tillen. Ze had nog nooit een man zo beschermend gezien over iets zo onbelangrijks als een beetje zwaar werk.

De verkoop van quilts ging uren door. Lori ging in een stoel naast Cara zitten en zong zachtjes terwijl ze door een kindertijdschrift bladerde uit haar rugtas, de tijd verdrijvend op de manier waarop vermoeide kinderen dat doen. De regen werd minder. Cara hoopte dat de storm voorlopig uitbleef.

De veilingmeester vertelde iets over de geschiedenis van sommige quilts, zijn stem werd vervormd door een microfoontje op batterijen dat aan zijn blouse bevestigd was. 'Aan de volgende quilt begon Emma Riehl zo'n twintig jaar geleden.'

Emma Riehl?

De stem van de man veranderde in onduidelijk gebrabbel, terwijl de naam Emma Riehl in Cara bleef weerklinken.

Plotseling was ze weer in het busstation, terwijl ze door de lange gang liep, met haar vader die haar hand vasthield.

'Waar gaan we naartoe?'

'Niet wij, jij.'

'Laat u mij hier achter?'

'Nee. Ik blijf tot Emma Riehl er is. Ze zal zo wel komen.'

Lori tikte op haar arm. 'Mama, ik heb honger.'

Cara bleef nadenken, maar ze kwam tot zichzelf toen ze opnieuw de heerlijke geuren rook die tot hen doordrongen bij elke ademhaling. 'Ik weet het, Loralief. Maar alles wat we hebben is tweeënveertig cent. Dat is niet genoeg om iets te kopen. Het spijt me.'

Toen Lori knikte en met haar handen de tranen wegveegde die opwelden in haar ogen, brak Cara's hart.

'Ik moet naar de wc.'

Cara keek naar de Amish-vrouwen en vroeg zich af of een van hen Emma was. 'Kun je het ophouden?'

'Nee.'

'Weet je het zeker? Ik moet nog iets langer...'

'Ik moet echt nu.'

'Goed, goed.' Cara wrong zich door de menigte met Lori aan de hand. Ze zochten het dichtstbijzijnde mobiel toilet op en gingen daar in de rij staan wachten.

Emma Riehl? Het vreemde toeval in combinatie met de man die de naam van haar moeder genoemd had, overtuigde haar ervan dat ze hier niet moest vertrekken zonder antwoorden te krijgen.

Nadat ze aan de beurt waren geweest bij de toiletten, wasten ze hun handen bij de mobiele wastafels en keerden ze terug naar de quiltverkoop.

Toen ze langs een eettentje kwamen, trok Lori aan Cara's hand. 'Mama, alstublieft. Kunnen we misschien met ons geld de helft van iets kopen?'

De Amish vrouw achter de toonbank keek naar hen.

'Ik heb nog een broodje in de rugtas.'

Lori staarde naar haar omhoog. 'Ik heb honger in echt eten, mama.'

Cara boog zich naar haar toe en fluisterde: 'Ik had toch gezegd dat we niet genoeg geld hebben.'

Lori knikte.

'Wacht,' klonk een stem.

Cara draaide zich om en zag een jonge Amish-vrouw die haar een dienblad voorhield.

'Deborah?' riep een man.

'Ja?' antwoordde de vrouw.

'Waar is het aluminiumfolie?'

'In de doos onder de toonbank.' Deborah reikte het dienblad nog dichter naar hen toe. 'Door de regen is het aantal bezoekers van de veiling een beetje laag dit jaar. Zouden jullie me misschien kunnen helpen bij het opmaken van de restjes?'

Lori gaf een gilletje. 'Alstublieft, mama? Alstublieft?'

Op het dienblad lagen twee enorme broodjes gevuld met dampend roerei en worst. 'De eieren en het vlees zijn vers van de gril.' Ze glimlachte en Cara twijfelde er niet aan dat ze wist dat Lori om eten gevraagd had.

'Dank u.'

'Ja!' Lori maakte een rondedansje.

De jonge vrouw grinnikte. 'Volgens mij bevalt het idee haar wel. Kom. Je mag iets te drinken uitzoeken. We hebben gewone melk, chocolademelk, sinaasappelsap...'

'Sinaasappelsap? Ik ben dol op sinaasappelsap!' Lori's gezicht glom.

Cara's blik werd troebel. 'Dank u.'

Deborah knikte. 'Kom even deze kant op.' Ze schonk Lori een glas sap in. Ze stak een bekertje omhoog naar Cara. 'Koffie?'

Cara haalde haar laatste kleingeld tevoorschijn en overhandigde het aan Deborah. 'Ja, alstublieft.' Ze rekte het laatste woord lang uit, en maakte de vrouw aan het lachen.

Deborah weifelde en nam toen het geld aan.

Cara hield voorzichtig het dienblad voedsel en de kop koffie in balans. 'Kun je zelf je drinken dragen zonder te morsen?'

Lori knikte en dankte de vrouw meerdere malen.

Cara grinnikte. 'Nogmaals bedankt.'

'Niets te danken.'

Ze liepen terug naar Cara's stoel in het veilinggebouw. Anders dan toen ze hier wegliepen, waren verschillende stoelen nu leeg, net als het rek waar de quilts aan hadden gehangen.

'We hebben heerlijk warm eten, dus dit is een heel fijne dag, hè mams?'

Cara wilde wel dat ze dit voor elke dag kon beloven en knikte. 'Ja, dat is het zeker.' Maar de quilt van Emma Riehl was verkocht en de kans dat ze de Amish vrouw ontdekte die Emma zou kunnen zijn, was daarmee verkeken.

Terwijl ze aten en dronken, vouwde de veilingmeester een A4'tje open. 'Dit is een contract om iemands huis schoon te maken voor een dag per week, gedurende drie maanden. Wie opent het bod?'

Een potige man hield een visitekaartje omhoog en riep: 'Ik bied op een Amish-vrouw die mijn huis wil schoonmaken, koken en vijf dagen per week wil helpen met de verzorging van mijn vrouw, totdat ze weer beter is. Iemand interesse?'

Er werd druk gemompeld en er klonken grappen, maar niemand bood zich vrijwillig aan.

Toen de potige man opstond, was het duidelijk dat hij geen Amish was. 'We zouden al geholpen zijn als iemand vier uur per dag kwam. We betalen veertig dollar per keer. Er is vast wel iemand.'

Twee vrouwen achter Cara waren het erover eens dat het niet slecht betaalde, maar dat ze onmogelijk de tijd hadden om er een andere baan bij te nemen. Ze wilde dolgraag haar hand opsteken, maar als ze opstond, zou de veilingmeester vragen wat haar naam was en waar ze woonde. Elke werkgever wilde een adres en de beslotenheid van deze gemeenschap betekende dat het meteen duidelijk zou zijn als ze loog. Door hier de hele middag rond te hangen, was ze tot de conclusie gekomen dat iedereen hier elkaar kende. Als ze een-op-een met deze man in gesprek kon komen, dan had ze kans om hem iets op de mouw te spelden.

'Goed, ik verhoog mijn bod. Vier uur per dag voor vijftig dollar. Ik betaal contant aan het eind van elke werkdag.' De man keek rond. 'Kom op. Ik doe mijn uiterste best om rond te komen, net als de meesten van jullie. Het is een hoop geld.' Niemand stak een hand op. Cara vroeg zich af of er verborgen redenen waren waarom niemand zich aanbood.

Hij gooide zijn visitekaartje op een tafeltje in zijn buurt. 'Als iemand van gedachte verandert, daar staan mijn telefoonnummer en adres op.'

Cara staarde naar het kaartje. Het liefst had ze het meteen weggegrist. Alles wat ze nodig had was respijt. Als ze maar op eigen benen kon staan zonder de wet te overtreden, dan kon ze ook bij de overheid aankloppen voor hulp – als ze dat dan nog nodig had. En dan hoefde ze ook niet meer in angst te leven dat ze Lori zou kwijtraken.

Ze voelde dat er iemand naar haar keek. Toen ze zich omdraaide, zag ze Simeons broer naar haar staren. Haar haren gingen overeind staan. Ze wist zeker dat hij haar wilde ondervragen en ze wist zonder dat iemand het haar had verteld dat hij de macht had om haar frisse start kapot te maken. Het was duidelijk dat ze hier weg moest. 'Laten we gaan.' Cara hing Lori's rugzak over haar schouder en verzamelde hun afval.

'Ik heb nog een halve beker met sap over. Knap hè?'

'Ja, en nu moet je meekomen.' Maar Cara was zelf degene die zich niet verroerde. Het visitekaartje van de man lag op de tafel en smeekte erom meegenomen te worden.

Een beeld schoot door haar gedachten.

Haar vader die op een handgetekende kaart tikte. 'Zie je waar ik de paard en wagen heb getekend? Daar ga je naar toe. Dat is de plek waar je moeder nooit had moeten weggaan. Het heeft iets met haar gedaan... met ons.'

'Ga ik naar Levina?'

Haar vader keek haar bedachtzaam aan voordat hij zijn glas met z'n goudkleurige drankje achteroversloeg. 'Weet je iets over haar?'

'Ik heb haar ontmoet.'

Hij bestelde een nieuw drankje, en daarna nog een, voor hij opstond en haar meenam naar een bankje elders bij het station. 'Hier blijven zitten, Cara Atwater. Verroer je niet. Emma komt je halen.'

Cara sloot haar ogen en probeerde het pijnlijke gevoel van verlatenheid van zich af te schudden. Twee keer was ze achtergelaten. Haar vader was verdwenen. En Emma Riehl was nooit gekomen.

'Gaat het goed, mama?'

Ze opende haar ogen en glimlachte geforceerd. 'Natuurlijk, Loralief.'

Toen ze opkeek, ontmoetten haar ogen die van Simeons broer. Uitdagend staarde ze terug. Ze ging niet weg, nog niet. De man kon stikken in z'n zuinigheid over z'n muffe, vervallen hooischuur, maar ze was niet van plan te vluchten.

Zich verstoppen? Ja. Wegrennen? Nog niet. Niet voordat ze antwoorden had.

Simeon liep naar hem toe en trok pratend zijn aandacht.

De mensenmassa stond dichter op elkaar rondom de tafel waar het kaartje lag. 'Blijf vlakbij me en houd je mond.' Cara stond op uit haar stoel en versmolt met de massa. Ze reikte tussen de mensen door en pakte het kaartje. Niemand leek te voelen dat ze zich tussen hen doordrong. 'Laten we gaan.'

Op weg naar buiten, zag ze een standje waar een geïmproviseerde keuken was opgezet. Ze stopte en zag dat een vrouw twee hamburgers tussen broodjes stopte en er garnituur aan toevoegde. Ze stopte alles in een witte papieren zak en zette het op de toonbank. Cara liep zijdelings langs de plek en griste de zak weg. Ze liet het in de boekentas glijden zonder dat Lori zag wat ze deed. Maar toen ze opkeek, zag ze Simeons broer aan de andere kant van de ruimte. Hij keek naar haar. Ze weerstond de neiging om een grof gebaar te maken en dook weg door een zij-ingang.

&

TIEN

Cara gooide een steentje in het water. Lori zat op de oever en tekende met een stok in de modder. Een stuk zeil uit de schuur lag onder haar, zodat haar kleren droog bleven nu de grond kletsnat was na de regen van gisteren.

Dakloos op moederdag. Wat een grap. Omdat Simeons broer gisteren naar de schuur was gekomen, kon ze Lori vandaag niet eens met de puppy's laten spelen, zoals ze graag wilde. Van nu af aan, totdat ze een plek hadden gevonden om te wonen, zou ze bij de schuur vandaan moeten blijven tot laat in de avond. Ze had gezocht naar andere bijgebouwen om in te slapen, maar die stonden allemaal te dicht bij woonhuizen.

Het jarenlange verlangen om Lori een gevoel van eigenwaarde mee te geven, en om haar te laten voelen dat ze iemand had die van haar hield, zorgde dat Cara bleef doorgaan. Ze was hierheen gegaan in de hoop banden met haar verleden te vinden, misschien vrienden of familie van haar moeder. Maar zelfs als dat lukte, zou het een verschil uitmaken voor Lori?

Misschien dat de ontsnapping uit New York vooral een welkome onderbreking en een frisse start betekende.

Ze speelde met het visitekaartje dat de potige kerel op het tafeltje had gegooid – Richard Howard op Runkles Road. Ondanks dat het zondag was, waren zij en Lori vroeg naar zijn huis gegaan. Lori zou met haar mee naar het werk moeten, dus nam ze haar mee naar het sollicitatiegesprek. Nadat ze het merendeel van Dry Lake al hadden gezien tijdens hun zoektocht naar Mast Road, was het nu eenvoudig om de straat te vinden. Toen ze er eenmaal waren, nam de man hen mee naar de slaapkamer van zijn vrouw voor een gesprek. Ginny Howard had haar dijbeen gebroken en droeg een heupgips. Haar man had al zijn verlof van zijn werk opgemaakt om bij haar te blijven. Hij was wanhopig, zelfs al was Cara geen Amish, toch wilde hij graag dat ze voor hem kwam werken. Maar daar dacht Ginny anders over. Ze zei dat als Cara nette kleren aantrok, ze wellicht overwoog haar in te huren. Cara vermoedde dat meneer Howard liever wilde dat ze kwam werken dan hij liet doorschemeren aan zijn vrouw, anders had hij niet gezegd dat ze 's avonds voor bedtijd moest terugkomen, als ze tenminste de juiste kleren had.

Hij herinnerde haar eraan dat hij haar vijftig dollar contant betaalde aan het eind van elke werkdag. Met een beetje geluk en wat geld op zak, kon ze misschien over een paar dagen een kamer huren bij iemand in huis. Hoewel ze voor maar vier uur betaald zou worden, zei ze tegen hem dat ze zou blijven tot hij terugkwam uit zijn werk, als hij haar aannam. Hij was erg blij met dat idee, maar ze had het niet aangeboden uit vriendelijkheid. Ze wist dat het eenvoudiger was om daar de hele dag te werken, dan om rond lunchtijd te vertrekken en de rest van de dag uit zicht te blijven tot het veilig was om terug te keren naar de schuur.

Op de terugweg van haar gesprek bij de Howards, had Cara nette kleding te drogen zien hangen in Simeons tuin. Ze had gezien dat de vrouw die hun te eten had gegeven tijdens de veiling, de kleren aan de waslijn had gehangen. Cara wilde liever niets van haar wegnemen. Maar als ze een paar dingen pakte en die later teruggaf, zou dat stelen zijn? Ze zou moeten wachten tot het donker was.

Vanbinnen voelde ze een pijnlijk verlangen om te ontdekken wat het verband was tussen haar moeder en Emma Riehl. Als deze Emma dezelfde was als de Emma die haar niet was komen halen, waarom had ze haar dan achtergelaten bij het busstation? Wat voor iemand deed zoiets?

Het verlangen om hier achter te komen was bijna net zo diep en onweerstaanbaar als haar verlangen om met haar moeder te praten in de tijd dat ze eenzaam in een pleeghuis woonde.

Toen het begon te schemeren, wist ze dat het tijd was om haar plan uit te voeren. 'Kom mee, Loralief.'

Lori klopte de achterkant van haar jurk af en stond op. 'Als we een hengel hadden, dan kon ik een vis vangen die we konden bakken.'

Cara stopte het laatste broodje in de rugzak. Net als de twee vorige zou het eerst moeten worden ondergedompeld in water om het eetbaar te maken, anders braken ze hun tanden erop. Maar de hamburgers die ze had meegenomen van de veiling waren heerlijk. Ze had die van haar willen bewaren voor Lori om vandaag op te eten, maar ze was bang dat het zou bederven en dat Lori ziek zou worden. 'Denk je dat echt?'

'Jazeker!'

'Dan moet ik maar voor een hengel zorgen.' Ze stak haar hand uit naar Lori en ze begonnen de bedding van de kreek te volgen. Door langs deze kant te gaan, konden ze tot het donker uit zicht blijven. Daarna konden ze de weg op. 'Maar waar gaan we je vangst dan in klaarmaken?'

'Misschien op zo'n gril waar die mannen met hoeden gisteren de kip op bakten.'

Cara grinnikte. 'Daar moet wel vijftig kilo kip op hebben gelegen.'

'Dan moet ik vijftig kilo vis vangen.'

'Ik kan je manier van denken wel waarderen, meisje.'

'Mama, wat gaan we nu doen?'

'Een paar spullen lenen, denk ik.' Ze leidde Lori langs een akker en zag het huis van Simeons broer liggen. Ze bestudeerde de donkere stille plek. Nadat ze een jurk had gestolen, zou ze een paar dingen uit zijn huis halen.

Teleurgesteld omdat het zo lang duurde voordat ze er waren, hoopte ze even later dat het wasgoed nog niet was binnengehaald. Ze liepen verder. Achter de struiken en bomen die het huis verborgen, zag ze Simeons huis en de werkplaats. Ze schatte de afstand op dezelfde manier als in New York: de woningen stonden zo'n twee huizenblokken uit elkaar – zo'n honderdvijftig meter. In New York woonden er duizenden mensen tussen twee zulke huizen, maar hier waren nergens andere woningen te bekennen. Vlakbij een paar struikjes stak een rots boven de grond uit. Ze bracht Lori erheen.

'Je moet hier op deze steen blijven zitten tot ik terugkom, oké?'

'Ik denk het wel.'

'Je denkt het niet. Je blijft hier wachten. En verroer je niet tot ik terug ben om je te halen.'

'Oké.'

'Beloofd?'

Ze zette haar dochter op de steen.

Cara sloop om het terrein heen tot ze de waslijn zag. Dezelfde kleren hingen nog steeds aan de lijn. Het leek erop dat er geen andere waren bij gehangen of weggehaald. Ze richtte zich op een paar jurken, twee ervan leken de juiste maat. Langzaam sloop ze het erf over, telkens schuilend in de schaduw en alles goed in de gaten houdend. Een rood wagentje van een kind lag in de goot naast de weg. Een grasmaaier stond onder een dichtbijstaande boom. Het huis gonsde van de stemmen, het moesten er tientallen zijn. Op de oprit stonden zes wagens, allemaal met paarden ervoor gespannen. Ze verwachtte dat de drukte haar goed van pas zou komen. Als mensen waren afgeleid, dan zagen ze soms niet eens precies waar ze naar keken.

Ze nam een jurk weg en trok zich terug in de schaduw. Niemand leek haar te hebben gezien.

Haar volgende plan maakte haar nerveuzer. Simeon had gezegd dat zijn broer alleen woonde en dat hij in het huis van zijn *Daed* zou zijn vanavond. Simeon had ook gezegd dat deze plek nooit op slot was. Zolang als Simeons broer niet onverwacht terugkwam, zou ze alle tijd hebben.

Nadat ze over het veld was geslopen, door de afscheiding van struiken, kwam ze aan op zijn erf. De voordeur was open, er was alleen een hordeur. Ze sloop op haar tenen naar binnen en keek in de koelkast. Ze had maar een paar seconden nodig om het te zien en kon haar ogen niet geloven.

De koelkast was volledig afgeladen met voedsel. Ze pakte de eerste bak die ze zag, zette die op een tafel en opende het deksel om er zeker van te zijn dat er geen rauw vlees in zat. De geur van gegrilde kip kronkelde haar neus binnen. Perfect. Ze pakte een blikje frisdrank en een paar servetten. Ze stopte alles in de jurk en keek in de duisternis om zich heen. Ze zag een badkamer, een woonkamer en een slaapkamer. In de slaapkamer doorzocht ze een ladekast en ontdekte verschillende zaklantaarns. Ze nam er een mee en liep naar de kast. Onderop een stapel quilts, vond ze een oude deken. 'Hé, Ephraïm,' riep een man. Ze verstijfde. 'Je gaat toch nog niet naar bed, of wel?'

Met haar armen vol, vluchtte ze door de achterdeur. Twee mannen stonden halverwege het veld tussen de twee huizen te praten. Ze liep op een drafje naar de steen terug, uitgelaten over de schatten die ze vasthield. Haar hart bonsde van de adrenaline.

'Hé, Loralief, raad eens wat ik bij me heb?' Ze hield de bak omhoog.

'Eten.' Ze klapte in haar handen.

Cara deed de doos open. 'Zoveel gegrilde kip als een meisje op kan. We moeten alleen wel tegelijk lopen en eten, want anders kom ik te laat voor dat gesprek.' Cara trok de jurk over haar hoofd en trok vervolgens haar spijkerbroek uit. 'Ik zag een rood karretje in de goot. Als ik deze deken op de bodem ervan uitspreid, dan kun jij rijden en eten tegelijk. Wat denk je ervan?'

'Gaan we stelen?'

'Nee lieverd. We brengen het terug voordat iemand in de gaten heeft dat we het geleend hebben.'

Lori likte haar vingers af. 'Dit is heerlijk. Wilt u ook wat?'

'Een klein hapje.' Ze had buikpijn van de honger en ze had de hele doos leeg kunnen eten, maar ze nam genoegen met de kleine hoeveelheid vlees van een kippenvleugel. 'Je mag vier hele kippenpoten eten, maar daarna doen we de bak goed dicht en leggen we het in de rivier. Op die manier blijft de rest voldoende gekoeld, zodat het niet bederft.' Ze stopte haar spijkerbroek in de rugzak. 'Kom, we gaan.'

&

Het werk van maandag was klaar en Ephraïm zette zijn telescoop op in zijn beschutte schuilplaats in de tuin. Hij probeerde te focussen op de sterren die glinsterden in de lucht, maar zijn ongenoegen over de schaamteloosheid van dat meisje om afgelopen nacht zijn huis binnen te gaan en van hem te stelen, had veel meer zijn aandacht dan de nachtelijke hemel. Ze paste in de beschrijving die zijn *Daed* had gegeven van de dronken dievegge die hij gezien had – degene waar *Daed* de gemeenschap voor gewaarschuwd had. Ephraïm moest er alleen nog achter komen wat ze van hem had gestolen. Maar hij had gezien dat ze met armen vol was vertrokken.

Aan de westelijke horizon kwam Mars in zicht. Rond middernacht zou de planeet in het noordwesten weer ondergaan. Omdat hij niet van plan was om zijn ogen van zijn huis af te houden, zou hij dat waarschijnlijk nog meemaken ook, als hij zich voldoende kon concentreren om naar de lucht te kijken.

Hij had gezien dat ze met haar armen vol zijn huis was uitgekomen en daarom was hij die dag al verschillende keren naar de schuur gegaan, omdat hij vermoedde dat ze daar was. Hij had rondgereden in Dry Lake, maar hij had haar nergens gevonden. Als ze zich liet zien, had hij een paar duidelijke woorden voor haar. En ze zou zich laten zien. Dieven keerden terug naar een gemakkelijke prooi, en hij wist dat zijn huis eruitzag als een makkelijke prooi.

Als zijn oom hem niet had geroepen halverwege het veld dat zijn huis scheidde van dat van *Daed*, dan zou hij haar meteen geconfronteerd hebben. Maar hij wilde niet dat er verontrustende berichten terug zouden keren naar zijn *Daed* en Becca.

Een vaag geluid hing in de lucht en hij sloop naar de ingang van zijn schuilplaats. Hij zag niets, dus liep hij een rondje over het terrein. Vlakbij de rand van het maïsveld dat dicht bij zijn huis lag, zag hij iets wat leek op een meisje op een steen. De dievegge moest hier ook ergens zijn. Hij realiseerde zich dat het doel mogelijk het huis van zijn vader was, en hij haastte zich tussen de bomen door en over het veld. Hij zag haar bij de waslijn, en ze droeg ditmaal een jurk. Een Amish jurk.

Hij sloop tot vlak achter haar en schraapte zijn keel. Zonder aarzelen begon ze te rennen. 'Stop.' Hij sprong achter haar aan en greep haar arm beet.

Ze probeerde zich los te rukken. Hij draaide haar arm op haar rug. 'Ik ga je geen pijn doen.'

'Reken er niet op dat ik dezelfde belofte doe,' kermde ze en op hetzelfde moment bracht ze haar lichaam omlaag en nam ze hem mee, vervolgens sloeg ze haar hoofd naar achteren tegen zijn mond aan. 'Au!' Hij sloot zijn vingers om allebei haar armen en hield haar vast terwijl hij haar naar de grond drukte. Het bloed droop van zijn lip op haar rug. 'Ik probeer rustig te blijven. Wil je alsjeblieft stoppen?' Ze kronkelde, schold hem uit en probeerde hem eraf te gooien. 'Laat me los!'

'Als je kalmeert dan kunnen we daarover praten.'

Gezien haar lengte stond hij versteld van haar kracht. Haar ongezouten taalgebruik was precies wat hij van een dief verwachtte. Ephraïms mond voelde pijnlijk aan. 'Of je stopt nu met vechten en praat met mij, of ik bel de politie en dan kun je met hen praten.' Tot zijn schrik was ze op slag stil. Hij liet haar ene arm los en hield de andere vast. Terwijl hij opstond, hielp hij haar ook omhoog. Ze was nog geen een meter zestig groot en kon onmogelijk zwaarder zijn dan vijftig kilo.

'Je hebt van ons gestolen.'

'Ik neem aan dat het jouw jurk was die ik heb meegenomen?'

'Grappig. Maar het was niet de jouwe.'

'Ik heb het niet gestolen.' Hij veegde het bloed van zijn mond. 'Het was niet van jou en je nam het mee. Bestaat er een definitie van het woord stelen die ik nog niet ken?'

'Ik kwam geld brengen.'

'Natuurlijk kwam je dat doen.'

'Je kunt met me in discussie gaan of zelf kijken. Het hangt op de waslijn.'

Terwijl hij haar arm bleef vasthouden, liep hij naar de plek. Een briefje van tien dollar hing aan de lijn, stevig vastgemaakt.

Het maanlicht viel op haar gezicht en onthulde haar schoonheid. Hij zag ook nog iets anders – de zelfverzekerdheid van een vrouw, en plotseling leek ze niet meer zo jong. Door haar lengte, uitdagende houding, de spijkerbroek en het shirt dat haar buik bloot liet, had hij aangenomen dat ze een tiener was. Maar door de manier waarop ze zich opstelde en hem zelfverzekerd aankeek, zag hij haar nu eigenlijk voor de eerste keer. 'Dus geld geven nadat je dingen hebt meegenomen die niet te koop zijn is goed?'

'Verheven woorden uit de mond van iemand wiens papa en mama hem zijn hele leven alles hebben gegeven wat hij nodig heeft.'

'En wat heeft je zusje je nog meer zien stelen?'

Ze kalmeerde, maar gaf geen antwoord.

'Geef antwoord. Wat heb je nog meer gestolen?'

Ze bestudeerde hem en leek vooral verbaasd door de vraag. 'Heb je zo veel dat je niet eens weet wat er ontbreekt?'

Op de een of andere manier begon hij de discussie te verliezen. Hoe was dat mogelijk? 'Vertel me wat je hebt meegenomen.'

'Alleen wat te eten en een deken.'

'Was je van plan om mij ook terug te betalen?'

Ze zei niets maar hij wist het antwoord. Waarom was ze dan wel teruggegaan om geld achter te laten voor Deborah?

'Waar komen jullie... waar wonen jullie?'

Ze opende haar mond, maar veranderde toen van gedachten. 'Nou?'

'Ik leen verder niets meer en ik zal hier nooit meer een stap zetten. Dat beloof ik. Laat me alsjeblieft gaan.'

Hij bedacht dat hij niets meer uit haar zou krijgen. Wat er ook aan de hand was, hij was niet van plan om de politie te bellen. Ze was tenslotte teruggekomen om geld te brengen voor de verdwenen jurk en had spullen van hem gestolen die hij niet eens gemist had. Hij liet haar los. 'Ga.'

Ze staarde hem aan alsof hij iets gedaan had wat ze niet verwachtte. Toen ging ze ervandoor.

Ephraïm draaide zich om naar het huis van zijn *Daed*. Het schijnsel van de kerosinelampen verlichtte het grasveld nauwelijks. Morgen kwamen *Daed* en Becca thuis en hij was van plan om de zaken hier rustig te houden.

Was het mogelijk dat deze jonge vrouw en haar zusje in Levina's schuur, of beter gezegd in *zijn* schuur verbleven, of zelfs overnachtten?

Terwijl hij zich afvroeg of zijn broertje de namen kende van deze meisjes, liep hij richting het huis. Eenmaal binnen ging hij naar de wastafel, pakte een schone doek en liet er koud water overheen lopen. Hij depte het tegen zijn lip en zuchtte. Waarom moest ze juist nu opduiken? Haar aanwezigheid maakte het alleen maar ingewikkeld om de vrede en rust te bewaren voor zijn *Daed*.

Ze wist hoe ze de doel moest treffen in een discussie. Maar daardoor was ze nog niet goed. Stelen bleef stelen. Ephraïm ging de woonkamer binnen. Annie en Simeon zaten middenin een potje dammen.

'Simeon, weet jij wat de namen zijn van de meisjes die in de schuur naar de puppy's kwamen kijken?'

'Het meisje heet Lori, maar de naam van de moeder weet ik niet.'

'De moeder?' Ephraïm liet zich in een stoel vallen. De laatste indruk die hij van haar had was dus correct. Ze was inderdaad geen opstandige tiener. 'De oudste is haar moeder?'

'Ja. Ze is erg aardig. Hoewel ze zich erg goed kan verstoppen voor jou.'

'Waar verstopt ze zich dan?'

'In de silo.'

'Wonen ze in de schuur?'

Hij haalde zijn schouders op. 'Heb ik niet gevraagd. Maar in elk geval steelt niemand de puppy's als Lori en haar moeder daar zijn.' Ephraïm streek met zijn vinger langs zijn gezwollen lippen. 'Dat geloof ik meteen.'

'Lori wil graag de zwarte pup als het mag van haar moeder. Haar moeder is erg aardig. Toen ik zei dat mijn *Mamm* me als een baby behandelt, zei ze dat ik blij mocht zijn dat ik mensen heb die me kort houden, en als ik een lang en gelukkig leven wil leiden, dan kon ik maar beter naar ze luisteren.'

Hij wilde echt niet weten welke vermeende kwaliteiten de dievegge allemaal bezat. 'Wanneer heb je over al die dingen gepraat?'

'De eerste keer dat ik haar ontmoette.'

'Wanneer was dat?'

'Zaterdagochtend.'

Zijn hoofd deed pijn, daardoor kon hij zich moeilijk concentreren. Misschien was ze nieuw in de omgeving. Maar waarom zag ze er dan zo bekend uit?

Niets van wat ze deed leek logisch. Afgelopen nacht had ze de jurk gestolen en vanavond hing ze geld aan de waslijn om ervoor te betalen. Waarom zou ze gisteren een jurk nodig hebben gehad en vandaag het geld hebben om ervoor te betalen? Had ze ergens geld gestolen? Dat zou helemaal nergens op slaan. Niemand zou gestolen geld gebruiken om voor iets te betalen dat ze al eerder ongemerkt gestolen hadden.

Hij besloot nog een bezoek aan de schuur te brengen en stond op. Toen hij richting de schuur liep, zag hij dat zijn maïsveld was vernield door iemand die dwars over de scheuten was gelopen. Voordat hij de oprit van Levina overstak, zag hij een lichtstraaltje. Als hij nu meteen naar de schuur ging, dan zou de vrouw een smoes bedenken en weer verdwijnen. Hij deed er beter aan om het zichzelf ergens gemakkelijk te maken en te kijken. Een paar minuten later deed iemand de zaklantaarn uit.

Waren ze door de achterdeur verdwenen, of gaan slapen? Hij hield de wacht. Ongeveer een half uur later kwam de vrouw de schuur uit in haar spijkerbroek en te korte shirt. Ze leunde een tijdje tegen de zijkant van het gebouw en zag er tamelijk vredzaam uit in het maanlicht. Blootsvoets stak ze de weg over naar de boom. Toen ze haar hand over de bast liet glijden, kreeg Ephraïm kippenvel.

Onmogelijk.

Hij leunde naar voren en zag hoe ze op de onderste tak klom en de uitsparing in de tak streelde. Daarna leunde ze tegen de stam. Was het mogelijk?

Ze liet haar vingers door haar korte haar glijden en langs de zijkant van haar nek.

'Cara,' fluisterde hij. Een gedeelte van hem wilde haar naam roepen en naar haar toe rennen. Het was een dwaze ingeving, geboren uit een jeugdherinnering.

Cara Atwater.

Twintig jaar geleden hadden ze in een lange week een vriendschap opgebouwd zoals hij die later nooit meer had gehad. Ze was een wildebras en dat maakte het leuker om met haar te spelen dan met veel andere jongens van zijn leeftijd. Haar gretigheid om alles te proberen, vermengd met haar levenslust, hadden zich permanent in zijn geheugen gegrift.

Toen hij uit Dry Lake was vertrokken tijdens zijn *rumschpringe* – zijn tijd om te besluiten of hij wel of niet Amish wilde worden – was hij naar New York gegaan in de hoop dat hij haar zou vinden. Hij had daar twee jaar gewoond en gewerkt. Hij had gebeld met elke Trevor Atwater, de naam van haar vader, in het telefoonboek. Hij zocht haar in alle parken, restaurants en winkels. Uiteindelijk gaf hij de moed op en verhuisde hij naar South Carolina.

Toen was het misschien leuk geweest om haar weer te zien, maar nu was ze haar moeder achterna gegaan – ze was teruggekeerd met een dochter en overduidelijk met een verleden dat niets dan hartzeer zou bezorgen in Dry Lake.

Malinda had voor veel verdeeldheid gezorgd in de gemeenschap. Hij mocht niet toestaan dat Cara dezelfde kans kreeg. Malinda veroorzaakte tot twee keer toe verdriet. Zelfs Levina, de grootmoeder van Malinda, stierf in afwachting om nog eens van haar te horen. Nu was Cara teruggekeerd naar de plek die ooit van haar overgrootmoeder was geweest. Onzeker over zijn gevoelens en wat hij ervan moest denken, bleef hij naar haar kijken. Wat moest haar leven een puinhoop zijn. Geen auto, geen huis, geen echtgenoot, geen geld. Hij was er zeker van geweest dat haar moeder hun een ander leven zou bezorgen, toen ze hier twintig jaar geleden vertrokken. Ze had een Engelse echtgenoot, dus kon de gemeenschap haar niet helpen door haar een plek te bieden, zodat ze hem kon verlaten. Omdat ze wanhopig was voor een veilige plek voor Cara, had de gemeenschap aangeboden om Cara op te nemen. Maar Malinda was met haar vertrokken en nooit meer teruggekeerd.

De jonge vrouw in de boom haalde diep adem en deed haar armen over elkaar, ze zag er zowel vreedzaam uit als mooi. Maar uiterlijk was misleidend. Vreedzaamheid was niet de juiste beschrijving van haar, en haar schoonheid verborg de woelige wateren onder het oppervlak.

In plaats van toe te geven aan zijn verlangen om met haar te praten, ging hij niet naar haar toe. De gemeenschap, in het bijzonder zijn vader, moest in bescherming genomen worden. Het eerste wat hij morgen zou doen, was een buskaartje kopen in Shippensburg. Daarna zou hij een doos vol spullen voor haar maken die het leven voor haar en haar dochter wat eenvoudiger maakte.

ELF

Bij het ochtendgloren stond Deborah in de waskamer schoongewassen kleding door de wringer te halen, alvorens ze in de
mand met schone was te laten vallen.

Zo dadelijk kwam een chauffeur haar ophalen en ze moest voor die
tijd nog veel kleren ophangen. Het grootste gedeelte van de was
deed ze meestal op maandagen, maar er was zoveel werk blijven
liggen na de veiling van zaterdag, dat ze er niet eerder aan toe was
gekomen dan gisteren. Zaterdag aan het eind van de middag had
ze nog kleren gewassen die ze tijdens de veiling hadden gedragen,
om te voorkomen dat ze zouden verkleuren door de modder. Ze
was van plan geweest de kledingstukken een paar uur later af te
halen, maar dat was ze vergeten. Daardoor had ze iets gedaan wat
nog nooit eerder was voorgevallen: ze had de was aan de lijn gelaten op zondag. Het was onaanvaardbaar om de schijn te wekken
dat ze op zondag de was deed. Maandagochtend in alle vroegte
realiseerde ze zich met een schok wat ze had gedaan en ze haastte
zich naar buiten om de was af te halen, maar haar pas genaaide
groenblauwe jurk ontbrak.

Een van haar vriendinnen haalde vast een grap met haar uit. Als ze
ontdekte wie erachter zat, dan kon die persoon maar beter ogen in
z'n rug hebben, want vergelding was... pret! Ze zou goed opletten
wie van haar vriendinnen de volgende keer dat ze elkaar zagen veel
bloosde en giechelde. Dat maakte meestal veel duidelijk. Daarna
zou ze een goed plannetje verzinnen en de rest van de vriendinnen
vragen om haar te helpen.

Nadat ze het laatste kledingstuk had uitgewrongen, gooide ze het in de mand. Ze droeg het schone, vochtige wasgoed door de keuken heen naar de voordeur. Een vluchtige blik op de kamer bracht haar tot stilstand. Keukenlades stonden open, het bestek lag verspreid over het aanrecht. Blijkbaar was iemand ergens naar op zoek geweest terwijl zij druk was met wringen in de waskamer. Toen ze naar de waslijn liep, zag ze Ephraïm een krat op zijn wagen laden. Zonder haar te zien klom hij op de bok en vertrok.

Ze pakte een overhemd en schudde dat uit. Ephraïm probeerde blijkbaar ook een voorsprong op de dag te krijgen. Ze vroeg zich af waar hij naar op zoek was geweest in de keuken. Hij moest het wel geweest zijn. Iedereen in huis lag verder nog te slapen. De zus van haar stiefmoeder was gisteravond aangekomen om voor de jongsten te zorgen, zodat Deborah deze ochtend naar het ziekenhuis kon. Toen ze naar een wasknijper reikte, bevroor ze. Een briefje van tien dollar hing aan de lijn. Ze lachte om de flauwe grap en stopte het geld toen in haar zak. Geld groeide niet aan de bomen, maar blijkbaar wel aan de waslijn. Welke vriendin dit ook bedacht had, ze had haar best gedaan. De ene dag een kledingstuk wegnemen en de volgende dag geld achterlaten. Misschien moest ze zelf maar eens tien jurken lenen van de aanstichtster en daar een dollarbiljet voor terughangen.

Het zonlicht verwarmde haar rug en zorgde ervoor dat vandaag voelde als een goede dag. Toen ze een broek aan de lijn hing, kwam er een paard en wagen het erf oprijden. Ze hoopte even dat het Mahlon was die z'n werkdag begon in de meubelmakerij en haar nog even wilde zien voor ze opgehaald werd, maar Ada zat op de bok. Ze bracht de wagen naast Deborah tot stilstand en keek haar aan zonder iets te zeggen.

Deborah liet een broek in de mand vallen en liep naar Ada toe. 'Goedemorgen. Wat brengt jou hier zo vroeg?'

'Ik vroeg me af of ik mijn bakpan hier had achtergelaten afgelopen zaterdag.'

'Ik herinner me niet dat ik hem gezien heb. Elk jaar heb ik aan het eind van de veiling een hele doos vol gevonden voorwerpen. Maar dit keer waren er geen potten en pannen bij volgens mij. We kunnen voor de zekerheid wel even kijken.'

Ze schudde haar hoofd. 'Als jij hem niet hebt gezien, dan weet ik zeker dat het in een van de dozen zit met spullen die ik zaterdag mee naar huis heb genomen.' Ze keek naar de schuur en het weiland alsof ze ergens naar zocht. 'Als ik hier toch ben, dan kan ik net zo goed even bij de werkplaats stoppen om met Mahlon te praten.'

'Mahlon?' Deborah's hart sloeg over.

Ada was niet op zoek naar een verdwenen pan. Ze wilde weten waar haar zoon was, wat betekende dat hij weer de hele nacht was weggebleven, en dit keer wist ze het. Deborah had hem niet meer gezien sinds hij gisteren langs was geweest na z'n werk. Als hij in de werkplaats zou zijn, dan had zijn wagen bij het hek naast haar huis gestaan en zijn paard had dan in de wei staan grazen.

Ze keek op en zag geen spoor van paard of wagen. 'Ik zag Ephraïm een moment geleden vertrekken. Misschien dat ze elkaar ergens ontmoeten voor een klus.' Of misschien was Mahlon weer op stap geweest met Eric, zei ze er in gedachten achteraan.

'O ja, je zult wel gelijk hebben.'

Ze hoopte dat maar. Ze vond de bezorgdheid op Ada's gezicht verschrikkelijk. Als Mahlon achter Ada's rug om met Eric op stap ging, dan kwam Deborah ernstig in de verleiding om hem te vertellen dat zijn moeder wel wat meer respect verdiende. Maar Mahlon zou dan waarschijnlijk zeggen dat hij geen kind meer was en dat hij de meeste rekeningen betaalde. Ze hoopte maar dat Mahlon haar nooit in zo'n positie zou brengen als ze zelf eenmaal getrouwd waren. Ze zag Ada als een vriendin en vond het vervelend om de waarheid niet met haar te kunnen delen.

Mahlon was het soort man dat tijd en ruimte nodig had om de zaken die hem dwarszaten te kunnen verwerken. Deborah loste haar eigen problemen juist op met hulp van vrienden en de kerkgemeenschap. Gedurende de jaren hadden ze elkaar de ruimte gegeven voor hun eigen aanpak. Als hij er klaar voor was, zou hij haar alles vertellen. De chauffeur draaide de oprit op, maar ze was nog niet klaar met de was. Ada bond de teugels vast aan de bok. 'Laat mij dat maar afmaken. Moet er nog meer gewassen worden?'

'Ja, maar dat hoef je niet...'

'Dat weet ik wel. Maar ik ben hier toch, en jij moet gaan, dus hups.'

'*Denki*, Ada.'

'*Gern gschehne*. En nu wegwezen.'

Deborah omhelsde haar snel en stapte in de auto. De onrust over Mahlon bleef haar bij gedurende de rit van een uur naar het ziekenhuis en in stilte bad ze voor hem.

Drie uur later en met Becca's boodschappen achterin, zat ze weer in de auto terug naar huis, vergezeld door haar *Daed* en Becca. In de verte pakten regenwolken zich samen en ze hoopte maar dat iemand de was had binnengehaald.

Vanuit de passagiersstoel keek *Daed* naar het landschap. Af en toe maakte hij een opmerking naar de chauffeur. Hij zag er verrassend goed uit en behalve dat hij toegaf dat hij erg moe was, zei hij zich goed te voelen.

Toen ze in de buurt van de oude schuur van Levina kwamen, wees *Daed* ergens naar. 'Wat is dat voor een kist?'

Deborah keek door de voorruit maar zag niets.

Daed tikte op de ruit. 'Stop hier even en laat me kijken.'

Voor de schuur stond een houten kist, afgedekt met een blauw zeil. Het leek op de kist die Ephraïm 's ochtends bij zich had.

Daed stapte uit, tilde het zeil op, trok een opgevouwen papier tevoorschijn dat in de zijkant van het krat stak, las het, en legde het terug in de kist. Hij plaatste het zeil terug en stapte weer in.

'Wat las je daar, Abner?' vroeg Becca.

Hij haalde zijn schouders op. 'Een briefje dat geschreven is door degene die de kist heeft achtergelaten. Het leek op Ephraïms handschrift.'

Becca fronste. 'Nou, voor wie was het briefje?'

'Dat stond er niet. Het waren alleen instructies om te houden wat ze hadden weggenomen en de mededeling dat ze niet in deze schuur mochten wonen en dat ze Dry Lake moesten verlaten.'

§

Cara trok Lori voort in het wagentje dat haar werkgevers haar hadden geleend. De paar regendruppels die uit de lucht vielen, zorgden ervoor dat ze rechtstreeks naar de schuur wilde. Zonder extra kleren voor Lori wilde ze er niet op gokken dat de regenwolk voorbij zou trekken. Ze had spierpijn van de tweede dag schoonmaken in het huis van de Howards. Het was pas dinsdag en nadat ze geld had achtergelaten aan de waslijn voor de jurk, had ze nog negentig dollar over. Het bracht haar aan het dromen over een eigen plekje, een huisje met boekjes die ze kon voorlezen aan Lori, en een bed met lakens en een kussen en een koelkast met eten en...

'Kijk mama, iemand heeft iets voor ons achtergelaten.'

Cara knipperde met haar ogen en de dagdroom verdween. Dertig meter voor hen, naast de schuurdeur, stond een kist. Een onbehaaglijk gevoel bekroop haar. Tijdens haar lunchpauze had ze vandaag naar verschillende plekken gebeld om iets te huren. De huurprijzen waren niets vergeleken bij die in New York, maar het kostte nog altijd een paar honderd dollar. Ze moest zeker twee weken werken bij de Howards om dat bij elkaar te verdienen.

Ze durfde niet te laten doorschemeren dat ze geen eigen huis had. Het leken bijzonder aardige mensen, maar dat betekende niet dat ze te vertrouwen waren. Toch lieten ze Lori in hun achtertuin spelen en misgunden ze het hun niet dat Cara voor zichzelf en Lori ook wat eten klaarmaakte als ze de maaltijd voorbereidde voor mevrouw Howard. Terwijl mevrouw Howard sliep, douchte ze en waste ze haar en Lori's kleren. Warm water, zeep en shampoo hadden nog nooit zo aangenaam gevoeld.

Ze ging naar het krat en tilde het plastic zeil op. In een oogopslag zag ze dekens, blikvoedsel, een blikopener. Iemand was erachter gekomen dat ze hier verbleven en dat betekende dat ze hier weg moesten. Snel.

Een briefje trok haar aandacht. Terwijl Lori naast de doos knielde en de spullen bekeek, las Cara het briefje.

Degene die het had opgeschreven, gaf haar opdracht om Dry Lake te verlaten en twee buskaartjes af te halen die al betaald waren. Bestemming: New York.

Haar haren gingen overeind staan. Wist iemand dat ze uit New York kwam?

'Kijk mama, een pop. Ze heeft niet eens een gezicht. Heeft u ooit een pop zonder gezicht gezien?'

'Nee, maar ik heb wel mannen zonder hart gezien.'

Ze lachte. 'Wat heeft u gezien?'

'Laat maar. Weet je, lieverd, we kunnen hier niet meer blijven. Degene die deze kist met spullen heeft achtergelaten zegt dat we hier weg moeten.'

'Waarom? We hebben de puppy's toch geen pijn gedaan, of iets kapotgemaakt?'

'Dat weet ik. Maar toch moeten we weg.'

'Maar mijn puppy!'

'Ga hem maar gedag zeggen.'

'Nee. Hij is van mij. Simeon zei dat ik hem mocht hebben.'

'Lori, we hebben niet eens genoeg eten voor onszelf.' Ze beet op haar tong om een verwensing in te slikken.

Lori rende huilend de schuur in.

Ze liep achter haar aan. 'We hebben geen keus, lieverd.'

'Waarom niet? Het is een stomme oude schuur en we doen hier niemand kwaad.'

Cara knielde naast haar dochter neer en wachtte. Als de boze bui over was, dan zou ze haar vertellen dat ze echt moesten gaan, zonder er een drama van te maken. Het enige wat dit alles nog enigszins dragelijk had gemaakt voor Lori was de puppy die ze als haar eigendom zag, en nu...

De schuurdeur ging piepend open en ze schrok. Een politieman stapte naar binnen. Haar knieën knikten.

'Mevrouw, wilt u uit de schuur komen?'

Ze slikte haar angst weg en liep naar de schuurdeur.

'Jij ook, meisje.'

Cara voelde paniek opkomen. 'Is er een probleem, agent?'

'Wilt u mij alstublieft even volgen.'

Buiten stonden twee politieauto's. Een vrouwelijke agent gebaarde naar Lori. 'Mag ik even met je praten, schat?'

Cara ademde met korte heftige stoten. De regenwolken verdwenen richting het oosten en het liefst had ze gewild dat de dreiging van de regen haar er niet toe had aangezet om roekeloos naar de schuur te rennen. Had ze maar gewacht...

'U bevindt zich op privéterrein, mevrouw.' De man stond voor haar, terwijl de vrouw een paar meter verderop met Lori praatte.

'Er zijn puppy's in de schuur en mijn dochter had er eentje uitgekozen.'

De vrouw probeerde met Lori in gesprek te komen en haar dochter beantwoordde een paar vragen, maar haar aandacht leek volledig gericht op haar moeder.

'De eigenaar heeft u gevraagd dit terrein te verlaten, zowel mondeling als op schrift.'

'Ja, maar... dit is een misverstand. Ik werk hier vlak in de buurt.'

'Van wat we hebben begrepen, heeft u gestolen van de omwonenden van dit gebied.'

'Mijn moeder steelt niet,' schreeuwde Lori naar de man.

Welk antwoord Cara ook gaf, hij zou het onderzoeken, dus liegen zou alleen maar voor meer problemen zorgen. 'Ik heb een paar dingen meegenomen.' Ze sprak zachtjes in de hoop dat Lori haar niet zou horen.

'Waar woont u, mevrouw?'

De tranen welden op in haar ogen. Het was afgelopen. Ze zouden Lori meenemen. 'Alstublieft, u begrijpt het niet.'

'Blijft u kalm, mevrouw. Hebt u een adres?'

De tranen dreigden terwijl ze haar hoofd schudde.

'In verschillende huizen in de buurt is de afgelopen tijd ingebroken.' Hij wees naar de jurk. 'Onder de vermiste zaken zijn Amish kleding en quilts.'

Cara blikte naar Lori. Haar kleine meisje verdiende beter dan een moeder die elke keer tekortschoot.

De man deed een stap naar achteren en de vrouw kwam naar voren en fouilleerde haar, terwijl hij de rugzak doorzocht. Hij haalde het geld tevoorschijn dat meneer Howard haar had betaald voor haar werk van gisteren en vandaag – bijna honderd dollar.

Hij stak het omhoog. 'Allemaal tientjes, precies zoals het verdwenen geld dat in het rapport staat vermeld.'

'Maar... dat geld heb ik verdiend. U moet me geloven.'

'U bent openstaande huizen binnengegaan van verschillende mensen en hebt zaken ontvreemd.'

'Dat zei ik u al, maar ik heb dat geld niet gestolen.'

De man haalde handboeien tevoorschijn van onder zijn riem. 'U bent schuldig aan inbraak, huisvredebreuk en diefstal. Voordat we verder gaan, moet ik u vermelden dat u het recht heeft om te zwijgen...' De agent zei haar welke rechten ze allemaal had en Cara luisterde gedwee.

Ze probeerde aan iets te denken dat haar uit deze puinhoop kon halen. 'U mag het geld hebben. Maar doet u dit alstublieft niet.'

De vrouw legde haar hand op Lori's hoofd. 'Tenzij u een familielid hebt of iemand die voor uw dochter kan zorgen, zal ze in beschermde hechtenis worden genomen.'

Gebroken keek ze haar dochter aan. 'Het spijt me, lieverd. Het spijt me zo.'

Lori probeerde naar haar toe te rennen, maar de vrouw hield haar tegen.

'Leg uw handen op uw hoofd en draait u zich om,' zei de man.

'Laat mijn moeder met rust!' Lori gilde en probeerde zich los te worstelen uit de greep, maar de vrouw liet haar niet los. Over enkele seconden zou Lori in de ene auto zitten en zij in de andere.

Alle jaren dat ze tegen de wanhoop had gestreden, verdwenen nu in het niet. 'Lori, liefste, luister naar me. Oké?' Ze probeerde niet te huilen, ze knipperde met haar ogen. 'Het voelt eng, dat weet ik, maar ze zullen goed voor je zorgen. Het is in orde, en ik kom je snel halen. Dat beloof ik.'

'Nee!' schreeuwde Lori. 'Laat ze me niet meenemen!'

&

Toen Ephraïm over de top van de heuvel aan kwam rijden, zag hij twee politieauto's aan de voorzijde van zijn schuur. Hij sloeg het paard met de teugel over de rug om haar aan te moedigen sneller te rijden.

Toen hij halt hield, zag hij dat een politieagent Cara vasthield – hij dacht tenminste dat die vrouw Cara was. Handboeien hielden Cara's arm op haar rug en haar kleine lichaam beefde van het snikken. De agent opende de achterdeur van de patrouille-auto.

'Neem mijn mama niet mee!' Het meisje bleef dezelfde zin keer op keer schreeuwen, terwijl de vrouwelijke agent haar arm vasthield.

'Lori, je moet nu rustig worden,' zei de vrouw streng. Lori schopte naar haar, maar de vrouw zorgde dat ze niet geraakt werd.

Ephraïm sprong van de wagen. 'Wat is hier aan de hand?'

De mannelijke agent wendde zich naar hem toe. 'Zijn deze schuur en dit land uw eigendom?'

'Ja.'

Lori ademde snikkend en jammerde onafgebroken.

'Dan bent u degene die de politie heeft ingelicht over de dief en de overtreder?'

'Nee. Laat u haar gaan.'

'Dat kunnen we niet doen, meneer. We moeten haar onderzoeken op verdenking van het verwaarlozen en in gevaar brengen van haar kind.'

Cara draaide zich naar hem toe. 'Alsjeblieft...' Haar ogen stonden vol tranen. 'Help ons alsjeblieft.'

Wat een puinhoop. Als hij ook maar iets meer voor haar deed dan alleen maar met de politie praten, dan zouden er zeker oude wonden opengehaald worden. De mensen hadden Malinda niet vertrouwd bij haar vorige bezoek en ze zouden zeker boos zijn als hij ertussen zou komen om de dochter van Malinda te helpen – iemand over wie ze allicht gehoord hadden dat ze dronken rondzwierf in de buurt en dat ze stal van de gemeenschap.

Ze staarde hem aan, in stilte smekend dat hij haar zou helpen. Hij kwam dichter naar haar toe en zou zoveel vragen willen stellen. Toen hij haar diep in de ogen keek, gebeurde er iets tussen hen. Hij voelde dat ze niet was wat ze leek te zijn: een wereldse, onrust stokende dief. Hij keek naar de politieagent. 'Dit is allemaal een misverstand. De politie had nooit gebeld mogen worden.' Hij had een flits van herkenning. 'Jij bent Roy McEver, toch?'

De man knikte.

'Je vader had dit gebied onder zijn controle voor hij met pensioen ging. Jij ging ook wel eens met hem mee, als kind. Ik ben Ephraïm Mast. Mijn *Daed* is Abner.'

'O ja, hij is een van de predikanten. En ik herinner me jou ook wel. Toen ik hier een keer met m'n vader was, nodigde je me uit om te komen ballen.'

Hij was behoorlijk getreiterd door de andere jongens, omdat hij een Engelse had gevraagd om mee te spelen. Ephraïm knikte, hij voelde dat hij Cara misschien uit de moeilijkheden kon krijgen. 'Ze heeft niets gedaan waarvoor ze handboeien verdient.'

'Ze heeft bekend dat ze heeft gestolen.'

Haar oprechtheid had een betere timing nodig.

Cara schudde haar hoofd. 'Alleen de jurk waar ik voor betaald heb, en een paar spullen die ik van jou geleend heb. Ik zweer het. Al het andere dat er vermist wordt, in het bijzonder geld, is niet door mij weggenomen. Je moet me geloven.'

'Er is niets weggehaald wat ik niet graag had weggegeven,' verzekerde hij de agent.

'Ze droeg contant geld bij zich. Bijna honderd dollar. In tientjes.'

'Ik werk voor meneer Howard op de Runkles Road. Vraag het aan hem.'

'Je zou haar verhaal kunnen controleren en haar dan laten gaan, nietwaar?' vroeg Ephraïm. 'Ik denk dat je zult ontdekken dat iemand anders dat geld en de andere zaken die vermist zijn heeft gestolen.'

De man zuchtte. 'Zo eenvoudig is het niet. Ik kan haar laten gaan, maar het meisje moet met ons mee. Deze vrouw is dakloos. We moeten een rapport opstellen en daarna dragen we de zaak over aan de sociale dienst.'

Ephraïm had het prikkelende gevoel dat hij er tot aan zijn nek inzat. Hij kon niet zomaar iedereen in Dry Lake vragen om een vreemdeling voor wie hij niet kon instaan, in hun huis op te nemen. Als hij zou vertellen dat hij hun hulp nodig had om te voorkomen dat ze gearresteerd zou worden, nam niemand haar in huis. Maar toch... ze had hulp nodig en hij zou niet met zichzelf kunnen leven als hij dat negeerde.

'Ze kan bij mij wonen tot ze er weer bovenop is.'

'Bedoel je te zeggen dat jij de verantwoordelijkheid neemt om voor het kind te zorgen?'

Ephraïm knikte.

Roy aarzelde, maar toen maakte hij de handboeien los en liet Cara vrij.

'Ephraïm, ik heb je gegevens nodig. Wat is je adres?'

Lori trok zich los uit de greep van de politieagente en rende naar haar moeder. Ze sprong in haar armen. Terwijl Ephraïm aan Roy vertelde wat hij moest weten, klemde Lori zich snikkend aan haar moeder vast.

'Stil maar. Het is al goed, Loralief. Alles komt weer goed.' Cara was bleek en trilde terwijl ze haar dochter dicht tegen zich aanhield en haar haren streelde.

Maar Ephraïm wist dat alles niet goed zou komen. Hoe zou zijn vader reageren? Hij kon alleen maar aannemen dat hij degene was geweest die de politie had gebeld. Zijn *Daed* wilde deze dronken dievegge, zoals hij haar genoemd had, weg uit hun gemeenschap.

❧

DERTIEN

Toen de politieauto wegreed, voelde Cara tegelijkertijd de stress en de kracht uit haar wegvloeien. Maar voor ze een zucht van verlichting kon slaken, voelde ze de achterdocht opkomen tegenover de man die haar had geholpen. Natuurlijk, ze had hem smekend aangekeken, maar wat waren zijn werkelijke motieven om dit te doen?

Gisteravond had ze hem een gespleten lip bezorgd, het bewijs daarvan was duidelijk te zien. Was het zijn bedoeling om haar terug te pakken? Wat zijn motieven ook waren, ze kon het zich niet veroorloven met de politie te maken te krijgen. Voor die fout zou Lori moeten betalen. Terwijl ze haar mogelijkheden afwoog, probeerde ze te stoppen met beven.

Hij draaide zich naar haar om. 'Heb je nog dingen binnen liggen?'

Zijn dingen, eigenlijk, en als hij ze zo graag terug wilde, dan zou ze die meteen geven. Ze knikte en vroeg zich af of haar benen haar zouden dragen. Met Lori's armen stevig om haar nek geslagen, liep ze naar binnen en trok aan het luik van de silo. Het deurtje ging niet los. Ze probeerde Lori neer te zetten, maar haar meisje begon te schreeuwen, bang om weer losgelaten te worden.

Cara hield haar dicht tegen zich aan en streek over haar haren. 'Stil maar, we zijn nu veilig.'

Hij stapte naar voren, opende moeiteloos de deur en pakte de zaklantaarn, een leeg bakje waar eten in had gezeten en een deken. 'Dit is alles?'

Hij zei er niets over dat het zijn spullen waren. Alles wat ze hadden, inclusief haar andere kleren, zat in de rugzak die de politieagent had achtergelaten naast de schuurdeur. 'Alleen het kleine wagentje nog dat buiten staat bij de rugzak.' Ze sprak bijna onhoorbaar.

Hij wenkte naar de deur. Ze liep naar het rijtuig en klom met Lori in haar armen onhandig aan boord. Hij zette de spullen achterin, inclusief de kist met dekens en voedsel, en daarna liep hij naar de andere kant en stapte op de bok. Met een klap van de teugels over de rug van het paard, zetten ze zich in beweging.

Ze had zich al eerder in deze positie bevonden. Ook toen had ze serieus hulp nodig gehad van een man, maar dat was lang voordat Lori er was. De woede welde in haar op. Toen was ze ook op de vlucht geweest voor Mike. Had ze zich niet in een moeilijke positie bevonden – wanhopig om hulp – dan was er geen huwelijk geweest en geen Lori.

Overmand door teveel gevoelens, deed Cara er het zwijgen toe. Lori's ademhaling schokte ongecontroleerd. Haar handjes klemden zich wanhopig vast aan haar moeder.

Toen ze op de weg kwamen waar de man aan woonde, bleef hij doorrijden. Ze wierp een blik op hem en vroeg zich af wat hij van plan was. Maar ze hield haar mond. Hij had teveel macht om hem te ondervragen, de kans op ruzie was te groot.

Een paar minuten later sloeg hij een smal weggetje in. Het onbehagen greep haar naar de keel. Het paadje leek eindeloos door te gaan, aan beide zijden stonden struiken en nergens was een huis te bekennen. Toen zijn huis in zicht kwam, begreep ze dat hij hen via een sluiproute had geleid.

Hij reed een schuurtje in. Nadat hij naar beneden was gesprongen, kwam hij naar haar kant. Als in het rijtuig klimmen met Lori om haar hals al moeilijk was, dan was uitstappen helemaal een probleem.

'Kan ik je helpen?'

Lori verstevigde haar greep en klemde zich vast met haar voeten.

'Nee, dank je.'

Hij deinsde terug. Cara worstelde zich zonder te vallen en met Lori op haar arm naar beneden. Daar wachtte ze. Zwijgend maakte hij het paard los, hing de leren riemen aan een kapstok, opende het hek aan de achterzijde van de schuur en liet het paard los in de weide.

'Laten we naar binnengaan om je te installeren.' Hij liep voorop naar de deur en hield die voor hen open.

Met Lori nog steeds opgetild, stapte Cara het huis binnen. De beige muren van de keuken waren somber en leeg, op een eenzame klok na. Een eikenhouten keukentafeltje zag er stevig en kostbaar uit, maar iets leek het wel honderd jaar oud te laten lijken. Hier en daar lag een stapel dikke boeken. De late middagzon wierp stralen op de houten vloer.

Zwak en trillerig trok Cara Lori van zich af en zette haar op de vloer. De man zette zijn strohoed af en liep naar hen toe. Lori gilde. Cara ging voor haar dochter staan om haar te beschermen tegen het onbekende.

Hij boog zich naar voren en hing zijn hoed aan de kapstok. 'Ik hing alleen maar mijn hoed op.'

Ze voelde zich in verlegenheid gebracht omdat ze net zo schichtig reageerde als haar dochter, en Cara deed een stap terug.

Verbijstering tekende zich af op zijn gezicht. 'Ik zal je geen pijn doen. Dat weet je toch.'

Cara wist het niet en ze hield Lori achter zich.

Niet op zijn gemak in zijn eigen huis, schoof hij een stukje bij hen vandaan. 'Heb je honger?'

Cara schudde haar hoofd. 'Dat briefje waarop stond dat we moesten vertrekken, heb jij dat geschreven?'

'Yep.'

'Dat betekent ja?'

Hij knikte.

'Je had ook buskaartjes naar New York voor ons gekocht. Waarom daarheen?'

'Woon je daar dan niet?'

Haar hart sloeg over. 'Waarom denk je dat?'

Hij keek haar aan alsof hij honderden vragen wilde stellen. 'Ik heet Ephraïm.'

'Ja, dat hoorde ik je tegen de politieagent zeggen.' Ze duwde Lori iets opzij. 'Ik ben Cara en dit is mijn dochter Lori.'

Hij hield zijn hoofd scheef en kneep even zijn ogen samen. 'In de koelkast is voldoende te eten. Schone lakens en handdoeken zijn in de badkamer.' Hij pakte een doosje lucifers dat op de tafel lag. 'Als de zon ondergaat, dan kun je een kerosinelampje ontsteken als je dat wilt. Jullie lagen in een schuur, dus ik neem aan dat jullie de elektriciteit niet echt zullen missen. Ik wil graag met je praten, maar dat kan wachten tot Lori slaapt. Of tot morgen, als je te moe bent. Als jullie in de tussentijd uit zicht willen blijven, dan zou ik dat zeer op prijs stellen.'

'Natuurlijk, denk ik.'

'Ik wil niet dat mijn familie al van jullie weet, nog niet tenminste.' Ze vroeg zich af wie hij voor de gek hield. Mogelijk zichzelf. Hij wilde niet dat ook maar iemand wist dat ze hier was. Dat had ze in zijn ogen gezien toen de politie was verdwenen. Ze was uitschot, en hij een rebellerend lid van zijn gemeenschap.

Hij haalde diep adem en leek onzeker. Hij zag er helemaal niet uit als een harteloze man. 'Lori, houd je van boeken? Ik heb een paar kinderboeken in de voorraadkamer.'

Lori keek naar haar moeder voordat ze knikte.

Hij verdween in een kamer en kwam een minuut later terug met een stapeltje boeken. 'Ze zijn behoorlijk versleten, maar nog net zo goed als de eerste keer dat ze gelezen werden. Dat is het leuke aan boeken.'

Lori keek naar de stapel en schoof voorzichtig naar hem toe, tot hij ze in haar handen kon leggen.

'Bedankt,' fluisterde ze.

'Graag gedaan. Goed, dat is dan alles. Ik slaap in de werkplaats.' Hij maakte aanstalten om zijn hoed te pakken maar draaide zich toen om en liep naar de deur.

Lori vloog naar de deur en spreidde haar armen uit. 'Laat ons niet alleen!'

Verbijsterd keek hij het meisje aan. 'Je bent hier veilig.' Hij wierp Cara een blik toe alsof hij haar om hulp smeekte. 'Ze is bang voor mij en tegelijk bang dat ik wegga?'

Cara haalde haar schouders op, ze wilde geen poging wagen om alle gevoelens van haar dochter te verwoorden. Bovendien leek het duidelijk dat haar gevoelens op dit moment irrationeel waren.

Hij ging op een stoel zitten en wreef over zijn voorhoofd. 'Ik mag hier niet blijven. Ik kan uitgestoten worden.'

'Wat?' vroeg Cara.

Hij schudde zijn hoofd. 'Niets. Ik had niet hardop moeten denken.'

Lori ging naast haar moeder staan. 'Alstublieft, meneer. Die politieagenten zouden terug kunnen komen.'

Cara begreep dat het niemand goed zou doen als ze zou uitleggen dat de politie niet terugkwam, dat had geen zin bij een kind dat in paniek was, en zeker niet als de sociale dienst binnenkort wel zou verschijnen.

Hij zuchtte. 'Oké. Voor nu ga ik nergens naartoe. Misschien dat Lori het iets minder erg vindt als ik wegga, zodra ze gekalmeerd is, want ik heb nog wat klusjes die ik straks moet opknappen. Maar voorlopig blijf ik gewoon in de voorraadkamer. Die is daar.' Hij wees naar een deur.

Lori knikte, terwijl ze zich vasthield aan Cara's jurk. Ephraïm liep de kamer uit en sloot de deur. Cara liet zich op de grond zakken en nestelde zich tegen haar dochter aan. Wat een beschamende, onoverzichtelijke puinhoop.

VEERTIEN

Vol ongeloof staarde Ada haar zoon aan. 'Je wilt een tijdje weg? Waar wil je van weg? Waarom?'

Mahlon haalde zijn schouders op en richtte zijn aandacht op de kom aardappelsoep die voor hem stond.

Ada gaf hem een glas melk aan. 'Heb je het hier al met Deborah over gehad?'

'Nog niet.'

'We hebben nog maar drieëndertig dagen voordat we er hier uit moeten.'

'Dat is meer dan een maand, en het duurt maar een dag om alles te verhuizen.'

'Waar naartoe dan? Je hebt nog niet eens een plek uitgekozen. We hebben een degelijk plan nodig, geen uitstel.'

Hij keek op. 'Ik denk dat het huis van Waters het beste is. Maar zij vragen teveel rente, dus wil ik nog afwachten of ze ons nog meer tegemoet komen.'

'We hebben helemaal geen huis nodig dat zo groot en duur is.'

'Het geeft ons allemaal bewegingsruimte.'

Bewegingsruimte? Ze had er zich een tijdje druk over gemaakt dat ze hun tot last zou zijn. Het maakte niet uit dat hij degene was die niet wilde dat ze zou hertrouwen, omdat hij het verschrikkelijk vond om te zien hoe Deborah zich had moeten aanpassen toen haar *Daed* hertrouwde. Ada had gedacht er goed aan te doen om alleen te blijven, dus was ze op een idee gekomen om hen te ondersteunen. Maar om dat idee uit te voeren, moest ze verhuizen naar Hope Crossing. Daar zou ze een prima bestaan op kunnen bouwen met de verkoop van taart en gebak. Maar hij was het er niet mee eens geweest. Om zijn standpunt te vergoelijken, was hij met zijn eigen plan op de proppen gekomen.

Misschien had ze er verkeerd aan gedaan om daar zo makkelijk in mee te gaan. Toen ze haar man verloor, was het enige wat ze nog zag en voelde de liefde voor het kind dat ze samen gehad hadden. Maar in de jaren nadat zijn *Daed* was gestorven, was er misschien een verschil ontstaan tussen wat Mahlon dácht dat hij nodig had, en wat hij werkelijk nodig had.

Afgezien daarvan, leek het hem momenteel vooral te frustreren dat ze zijn financiële steun nodig had. Ze vond het een afschuwelijk idee, maar misschien zou hij wel tevredener zijn als ze een plekje voor zichzelf kon huren. Als dat op een toeristische locatie was, dan kon ze haar bakkersproducten verkopen aan de lokale restaurants. Dan konden hij en Deborah alleen wonen.

'Waarom moet je precies nu weg?'

'Omdat het nu of nooit is.' Hij duwde het glas van zich af en staarde naar de tafel. 'U weet dat het zo is, *Mamm*.' Hij keek haar aan met zijn ernstige reebruine ogen. 'Ik ben drieëntwintig en ik heb negen jaar lang fulltime gewerkt. Negen jaar, *Mamm* – waarvan acht voor Ephraïm. In november ben ik getrouwd en de volgende herfst krijgt u uw eerste kleinkind. En vervolgens elke paar jaar nog een, tot ik me niet meer kan herinneren ooit jong te zijn geweest. Ik heb gewoon een paar dagen voor mezelf nodig. Is dat zo verkeerd?'

'Weet je... niet zeker of je wel wilt trouwen?'

Hij keek smalend op. 'Het enige waarvan ik zeker ben in deze hele stinkende puinhoop die het leven heet, is dat Deborah Mast alles voor mij is.' Hij pakte zijn glas op en liep naar de gootsteen. 'Verder zie ik weinig zinvols. Zaken waarover ik niet wil nadenken, houden me uit de slaap. In de tijd tussen slapen en ontwaken hoor ik gefluister over oorlogen en binnenlandse veiligheid, en ik zie de Twin Towers weer rondom me instorten. Als ik slaap, verandert elk object in mijn handen in een wapen. En als ik wakker ben, voel ik het verlangen naar... wraak, denk ik.'

Ze was niet in staat het verdriet dat hij over haar uitstortte te dragen en ging zitten. En ze vroeg zich stilletjes af of ze ooit weer overeind zou komen. 'Een paar jaar geleden zei je nog dat de dromen minder vaak en minder heftig werden, dat er bijna niets meer van over was.'

'Ik weet het, *Mamm*. Maar ze zijn weer terug.'

'Waarom?'

Hij haalde z'n schouders op. 'Dat doet er niet toe. Maar ik denk pas vrede te vinden tussen mij en God als ik wat tijd voor mezelf heb.'

Ze bestudeerde hem en wilde hem graag hoopvol en troostend toespreken.

Hij liet zijn halflege melkglas rondjes draaien in zijn hand. 'Eric is tijdelijk terug.'

De puzzelstukjes vielen op hun plek en ze maakte zich enige zorgen over hoe de puzzel er uiteindelijk uit zou komen te zien. 'Misschien dat de dromen terugkomen vanwege je hernieuwde vriendschap met hem. Ik ga ervan uit dat hij is thuisgekomen met oorlogsverhalen.'

'Hij is naar huis gekomen voor de begrafenis van een vriend van ons.'

'Wie?'

'Stewart Fielding.'

Het verdriet dat ze voelde, kon ze niet onder woorden brengen. 'Hij was een van de jongens met wie jij en Eric omgingen, hij schreef je regelmatig brieven uit Irak.'

'Ja.'

'Ben je naar zijn begrafenis geweest?'

Hij knikte.

'Weet Deborah dat je geweest bent?'

'Nee.'

Het was het bekende verhaal. Hij wilde leven volgens de tradities van de Amish, maar dan ging hij weer om met vrienden die hem de tegenovergestelde kant op trokken. Ada kende wel meer Amish die Engelse vrienden hadden en dat was nooit een punt, maar de manier waarop de vrienden van Mahlon leefden, waren een aanval op de kern van het geloof van de Amish. Dat moest wel tot innerlijke conflicten leiden bij haar gevoelige zoon.

'Mahlon, ik vrees dat er bij jou gezaaid is zonder jouw toestemming, en dat je zaken geplant hebt, zonder dat je het zelf ziet. Maar je moet ook weten wanneer je afstand moet nemen van bepaalde vrienden, voordat...'

'*Mamm*, alstublieft. Stop. Ik zoek een nieuw huis voor ons. Ik doe wat ik kan om de rekeningen te betalen. Vertrouw me gewoon, en help Deborah om dat ook te doen. Ik wil dat haar geen pijn gedaan wordt. Nooit.'

Het geluid van een paard en wagen zorgde dat Ada naar buiten keek. 'Vanmorgen zag ik Deborah.'

Bezorgdheid trok over zijn gezicht. 'Toen u naar mij op zoek was?'

'Ja. Ik heb haar niet verteld dat je afgelopen nacht bent weggebleven, maar ze vraagt het zich vast af.' Ada wees naar buiten, waar Deborah haar wagen over de weg richting hun huis dreef.

Mahlon keek op. 'Ze zal denken dat ik bij Eric was, maar dat is niet zo. Ik was in mijn eentje aan het wandelen. Zo'n twaalf tot vijftien kilometer. Het hielp, maar niet voldoende. Ik bleef maar denken dat iemand me zou zien lopen en dat Deborah zich zou generen voor mijn gedrag. Ik heb een paar dagen tijd nodig op een plek waar niemand mij kent. Waar niemand hulp, werk of antwoorden verwacht van mij. Kunt u dat begrijpen?'

In de hoop dat hij wist wat hij deed, omhelsde ze hem. 'Ja, een beetje.'

'*Denki, Mamm*. Ik ga een stukje rijden met Deborah om met haar te praten.'

Ada keek haar zoon na terwijl hij in het rijtuig stapte en naast zijn verloofde ging zitten. Als er iemand was die Mahlon kon helpen zijn weg te vinden over de troebele rivieren in zijn binnenste, dan was het Deborah Mast.

Het deed haar verdriet hem zo te zien worstelen. Als hij het idee los kon laten dat hij de wereld moet begrijpen, dan zou hij zijn handen vrij hebben om de rijkdom van zijn omgeving te bevatten. Ze zou zich niet zoveel zorgen moeten maken. Ook dat wist ze.

Misschien had hij het echt alleen maar nodig om een weekje op zichzelf te zijn en na te denken, en daarna om in een eigen huis te gaan wonen. Maar met het kleine beetje geld dat ze in Dry Lake verdiende, was dat onmogelijk. Ze zou naar elders moeten verhuizen, als ze zichzelf wilde bedruipen.

Deborah gaf de teugels aan Mahlon toen hij naast haar op de bok klom. Hij stuurde het paard de weg op en hield de teugels vervolgens in een hand.

'Hoe is het met je *Daed*?'

'Hij went aan de medicijnen en voelt zich redelijk.'

'Goed.' Een voorzichtige glimlach speelde op zijn lippen en zijn reebruine ogen boorden zich in de hare terwijl hij met zijn hand op het plekje naast hem klopte. Toen ze dichterbij kwam zitten, sloeg hij zijn arm om haar heen. Ze reden in stilte en zijn warmte vulde haar. Meestal begonnen hun avonden zwijgend, tenzij zij aan het woord was, maar na een tijdje kwam hij dan los. En als hij dat deed, dan groeiden ze nog dichter naar elkaar toe.

Uiteindelijk schraapte hij zijn keel. '*Mamm* zei dat ze vanmorgen langs was geweest.'

'Ja. Ze was op zoek naar jou, denk ik.'

'Ik ben 's nachts weggeweest, maar niet met Eric.'

'De hele nacht?'

Hij knikte. 'Het was mistig en stil, dus ben ik doorgelopen tot zonsopkomst. Ik heb een paar antwoorden gevonden en een beetje rust, maar... ik vond het vooral ook erg verwarrend.'

'Ik begrijp het niet, Mahlon. Ik probeer het wel. Dat weet je.'

Hij speelde onrustig met de teugels. 'Weet je nog dat ik bijna vier jaar geleden een week ben weggeweest?'

'Ja.'

Het was een van hun geheimen geweest. Ephraïm werkte een week elders. Dus had Mahlon aan zijn moeder verteld dat hij met Ephraïm meeging, en aan Ephraïm dat hij thuisbleef bij zijn moeder. Behalve Deborah kende niemand de waarheid.

'Toen ik terugkwam had ik alles weer op een rijtje, weet je nog?' Ze verschoof en keek hem aan. 'Ga je opnieuw weg?'

'Het is maar voor een paar dagen. Ik heb tijd nodig. Dat is alles.'

'Ik begrijp het niet. Wat wil je dat tijd voor je doet?'

'Rustig aan, Deb.'

'Je hoeft niet te proberen om me te kalmeren, Mahlon. Ik heb net zo veel recht als jij om gevoelens te hebben, en ik houd er niet van hoe jij je gedraagt. Minder dan een week geleden begonnen we onze vrienden en familie te vertellen over onze trouwplannen en nu heb je het nodig om weg te gaan?'

'Het heeft niks met jou te maken.'

Mahlon vertelde haar over de nachtmerries en de slapeloosheid, maar ze hoorde ook wat hij niet vertelde: dat de verantwoordelijk-heid om een huis te vinden en zijn eigen gezin te starten, oude paniekgevoelens had aangewakkerd. Toen hij op zijn tiende zijn vader verloor en de verantwoordelijkheid op zich nam voor zijn alleenstaande moeder, ontstond er een diepe groeve in zijn ziel, diep genoeg voor een wagenwiel om in vastgezogen te worden. Dat hij in New York was op 11 september, maakte het nog erger, en de terugkeer van Eric riep nu vragen in hem op waar hij geen antwoorden op had.

Hij sloeg af naar de lange zandweg richting Jonathan en hield halt. 'Als dit jou was overkomen, dan zou je veel tijd doorbrengen met je vrienden en familie. Jij brengt uren en uren door met vrienden, ook met mij, en je praat net zo lang tot je het antwoord hebt ge-vonden dat de zaken in het juiste perspectief plaatst. Maar zo zit ik niet in elkaar, Deb.'

Haar hart smolt en haar ogen vulden zich met tranen. 'Je hebt tijd nodig om helemaal alleen te zijn.' Ze omsloot zijn gezicht met haar handen. 'Het spijt me dat ik geërgerd reageerde.'

Hij trok haar naar zich toe en duwde zijn lippen op de hare. Na een zachte kus, keek hij haar aan. 'Soms word ik ook boos op mezelf. Maar ik ben in elk geval nog altijd dezelfde.'

'Ik hou van jou om wie je bent. Ga maar, en praat met jezelf en met God. En vind je rust.'

Hij sloeg zijn armen om haar heen, en ze voelde hem huiveren. Wat er ook in hem was losgekomen, het zorgde ervoor dat hij zich ellendiger voelde dan ooit. In stilte bad ze voor hem, zoals ze altijd had gedaan, zo lang als ze zich kon herinneren.

'Wanneer ga je?'

'Waarschijnlijk zaterdag. Ephraïm heeft een heleboel werk gepland voor de komende week en ik kan nog niet weg. Ik wil graag dat wij met z'n tweeën vrijdagavond iets gaan doen. Morgen vertel ik Ephraïm dat ik volgende week een paar dagen vrij neem.'

&

VIJFTIEN

Het begon al donker te worden toen Ephraïm de schuur verliet met een doorvoede en slaperige puppy op zijn arm – degene die Simeon en Lori wilden hebben. Hij had een uur eerder schone kleren van de waslijn meegenomen naar Cara en Lori, voordat hij op bezoek ging bij zijn *Daed*.

Cara had niets gezegd toen hij de spullen op de tafel had gezet. Hij deed extra hout in de kachel, voor als ze eieren wilde bakken of een broodje kaas wilde roosteren. Ze zou niet veel kunnen koken, omdat ze geen ervaring had met een hout gestookt fornuis, maar hij had haar verzekerd dat ze al het eten in huis mocht gebruiken om iets voor haar en Lori klaar te maken. Hij wist niet waarom, maar ze had hem beschuldigend aangekeken nadat hij dit gezegd had.

Het zorgde ervoor dat hij Anna Mary miste. Haar vriendelijke, eenvoudig te begrijpen manieren, had hij veel liever dan deze puinhoop... alleen wist hij niet zeker hoe ze het nieuws van Cara zou opvatten, als de tijd rijp was om daarover te vertellen.

Hij stapte zijn veranda op met de intentie om aan te kloppen voordat hij naar binnen ging, maar Lori zat op een rechte keukenstoel in de keuken en staarde door de hordeur. Een kort moment zag hij een vreselijk bezorgd klein meisje. Ze leek te denken dat als hij geen woord hield en niet terugkwam, dat de politie weer zou verschijnen. Haar natte haren hingen over haar schouders en haar glimmende schone gezicht ontspande in een flauwe glimlach toen ze hem zag. Ephraïm kwam binnen en stak de pup naar voren.

'Mama, kijk!' Ze sprong op uit de stoel en griste de hond uit zijn handen.

Cara kwam uit de badkamer in haar spijkerbroek, met een van zijn shirts aan. Ze droogde haar haren aan een handdoek.

Ephraïm zette zijn hoed af en hing hem op de kapstok. 'Hij zit nu vol, maar ik neem hem morgenochtend weer mee terug naar zijn moeder.'

Lori knuffelde de puppy. 'Hoe gaat u hem noemen?'

'Hoe ik hem noem?' Hij was niet eens van plan het dier te houden.

'Mama zegt dat we niet genoeg eten voor onszelf hebben, laat staan voor een hond. Maar als u hem wilt hebben...'

Ephraïm grinnikte. 'Nou, ja ik heb er wel over nagedacht dat ik hier een hond kan gebruiken.' Hij zag ineens de tientallen insectenbeten op Lori's armen en benen. Hij liep naar een keukenkastje waar hij wat rommeltjes bewaarde en haalde er een tube anti-jeukzalf uit tevoorschijn, die hij aan Cara gaf.

'Bedankt.' Cara las de zijkant van de verpakking en opende het deksel.

'Geen probleem.' Hij aaide de hond over z'n kop en zei: 'Wat dacht je van Voorspoed?'

Cara keek hem aan met een cynische blik, maar zei niets.

Lori zette het hondje op de grond en liep naar de andere kant van de kamer. 'Hier, Voorspoed.' De puppy rende naar haar toe. 'Kijk, hij vindt het leuk.'

Ephraïm deed de voordeur dicht. 'Eigenlijk vindt hij jou leuk. Hoe je hem ook genoemd had, hij zou komen. Maar hij went vanzelf aan de naam.'

'Mag hij bij mij in bed slapen?'

'Ik denk dat het vannacht wel kan, als je moeder het goedvindt.'

Ze keek naar haar moeder die zwijgend knikte. Lori glimlachte voldaan, alle spanning leek uit haar verdwenen.

Cara zat naast Lori op de grond en bette zalf op de plekjes waar insectenbeten zaten. Ephraïm pakte de krant van gisteren die op het aanrecht lag, en ging aan de keukentafel zitten lezen. Hij luisterde met een half oor naar de gekkigheden die moeder en dochter uitwisselden en voelde aan dat er een diepe band was tussen hen.

Hij was negentien jaar oud geweest toen zijn moeder was overleden, en hoewel hij pas na haar dood begreep hoeveel hij van haar hield, droeg hij de pijn dag en nacht bij zich. Heel langzaam was de pijn verminderd. Maar zelfs nu had hij nog nachten waarin hij over haar droomde en haar stem hoorde in zijn slaap.

Het werd stil in de kamer toen Cara en Lori zich terugtrokken in de slaapkamer. De zachte stem van Cara die voorlas uit een van de kinderboeken, dreef op de stilte in zijn huis. Zo klonk ze beslist niet als de vrouw die hem een dag eerder een tand door de lip had bezorgd.

In de hoop dat ze weer naar de keuken kwam als ze Lori had ingestopt, gooide hij wat hout in de kachel en zette een pot koffie op het vuur.

Terug bij de keukentafel bladerde hij door een andere krant. Ze kwam de slaapkamer uit, sloot de deur achter zich maar bleef bij de deurpost staan.

Haar ogen waren gefixeerd op de tafel. Gespannen lijnen in haar gezicht hadden de tedere uitdrukking vervangen die hij bij haar zag in Lori's aanwezigheid. 'Ik stel je vriendelijkheid naar mijn dochter op prijs.' Ze keek op en keek hem recht aan. 'Ik neem aan dat je er nog niet klaar voor bent om me te vertellen wat hierachter steekt?'

Ephraïm liep naar de kachel, schonk haar een kop koffie in en zette die op de tafel. 'Dat is filterkoffie – het is nu dus gloeiend heet.' Hij zette suiker en room voor haar neer, schonk voor zichzelf een kop in en ging zitten. Hij gebaarde naar een stoel. 'Ga zitten.' Ze kwam langzaam naar voren en ging zitten.

Ze staarde naar het zwarte vocht zonder haar kopje aan te raken. Hij deed wat suiker en slagroom in zijn eigen koffie. De klok tikte de minuten voorbij. 'Is het te laat op de dag om koffie te drinken?'

Ze schudde haar hoofd.

'Drink je je koffie zwart?'

'Ik hou bij wat we gebruiken terwijl we hier zijn. Je krijgt alles terug wat we je schuldig zijn. Ik betaal je zelfs voor je vriendelijkheid voor Lori. Maar ik hoef niets wat ik niet echt nodig heb, dus geen koffie, suiker of slagroom.'

Haar toon stond hem niet aan en Ephraïm vroeg zich af of ze alleen met elkaar konden opschieten als Lori in de buurt was. 'Dus je hebt bedacht dat je me overal voor wilt betalen, of niet?'

'Wil je zeggen dat ik dat niet zou doen?'

Ephraïm probeerde zijn groeiende frustratie te onderdrukken. 'Ik probeer te zeggen dat je me onmogelijk kunt betalen voor de problemen die jouw aanwezigheid gaat veroorzaken. Ik heb je geld bovendien niet nodig. Maar een andere houding van jouw kant, zou de situatie nog enigszins dragelijk maken.'

Ze liet haar handen over de rand van de tafel glijden en het viel hem op dat haar vingers trilden. Toen drong het tot hem door wat ze dacht dat hij wilde.

Zijn ergernis verdween. Ze had een ijzeren vastberadenheid. Het zou hem niet verbazen als ze avondeten had klaargemaakt voor haar dochter, maar zelf niets had gegeten.

Hij stak zijn hand in zijn zak en voelde het speelgoedpaardje zitten dat hij uit de voorraadkamer had gevist. Als kind koesterde ze dat paardje boven alles, en ze had het aan hem gegeven.

Ze haalde bevend adem. 'Heeft de politieagent gezegd hoe de sociale dienst contact met me gaat opnemen?'

'Ze zouden gewoon hierheen kunnen komen, maar hij dacht dat ze eerst zouden bellen, omdat Dry Lake behoorlijk ver is om erachter te komen dat niemand thuis is.'

'Je rijdt op een paard en wagen, maar heb je een telefoon?' Ze keek zoekend rond.

'Niet in huis. De paar Amish van de Oude Orde die een telefoon hebben, laten die nooit in hun huis staan. De kerkleiders hebben mij toestemming gegeven om er een te hebben vanwege mijn zaak. Ik heb een meubelmakerij. De luidspreker staat deze kant op, dus ik kan de telefoon meestal hier horen overgaan – alleen in de winter niet, met de luiken gesloten.'

Hij liep naar de koelkast en haalde een kokostaart tevoorschijn die zijn zus voor hem had gebakken. Hij zette het gebak op tafel en pakte twee borden uit de kast. 'Dit is de lekkerste taart die je ooit hebt gegeten. En er zijn geen voorwaarden aan verbonden.'

Ze staarde naar de taart terwijl hij een stuk afsneed en op een bord legde. 'Ik stel alles op prijs wat je voor ons gedaan hebt. Helaas weet ik hoe dit soort situaties werken... zelfs al weet jij dat misschien niet.' Hij stak haar het bord toe. Toen ze het niet aannam, zette hij het op tafel. Hij deed slagroom en suiker in haar koffie en schoof de kop haar kant op. 'Ontspan, Cara.'

De goudbruine ogen die hij zich zo goed herinnerde, staarden hem aan – toen waren die ogen gevuld met hoop, nu met cynisme. De enige uitdaging die als kind in haar ogen school, was van het leuke soort, van gebrek aan angst. Ze had hem vertrouwd als hij zei dat het veilig was om van een vliering af te springen, of zich te laten vallen uit een touw boven de kreek. Hij gebaarde naar de taartpunt. 'Echt gratis, dat beloof ik.'

Ze leek hem niet te geloven, maar maakte ook geen tegenwerpingen. 'Ik heb naar een plek gezocht. Ik wil binnen hooguit een paar dagen weg zijn.'

'Hoe eerder, hoe beter voor mij ook.'

Ze bekeek hem zonder een spoor van vertrouwen in haar ogen.

'Ik vraag niets van je, behalve respect. Ik weet zeker dat er zat mannen zijn die meer van je verwachten. Ik hoor daar niet bij. Het maakt me boos dat je dat niet wilt geloven.' Hij nam een slokje van zijn koffie. 'Maar ik begrijp het wel.'

'Het maakt je boos?' Ze knipperde met haar ogen. 'Je klinkt anders niet erg boos.'

Plotseling herinnerde hij zich waarom haar moeder was teruggekeerd – ze zocht een plek waar ze veilig was voor een man die oncontroleerbaar gewelddadig was. Ze had afspraken gemaakt met Levina, om Cara in huis te nemen. Ze had zelfs toestemming gekregen van de bisschop om Cara op te geven, en Levina had toestemming om voor haar te zorgen.

Destijds had hij Cara heel aardig gevonden. Niet als verkering of zo, maar als een vriendin die niet bang was om dingen te proberen die ze nooit eerder had gedaan. Hij was blij dat de kerkleiders haar toestemming hadden gegeven om bij Levina te wonen.

Maar haar moeder had haar nooit bij Levina gebracht, zoals was afgesproken. Hoe was haar leven daardoor verlopen?

'Als je iets gewoon rechtstreeks zegt, zou dat voldoende moeten zijn om je punt te maken. Denk je niet?'

Ze haalde half haar schouders op. 'Praten is meestal tijdverspilling. Doen betekent veel meer.'

Hij schoof de koffie en de taartpunt dichter naar haar toe. 'Laat wat ik doe dan uitdrukken dat ik hierin aan jouw kant sta.'

Er verscheen een voorzichtige glimlach op haar gezicht, met een vaag, maar vertrouwd kuiltje in haar wang. Ze pakte de koffiekop langzaam op. De aroma in zich opnemend, bracht ze hem naar haar lippen. Ze sloot haar ogen en nam een slok. 'O, man. Als ik nu nog een sigaret had...' Ze at de taart langzaam op, alsof ze elke kruimel wilde proeven.

Hij had tientallen vragen en honderden dingen die hij haar wilde vertellen, maar hij vroeg zich af of dat nu verstandig was. Ze had tenslotte tijd nodig om te verwerken dat ze uit een vervallen schuur was getrapt, Lori bijna was kwijtgeraakt, en had moeten bedelen om hulp. 'Dus je bent voor je werk elke dag naar het huis van Howard gelopen.'

'Ik denk erover om de chauffeur te ontslaan. Hij is er nooit op tijd.'

Hij grinnikte. Ze had in elk geval nog gevoel voor humor, al was dat wel verbitterd geraakt. 'Cara, niemand mag je het huis zien verlaten. Mijn vader is ziek. Hij is vandaag teruggekeerd uit het ziekenhuis. Ik heb tijd nodig voordat ik hem kan vertellen dat jij hier bent.'

'Ik neem Lori met me mee en we gaan achterlangs, door het veld. We vertrekken voor zonsopkomst en komen pas terug als het donker is. Ik heb het geld nodig als ik hier over een paar dagen weg wil, en ik kan meneer Howard ook niet laten barsten. Als hij nog meer werkuren verzuimt, wordt hij ontslagen.'

Haar karaktertrekken waren een vreemde mix van sarcasme, humor, oprechtheid en moed. In bepaalde opzichten leek ze nog veel op het meisje dat hij kende van twintig jaar terug. Als ze niet zo'n gevaar voor hem vormde, zouden ze opnieuw kennis kunnen maken.

'Prima. Gebruik dezelfde route als waarlangs ik je hier heb gebracht, en probeer onopgemerkt te blijven.'

Ze hield haar hoofd scheef, de vragen stonden op haar gezicht geschreven.

'Je bent geen gevangene. We zitten hier samen in.'

Hij haalde het speelgoedpaardje tevoorschijn uit zijn zak en legde het op de tafel. Even dacht hij een zweem van herkenning op haar gezicht te zien, maar toen keek ze naar de bodem van haar lege koffiekop. Of ze herkende het niet, of ze vertrouwde hem nog onvoldoende om haar verleden ter sprake te brengen.

Hij liet het speelgoed op de tafel liggen en stond op. 'Welterusten, Cara.'

ZESTIEN

Een vaag bewustzijn wekte haar uit de verdoving van de slaap. Cara draaide zich behaaglijk om in de luxe van haar zachte bed en ontwaakte. Anders dan toen ze in de schuur sliep, wenste ze nu juist niet dat het snel dag zou worden. Het genot van een matras onder zich en de lakens en dekens over haar heen, zorgde ervoor dat ze zich meer mens voelde, ook al hadden zij en Lori nooit veel gehad.

Ze reikte naar de andere kant van het bed tot ze de warmte van haar dochters rug voelde. Ze kreeg tranen in haar ogen. Wakker worden had zo afschuwelijk anders kunnen zijn voor hen beiden als Ephraïm niet langs was geweest.

Lori's ademhaling was langzaam en het ritmische geluid gaf Cara hernieuwde kracht voor de strijd die voor haar lag. In de waas van paniek en schaamte gisteren, had ze nauwelijks nagedacht over wat Ephraïm gedaan had. Ze had zich vooral geconcentreerd op haar onbehagelijke gevoel aangaande zijn motieven.

Ze zette haar voeten op de schone houten vloer en was dankbaar dat ze niet in die koude stinkende schuur zat. Ze schoot in haar spijkerbroek. Het speelgoedpaardje dat Ephraïm uit zijn zak had gehaald, stond nu op het nachtkastje. Toen ze afgelopen avond naar bed was gegaan, had ze het meegenomen. Hij had gedaan alsof het iets voor haar zou moeten betekenen, maar ze was te argwanend geweest om ernaar te vragen en te uitgeput om er goed over te kunnen nadenken.

Het was niet haar bedoeling om zo ongevoelig te reageren op Ephraïm. Maar bij haar was er ooit iets stuk gegaan. Haar gevoel voor zelfrespect was een pijnlijke dood gestorven. Begraven in het jaar dat ze negentien was geworden. Van alle dingen in het leven waarvan ze verdriet had, was het weggeven van zichzelf in ruil voor voedsel, onderdak en veiligheid het ergste.

De Amerikaanse traditie was een leugen: zwart was niet de kleur die gedragen werd tijdens verlies en verdriet. Dat was wit. Witte kant. Tule. Chiffon. Zijde. Maar ondanks dat ze met Johnny trouwde zonder dat ze van hem hield, koesterde ze het leven dat ze samen hadden gedeeld.

Ze nam het speelgoedpaardje in haar hand en bestudeerde het. Ephraïm was geen Johnny en hij hielp haar niet zodanig dat ze hem een leven lang schuldig zou blijven. Hij wilde haar uit zijn leven weg hebben, evenals zij zelf uit haar leven wilde. En hij verdiende het om met respect behandeld te worden, niet met vermoeide bitterheid. Toen ze het paardje in haar hand omsloot, kwam er een vage herinnering naar boven.

Blootsvoets stond ze op de oever van een rivier en keek naar een jongen die naar het paardje in haar hand staarde. Er kwamen woorden uit haar mond, maar ze kon niet horen wat ze zei. Met gesloten ogen probeerde ze zich te concentreren. 'Je mag hem houden,' hoorde ze zichzelf zeggen. Ze kreeg kippenvel over haar hele lichaam. 'Je mag hem houden totdat ik terugkom.'

Cara's hart bonsde bij de herinnering. Ze wilde zich nog meer herinneren, maar de gebeurtenis stopte daar. 'Totdat ik terugkom,' fluisterde ze.

Aan het voeteneinde van het bed reageerde de puppy op Cara's bewegingen en waggelde naar haar toe. Hij likte haar handen, terwijl ze hem probeerde te kalmeren. Opeens bedacht ze dat hij een plasje zou doen als ze hem niet snel naar buiten zette en ze pakte hem op. Ze sloop op haar tenen door de donkere slaapkamer en struikelde over een stapel boeken. Die vielen om als dominostenen. Met haar vrije hand legde ze de boeken terug. Ze vroeg zich af of Ephraïm ze alleen maar verzamelde, of dat hij ze daadwerkelijk las. Door de donkere keuken liep ze naar de voordeur.

Een beweging trok aan haar voorbij. Ze stopte meteen en voelde haar hart bonzen.

'Cara?' Ephraïm klonk geschrokken.

'Ja. Maakte ik je wakker?'

Hij slaakte een slaperige zucht. 'Nee. Ik was op weg om een slokje water te gaan drinken.'

'Ik denk dat de puppy eruit moet.'

'Pfff. Het hele punt van voorspoed is dat het juist moeten blijven,' mompelde hij, onderwijl proberend om de puppy uit haar handen te pakken.

'Wat?' Ze liet de hond niet los.

'Het is een grapje. We hadden de hond toch Voorspoed genoemd. Vat je 'm?'

Was het normaal om grappen te maken als er zoveel spanning tussen hen bestond?

Ze gaf hem de hond. 'Ik vrees van niet, maar als jij hém niet vat, dan hebben we een heel ander probleem.'

Hij grinnikte. 'Als Voorspoed over ons heen begint te plassen voordat het ons voorspoedig gaat, wat kunnen we dan nog meer verwachten?'

Ze maakte eruit op dat hij een ochtendmens was. 'Wil je daar echt een antwoord op?'

Hij liep door de keukendeur naar buiten. Zijn gelach klampte zich aan haar vast en iets in zijn bewegingen zorgde ervoor dat er een herinnering bovenkwam. Het hoge gras wuifde onder een koele bries en het water rondom haar blote voeten rimpelde. Een jongen pakte een touw en slingerde de rivier over, tot boven het diepe gedeelte waar hij lachend losliet.

Was Ephraïm de jongen uit haar herinnering?

De hordeur sloeg met een klap dicht toen hij binnenkwam. Ze schrok en zette een paar stappen naar achteren. Alsof hij haar niet zag, liep hij naar de keuken, zette de pup op de grond, stak een kerosinelamp aan en haalde melk uit de koelkast. Hij scheurde een brood in stukjes, gooide ze in een bak en schonk er melk overheen. De bak zette hij op de grond. 'Nog een week of zo en dan kunnen ze gespeend worden. Ik denk dat ik ze nu alvast af en toe wat nat voedsel kan gaan geven.' Hij scheurde een paar stukken krant af en deed die in de houtoven. Daarbovenop legde hij een paar houtspaanders, hij stak een lucifer aan en hield die in de oven. 'Als er vandaag iemand langskomt van de sociale dienst om met je te praten, dan vertel ik ze waar je werkt.' Hij liet de lucifer in de haard vallen en sloot de opening af met een metalen plaat.

Ze bekeek hem vanuit de schaduw. 'Ephraïm?'

Hij stopte koffiebonen in een handmaler. 'Ja?'

Er was zoveel wat ze wilde weten, maar door vragen te stellen, zette ze misschien iets in beweging dat ze niet meer kon stoppen. Toch, als ze stil bleef, dan zou ze nooit iets te weten komen over haar verleden. Elke binding met mensen die haar moeder kende, kon voor haar en Lori familiebanden of vriendschappen betekenen. Maar zouden die banden Lori meer schade toebrengen dan het ontbreken ervan? Wist ze maar wat het veiligste was om te doen.

Hij deed water en koffie in de percolator en zette die op het houtfornuis.

'Er is heel wat gaande in dat hoofd van jou, of niet?'

Ze slikte. Waarom gedroeg hij zich zo ontspannen. 'Ken... ken je mij?'

'Ja, ik ken je.' Hij zei het zo kalm, zo droogjes. 'We hebben elkaar ontmoet als kinderen. Jij was acht. Ik was twaalf. Weet je het nog?'

Tranen welden op in haar ogen. 'Ongeveer een week geleden begon ik me iets te herinneren. Wat ik nog weet duurt hooguit vijf minuten.'

'Is dat precies de vijf minuten waarin Malinda je vertelde hoe je hier moest komen?'

'Kende je mijn moeder?'

Ephraïm verstijfde en staarde haar aan. 'Kende?' Even later had hij twee mokken op de tafel gezet. 'Slechts een beetje. Dingen die ik van horen zeggen heb. Ik heb een paar keer met haar gepraat die keer dat jullie hier op bezoek waren.' De puppy was klaar met z'n eten en begon te janken. Ephraïm bracht hem naar Cara. 'Wanneer is ze... overleden?'

Cara haalde het beestje aan en wenste dat Ephraïm de vraag niet gesteld had en niet zo dichtbij was gekomen. Van alle dingen waarover ze niet wilde praten, was het onderwerp van het verlies van haar moeder het ergst. 'Je hoeft dat heus niet zo voorzichtig te brengen. Het maakt toch niet uit wanneer het gebeurd is, of wel?'

'Ik was negentien toen mijn moeder stierf, en ja, dat maakte wel uit.' Ze keek hem spottend aan. 'Gekwetste mensen zijn er genoeg op de wereld. Hongersnoden, verschrikkelijke sterfgevallen, verminkingen na een ongeluk of door de oorlog of door gewelddadige mensen.' Hij aaide de pup over z'n kop. 'Als we medelijden hebben met onszelf, kan een dergelijke gedachte ons enig perspectief geven. Maar hun ellende maakt geen einde aan mijn pijn of die van jou. Een moeder verliezen is moeilijker dan het klinkt.'

Door zijn begrip werd het lastig om te antwoorden. 'Mensen kunnen zichzelf volledig verliezen als ze toelaten dat het allemaal wat uitmaakt.'

'Dat is waar. Maar iemand kan zichzelf net zo goed verliezen als hij het niets laat uitmaken.'

'Prachtig. Nu begrijp ik het. Het maakt niets uit wat we doen, we verliezen toch.'

Hij liep naar de keukentafel. 'Daar zit zeker een kern van waarheid in. Dus, als Malinda je niet verteld heeft hoe je hier moet komen, dan moet je vader het verteld hebben.'

'Nogal dikke kans daarop.'

Ephraïm keek haar aan alsof ze zojuist gevloekt had of iets dergelijks. Ze rolde met haar ogen en zei nijdig: 'Hij werd al lang geleden VIA.'

Hij fronste zijn wenkbrauwen in verwarring. 'VIA,' herhaalde ze, 'Vermist In Actie.'

'Ik weet wat het betekent, maar...' Hij schudde zijn hoofd. 'Het spijt me.'

'Het maakt niet uit. Ik weet zeker dat ik in een nog ergere situatie zou zitten als hij hier nog wel zou rondhangen.'

'Hoe ben je hier dan terechtgekomen?'

Haar hart bonsde alsof er iemand op een trommel stond te slaan. Als Ephraïm zou horen dat ze op de vlucht was voor een stalker, dan zou hij haar eruit schoppen. Onmiddellijk.

Lori kwam de slaapkamer uit en Cara's zenuwen kwamen tot rust. Hij had al laten zien dat hij geen ingewikkelde vragen stelde waar zij bij was.

Lori wreef in haar ogen. 'Goeiemorgen, Frim.'

'Je spreekt uit Ee-fraïm, lieverd.' Cara zette de pup op de grond. Zijn korte pootjes konden hem niet snel genoeg over de gladde vloer naar Lori brengen, en hij gleed struikelend naar haar toe.

'Frim is prima.' Hij zette de melk op de tafel. 'Ik wil jou en je moeder vlakbij Howard afzetten, dus we moeten dadelijk gaan. Wil een van jullie een paar eitjes?'

Lori tilde het hondje op en giechelde toen ze gelikt werd. 'Voorspoed en ik willen gebakken ei.'

&

ZEVENTIEN

Toen Ephraïm na zijn werk uit Robbies vrachtauto stapte, rook hij een etensgeur. Hij liep rechtstreeks naar huis en hoopte maar dat Deborah vandaag geen maaltijd voor hem kookte in zijn keuken. Hij was op tijd gestopt met werken omdat hij een plan had, een plan dat bleef hangen vanaf het moment dat het in hem was opgekomen. En hij zat vol vragen die hij verschrikkelijk vond om aan Cara te stellen, maar hij had toch antwoorden nodig.

Toen hij dichterbij huis kwam, hoorde hij vrouwenstemmen. Hij keek door een raam en zag Anna Mary en Deborah in zijn keuken. Omdat Cara en Lori niet konden terugkomen tot na het invallen van de duisternis, wilde hij wat eten naar ze toebrengen. Hij was van plan om ze in de buurt van Howard op te pikken en een geschikte plek voor ze te vinden waar ze tot het donker konden blijven. Maar nu kon hij geen eten meenemen, tenminste niet zonder dat zijn zus en Anna Mary er vragen over zouden stellen. Cara had alle bezittingen van Lori en haar vanmorgen in de rugzak gestopt. Toen had hij het een beetje vreemd gevonden, maar nu was hij blij dat ze geen bewijzen had achtergelaten van haar aanwezigheid afgelopen nacht. Hij zou het iedereen moeten vertellen, maar ze hoefden het nu nog niet te ontdekken, en zeker niet op deze manier.

Hij veranderde van richting en liep naar het hek in de open schuur, die toegang gaf tot het weiland. Hij probeerde zijn paard te ontdekken in de wei en vroeg zich opnieuw af hoe Anna Mary het nieuws zou opvatten van zijn omgang met Cara. Het enige waar hij gisteren aan gedacht had was de zorg over de gezondheid van zijn vader en de noodzaak om voor Cara een plek te vinden waar ze kon wonen.

Hij had de krant uitgeplozen en een paar telefoontjes gepleegd, maar er zat niets tussen, zelfs geen lege ruimte bij Engelsen in huis. Toen hij zijn paard niet zag, floot hij. Vanonder het bladerdek van een paar schaduwrijke bomen, hief ze haar kop, alsof ze zich afvroeg of ze hem werkelijk gehoord had. Hij floot opnieuw en ze hinnikte voordat ze in galop op hem af kwam.

Sinds hij Cara en Lori die ochtend had afgezet bij Howard, had hij hun aanwezigheid steeds gevoeld. De eerste zonnestralen spreidden hun lange vingers over het land toen hij zijn rijtuig vlak buiten het zicht van het huis van Howard tot stilstand bracht. Cara bedankte hem bijna onhoorbaar en in een onpeilbare gemoedstoestand. Ze hielp Lori uit het rijtuig en keek niet op, zelfs niet toen Lori hem een kushandje toewierp. Toen hij ze nakeek terwijl ze de weg afliepen, besefte hij dat hij ze nooit kon laten teruglopen na een lange werkdag. Maar ze moesten wel ergens uit het zicht blijven tot na het donker, dus had hij een plan bedacht. Een redelijk plan. Behalve dat hij vanbinnen een emotie voelde die hij niet wilde.

Zijn paard draafde naar hem toe en hij liet haar binnen door het hek. Hij deed haar het hoofdstel om en maakte de teugels vast.

'Ephraïm.' De stem van Anna Mary deed hem stoppen.

Hij hing het borstblad om de nek van het dier. 'Ja?'

'Deborah heeft me geholpen om een maaltijd voor je te koken op dat vreselijke houtfornuis.'

Een van de redenen waarom hij geen gasoven had, was dat hij vrouwen uit zijn keuken wilde weren. Dat wist Anna Mary. Als hij ooit ergens serieus aan begon, dan zou hij een gasfornuis kopen. De houtoven was zijn onuitgesproken verdedigingslinie tegen opdringerige vrouwen die zijn genegenheid probeerden te winnen door te laten zien wat een fantastische huisvrouw ze konden zijn. Maar hij had Anna Mary nooit ervaren als opdringerig en hij overwoog eigenlijk zelfs om een gasfornuis aan te schaffen.

Hij trok de tuigriemen door de wagenophanging. 'Het spijt me, maar ik heb plannen voor vanavond. Ik vertrek zodra ik de wagen heb ingespannen.'

'Zou je niet eerst even wat eten? Ik ben het merendeel van de middag bezig geweest met koken.'

Hij schudde zijn hoofd terwijl hij de leidsels aantrok.

Ze kwam dichterbij en aaide het paard. 'Ik neem aan dat ik niet mee kan komen.'

'Dit keer niet.'

'Ik heb kip gebakken. Mag ik dan tenminste iets inpakken om aan je mee te geven?'

'Nee, dank je.'

Ze raakte zijn hand aan. 'Ga je weg omdat ik het heb gedurfd om over een van je niet zo heel onzichtbare grenzen heen te stappen?'

'Nee, maar ik moet vragen waarom je zoiets doet als je denkt dat ik er bezwaar tegen heb.'

Ze zei niets. Hij stopte met waar hij mee bezig was. Na een jaar verkering kenden ze elkaar behoorlijk goed, en ze hadden zelden een meningsverschil; maar nu deed hij moeilijk, en hij verwachtte half dat ze hem een standje zou geven en weg zou gaan. Hoewel hij er vervolgens geen idee van had hoe hij zich zou voelen als dat gebeurde, zelf liep hij niet zo snel weg.

Ze haalde haar schouders op. 'Ik had gedacht dat het feit dat je me nooit hebt verboden om je keuken te betreden een aardig goede indicatie is van hoe je over me denkt.'

Zijn bloed begon te koken. Ze had met haar oudere zus gepraat. Jaren geleden had hij verkering met Susanna en hij had het uitgemaakt vanwege dit onderwerp. Een jaar later was ze met iemand anders getrouwd en nu had ze drie kinderen.

Ephraïm had er nooit spijt van gehad dat hij Susanna had laten gaan. Datzelfde gold voor alle andere meisjes met wie hij had gelopen. Maar Anna Mary was anders.

'Ik wilde gewoon graag iets aardigs voor je doen.'

'Dat is niet alles wat je wilde. Je probeert te ontdekken hoe je ervoor staat – of ik op dezelfde manier met jou omga als met Susanna.

Of met wie dan ook. Je hebt me zelf ooit verteld dat je niet met iemand anders vergeleken wilt worden, en toch ben je nu aan het uittesten of ik op dezelfde manier zal reageren.'

Ze zuchtte. 'Ik beken schuld, maar ik was me daar niet van bewust tot op dit moment.' Ze legde haar hand op de gesp die hij op het paard aan het vasttrekken was en keek hem in de ogen. 'Ik heb met mezelf afgesproken dat ik niet op deze manier met je om wilde gaan, dat ik het allemaal eenvoudig en licht zou houden. Maar ik kan de verleiding niet weerstaan om uit te zoeken of ik gewoon een van de meisjes wordt met wie je ooit hebt gelopen.'

Ephraïm realiseerde zich dat hij in de loop van de jaren enigszins ongevoelig was geworden, anders had hij de positie waarin ze zich bevond wel eerder herkend. Hij legde zijn hand over de hare en besefte opnieuw dat ze in sommige opzichten heel teergevoelig was en zich ook graag kwetsbaar opstelde tegenover hem.

Hij nam haar handen in de zijne en koos zijn woorden zorgvuldig. 'Je betekent meer. Alleen de tijd zal leren wat we allebei willen weten.'

Ze sloot haar ogen en leek zowel teleurgesteld als opgelucht. Hij legde zijn hand op haar schouder, en zij sloeg haar armen om hem heen. Als ze een goede klik met elkaar hadden, zoals nu, dan hoopte hij dat hij nooit meer met iemand anders zou gaan. Hij verlangde ernaar om zelf een gezin te stichten. Naar de warmte van een vrouw in zijn bed. En om deel te worden van de levenscyclus door zelf een echtgenoot en een vader te worden. Maar...

Anna Mary stapte achteruit. 'Gebakken kip is heel geschikt om mee te nemen.'

Ephraïm kon het niet helpen dat hij moest lachen. 'Het ruikt in elk geval heerlijk. Hoeveel zijn er verbrand voordat je erachter was hoe je de warmte moest reguleren?'

'Maar een paar dozen.'

Hij lachte. 'Je maakt een grapje, toch?'

'Ja, maar als Deborah er niet bij was geweest, dan was ik nu in tranen en in je vriezer zou geen kip meer te bekennen zijn.'

'Ik denk dat we wel even snel samen een hapje kunnen eten voordat ik ga. Als het tenminste niet smaakt naar verbrandde jus,' plaagde hij. 'En ik kan nog wat meenemen ook.'

'Weet je, Ephraïm, ik waardeer oprechtheid, maar er zijn momenten waarop een klein beetje minder eerlijkheid op prijs gesteld wordt.'

'Ik begrijp wat je bedoelt.' Ephraïm legde zijn hand op haar schouder en ze liepen over het terrein. 'Ik neem graag wat kip mee voor onderweg, zelfs als het naar verbrande jus smaakt.'

Ze lachte en porde hem met haar elleboog in de ribben. 'Je bent verschrikkelijk.'

'Ik weet het. Ik probeer ervoor te zorgen dat jij het ook weet.'

æ

Met haar rugtas over haar schouder en Lori slapend in haar armen, liep Cara terug naar Ephraïm. Precies toen ze de top van een heuvel bereikte, zagen ze elkaar. Het was haar doel om iets dichter bij Ephraïms huis een plekje uit het zicht te zoeken en daar te wachten tot zijn familie naar bed ging. Lori was ook al wakker voor zonsopgang en had vandaag geholpen met het schoonmaken van de kasten, dus ze had haar middagslaapje nodig. Dat ze het juist nu hield was helaas wat pijnlijk voor Cara. Maar ze wist ook dat haar dochter in twintig, dertig minuten weer klaarwakker was. Aan de horizon verscheen een paard en wagen en ze dacht aan Ephraïm. Het merendeel van de dag had ze zich afgevraagd of hij al wat gehoord had van de sociale dienst. Het idee maakte haar onzeker, verwarde haar gedachten en herinnerde haar aan de verse emoties.

Ze bleef doorlopen terwijl het rijtuig in een vast tempo haar te-gemoet reed. Ze had nooit gedacht dat de man die ze eerder harteloos had genoemd, zo'n gelijkmatig karakter had... en zo aangenaam. Hij leek helemaal niet gevoelloos of achterbaks, maar ze was er nog niet van overtuigd dat hij geen onderliggende motieven had. Al heel lang geleden had ze geleerd om de muren rondom haar stevig overeind te houden. Mensen waren niet te vertrouwen. Vaak wilden ze wel betrouwbaar zijn. Maar de menselijke zwakte won keer op keer.

Het rijtuig kwam dichterbij.

Was het Ephraïm?

Haar hart sloeg een keer over. Reed hij toevallig in de buurt, of was hij hen komen halen?

'Hooo!' Ephraïm bracht het paard tot stilstand. Onder een laag van ernst of misschien oplettendheid, kwam een warme glimlach tevoorschijn. 'Hoi.' Hij bekeek haar, en voor een kort moment dacht ze zich zijn grijsblauwe oogopslag te herinneren.

Hij zette de kar op de rem en stapte af. Voorspoed stak zijn kop onder de zitbank uit en kwispelde met zijn hele lichaam. Ephraïm legde zijn hand op Lori's rug. 'Laten we eerst maar instappen.'

Half slapend tilde Lori haar hoofd op, ze liet zich makkelijk van Cara naar Ephraïm tillen. Toen de zwaarte van Lori verdwenen was, werd ook de pijn in Cara's lichaam minder.

Ephraïm pakte haar bij de elleboog en hielp haar op de houten bank. Een pocketboek met de titel *Niets dan de waarheid* lag naast haar op de bank. Halverwege het boek stak er een boekenlegger uit. Voordat elke minuut werd opgeslokt met overleven, was ze altijd dol geweest op lezen. Ephraïm moest ook een lezer zijn.

Hij klom moeiteloos met Lori de wagen op en overhandigde haar aan Cara.

'Dank je.' De woorden kwamen er schor uit.

'Geen probleem.'

Om onduidelijke reden voelde ze tranen opkomen, en ze likte haar lippen. Cara probeerde de controle over haar emoties te herwinnen en wreef over haar rug. 'ik wist niet dat je zou komen.'

'Ik ook niet. Toen ik je vanmorgen had afgezet tenminste nog niet. Ik had hier al eerder willen zijn. Omdat we niet naar mij toe kunnen tot na het donker, leek het me een goed idee om naar een afgelegen plek dicht bij de kreek te gaan. Ik heb eten meegenomen en dekens.'

'En een boek.' Ze hield het omhoog.

'Ja.'

De hond besnuffelde haar met zijn neus.

'En Voorspoed.'

'Ik had zo gedacht dat het tijd werd dat iemand je voorspoed kwam bezorgen.' Hij grinnikte om zijn eigen grapje en klakte de teugels boven de rug van het paard.

Cara aaide over Lori's hoofd en besefte dat ze weer in slaap was gevallen. 'Al iets gehoord van de sociale dienst?'

'Nog niet.'

'Wat als je vader ze ziet als ze langsrijden? Of als iemand anders ze ziet en het hem vertelt?'

'Ik weet het niet. Net als jij heb ik op dit moment nog niet overal een antwoord op.'

'Geen wonder dat je de hond overal mee naartoe neemt. Jij kunt ook wel wat voorspoed gebruiken.'

Zijn mondhoeken krulden omhoog, maar de ernst van de zaak zorgde dat zijn lach snel weer verdween. 'We moeten het over een aantal zaken hebben. Mag ik je een paar vragen stellen?'

Er schoot Cara een herinnering te binnen. Ongeveer twintig jaar geleden had ze tegenover een jongen gestaan die haar ongeveer hetzelfde had gevraagd. 'De schuur waar Lori en ik in schuilden en het huis dat op het nu kale fundament heeft gestaan, die behoorden toe aan een oude vrouw, of niet?'

Hij knikte. 'Levina.'

'Was Levina de vrouw bij wie mama en ik verbleven?'

'Ja, dat klopt.'

'En je vroeg mij of ik een jongen of een meisje was.'

Onder zijn getaande huid zag ze hem lichtjes blozen. 'Tja, je was een mager achtjarig kind in een spijkerbroek en je haar was korter geknipt dan van een pasgeboren baby.'

Ze streek met haar vingers door haar haren en plukte aan de uiteinden van het korte kapsel. Ze was blij met haar kapsel, wat hij er ook van mocht vinden.

'Niemand zou je nu voor een jongen aanzien.'

'Nee, hooguit voor een dief, een dronkaard en een lastpost.'

Zijn gezicht vertrok. 'Sorry.'

Ze verraste zichzelf door een kleine lachbui te laten ontsnappen. 'Zo, nu voel ik me al stukken beter.'

'Dan zit mijn werk erop, want ik kwam langs om je een beter

144

gevoel te geven.'

'Je werk zit er dan nog lang niet op, hoor.'

Hij schaterde en ze begreep waarom dat geluid haar al die jaren was bijgebleven. Maar waarom was de naam van Levina in haar geheugen blijven zitten, terwijl Ephraïms naam was verdwenen, terwijl zij zelfs bij hem thuis was geweest en met hem gepraat had?

'Weet je nog dat je de kreek voor de eerste keer zag?'

'Nee. Maar ik herinner me het koele water dat over mijn voeten spoelde. En iemand...'

'Als er een jongen in die herinnering voorkomt, ben ik dat. Volgens mij heb je verder niemand ontmoet die week. Behalve dan Levina en de bisschop.'

'Wat is een bisschop?'

'De hoogste kerkleider over verschillende districten. Hij helpt ons standvastig te zijn in ons geloof en herinnert ons aan de geloften die we hebben gedaan.'

'Zoals de gildemeesters in *World of Warcraft*.'

Hij fronste. 'Zoals de wat?'

'Dat is een spel op internet. Ik heb het nooit gespeeld, maar ik heb met mensen gewerkt die dat wel hebben gedaan.'

Hij grinnikte. 'De bisschop zou sterk protesteren tegen het gebruik van internet of het spelen van oorlogsspelletjes.'

Zijn geamuseerdheid sloeg op haar over. 'Ik herinner me je lach. Het was een van de eerste herinneringen die ik afgelopen week kreeg. Het geluid van jouw lach terwijl je in de kreek sprong of je liet vallen in de hooiberg in de schuur.'

'Kun je je herinneren dat we urenlang in de bomen speelden?'

'Niet echt. Maar ergens moet ik nog iets weten, want ik herkende de kettingen aan de boom nog voor ik ze zag.'

'Dat was jouw lievelingsboom. We hadden die kettingen zelf in de boom gehangen en ze er rond en rond geslagen zodat jij ze als teugels kon gebruiken. Volgens mij hebben we ons werk goed gedaan, want ze hangen er nog steeds.'

'Dat geloof ik ook. Alleen vind ik het zo vreemd dat ik me je naam niet herinner als we zo veel tijd met elkaar hebben doorgebracht.'

'Je noemde mij nooit Ephraïm. Je noemde me jongen, dat kwam uit het verhaal van Tarzan, zei je.'

Ze grinnikte. 'Aha, dat had ik vast verzonnen vanwege de bomen en de touwen en het klimgebeuren.'

'Klinkt logisch.' Hij trok aan de teugels, stapte van de wagen, opende een hek naar een weiland en liet het paard naar binnen. Nadat hij het hek gesloten had, klom hij weer op de wagen. 'Ik parkeer bij de bosjes naast de oever van de kreek. We kunnen daar wat eten en uitrusten tot het donker is... Het spijt me dat je je moet verstoppen en rond moet sluipen.'

'Ik verstop me al zo lang als ik me kan herinneren,' antwoordde ze spottend.

De wagen kraakte toen ze over de oneffen grond reden. 'Ik herinner me dat Malinda aan Levina vertelde dat ze jou moest verstoppen voor je vader.' Hij reed naar de andere kant van een groepje bomen. 'Ze probeerde wat ze kon om je ergens veilig onder te brengen. Ik weet echt niet wat haar heeft tegengehouden, maar ik weet wel dat ze wilde dat jij een goed leven zou krijgen.'

Gegeneerd over alles wat hij van haar wist, fluisterde ze: 'Ja, nou, dat is dus niet gebeurd.'

Ephraïm ademde langzaam in. 'Cara, ik kan het me niet veroorloven om overrompeld te worden. Ik moet het weten. Bestaat de kans dat de vader van Lori komt opdagen om naar haar te zoeken?'

Nu wist ze waarom hij haar tegemoet was gereden. En waarom hij zo vriendelijk was. Hij wilde antwoorden horen op persoonlijke vragen.

'Wat je eigenlijk vraagt is of ik een kwaadwillend vriendje heb of ergens een echtgenoot, of niet?' Ze snauwde de woorden zonder dat het haar iets kon schelen hoe boos ze klonk. Haar haren stonden overeind van verontwaardiging.

Zonder nog iets te zeggen, klom hij naar beneden, nam de deken van de wagen, legde die op een open plek voor het paard en kwam terug. Toen hij Lori uit haar armen tilde, ontmoetten zijn ogen de hare. 'Het was niet m'n bedoeling om je aan te vallen.'

Ze slikte haar sarcasme in, door zichzelf in herinnering te brengen dat het niet uitmaakte wat hij van haar dacht. Het was haar eigen vergissing dat ze de eenvoudige kletspraat tussen hen had geïnterpreteerd alsof hij ook maar iets van haar wist. Maar ze prikte snel genoeg door dit soort maniertjes heen.

Hij nam Lori mee naar de deken die op de grond lag uitgespreid en legde haar daar voorzichtig neer. Daarna keerde hij terug naar de wagen en haalde een mand tevoorschijn. Hij stak zijn hand uit om haar naar beneden te helpen. Ze draaide zich om en klom er aan de andere kant af.

Toen ze over de wagen heen keek, stond hij naar haar te kijken en ze kon zich niet langer stilhouden. 'Ik was getrouwd met de vader van Lori. Anders dan jouw soort misschien denkt, was hij een fatsoenlijke man. Als hij nog had geleefd dan had ik nooit een voet gezet op deze stinkende plek.'

'Mijn soort?'

'Ja, de mensen die in weelde geboren zijn. Jullie wagen het de rest te veroordelen naar een maatstaf waarvan je beweert dat die van God afkomstig is. En om jullie verhevenheid kracht bij te zetten, creëren jullie een God Die jullie liever heeft dan ons.'

Hij staarde haar aan alsof hij haar probeerde te peilen. Ze wilde naar hem uithalen totdat zijn verheven ogen zich zouden openen. Alle mensen waren gelijk. Sommigen hadden een beter begin, dankzij hun ouders, maar dat kwam niet door hun eigen vaardigheid of waardigheid. Zij was met bijna niets begonnen en had alleen maar meer verloren naarmate het leven vorderde. Hij had alles gekregen. En hij dacht beter te zijn dan zij?

'Mama?' Lori werd wakker.

Cara haastte zich naar haar toe. 'Ik ben hier, Loralief.'

Ze wreef in haar ogen en nam de omgeving in zich op. 'Waar zijn we?'

147

'Op een picknick.' Ephraïm zette de hond op de deken naast haar. 'Voorspoed!' Elk spoor van angst verdween en ze sloot de puppy in haar armen. 'Bedankt, Frim.' Ze grinnikte. 'Voorspoed en ik hebben honger. Hebben we ook eten?'

Ephraïm tikte op de deksel van de mand. 'Gebakken kip, gebakken aardappelschijfjes, limonade en cake.'

'Uw picknick is veel beter dan die van mama.' De puppy likte aan haar gezicht. Ze giechelde en sprong op. 'Mogen we naar de kreek? Voorspoed zou dat heerlijk vinden.'

'Ik dacht dat je honger had,' zei Ephraïm.

'Eerst wil ik kijken of hij het water leuk vindt.'

Cara wees naar een zanderige plek die afliep naar een ondiep gedeelte. 'Niet dieper dan je enkels, en niet uit mijn zicht verdwijnen.'

'Kom mee, Voorspoed.' Lori rende weg en de puppy rende mee, al struikelend rondom haar voeten.

Cara nam plaats op de deken. 'Jouw picknick is inderdaad beter.' Ze gluurde in de mand. 'Alles wat zij zich van haar jeugd zal herinneren, is wat ik allemaal niet kon geven.'

Ephraïm ging naast haar zitten. 'Je bent een goede moeder, Cara. Ze zal zich herinneren hoeveel je van haar houdt.'

Door de vriendelijkheid in zijn stem voelde ze zich schuldig. Het enige waar hij om vroeg waren een paar redelijke antwoorden, en zij had alleen maar defensief en onbeleefd gereageerd. De tranen welden op en herinnerden haar eraan hoe afgemat ze was. 'Soms kan ik me mijn moeder nauwelijks voor de geest halen. Andere keren is de herinnering zo sterk dat ik me er niet uit kan losrukken. Volgens mij is ze niet lang nadat we hier waren gestorven. Daarna veranderde het leven in een beproeving.'

'Niet lang nadat...' De pijn in zijn ogen verraste haar.

Hij brak zijn zin af en staarde over de velden. Nu ze op het kleed naast elkaar zaten te wachten tot de nacht zou vallen, voelde ze een onbekend verlangen om openlijk te praten. Haar boosheid op hem rommelde nog wat na, maar ze had eindelijk iemand ontmoet die haar moeder kende en iemand met voldoende eergevoel om te doen wat nodig was om te voorkomen dat zij en Lori van elkaar gescheiden zouden worden.

Een blaadje dat stroomafwaarts dreef, werd machteloos heen en weer geslingerd door de stroming. Zo voelde ze zich – gegrepen door een verlangen dat net zo natuurlijk was als stromend water en een gevallen blad. In plaats van hem te behandelen zoals ze iedereen behandelde, besloot ze haar aanvallende houding te negeren en ruimte te geven aan haar nood. 'Ik... Ik heb Johnny ontmoet toen ik zeventien was. Het was een potige kerel en hij werd mijn schuilplaats. Natuurlijk zat er een prijskaartje aan die veiligheid en een jaar later trouwden we. Hij geloofde ook in God. Zei dat hij Hem had ontmoet in de gevangenis.' Ze haalde haar schouders op. 'Tijdens het eerste jaar van ons huwelijk werd ik verliefd op hem.' Ephraïm pakte een stenen kruik uit de mand. 'Ik heb nog nooit gehoord van iemand die verliefd werd ná het trouwen. Ik ken er trouwens wel een paar bij wie de verliefdheid daarna juist verdween.' 'We trouwden in het gemeentehuis en we gingen naar het noorden van de staat New York voor onze huwelijksreis, naar de Catskill Mountains. De eerste dag gingen we wandelen, kanoën en picknicken. Het was de mooiste dag die ik ooit had meegemaakt... of in elk geval in mijn herinnering. Die nacht zei hij dat hij buikpijn had en op de bank ging slapen. Tot mijn grote opluchting.' 'Hij begreep hoe jij je voelde, of niet?' Ephraïm deed de deksel van de kruik.

'Hij wist het. Ik denk dat het hem niet uitmaakte hoe lang het zou duren voordat ik anders over hem ging denken. De vijfde nacht van onze huwelijksreis had hij nog steeds allerlei smoesjes om op te bank te slapen, maar ik nodigde hem uit om bij mij te komen.' Ze zag hem nog steeds voor zich, zoals hij naast haar in bed schoof. Hoe vaak had ze sinds zijn dood niet gewenst dat hij opnieuw naar haar bed zou komen, of dat hij er was tijdens de maaltijden en om Lori te zien opgroeien?

Ephraïm stak haar de kruik met limonade toe. 'Het klinkt alsof je een waarlijk goede man hebt gevonden.'

Ze nam een slokje limonade en gaf de kruik weer aan hem terug. 'Dat klopt. Toen ik een aantal jaar later zwanger werd, dacht ik dat hij woedend zou zijn. Maar toen ik het hem vertelde...'

De herinnering achtervolgde haar en ze voelde het diepe verdriet weer. 'Ik zag hoe de bezorgdheid over zijn gezicht gleed en realiseerde me dat hij echt van me hield. Ik bedoel, hij zei al dat hij van me hield voordat we getrouwd waren. Maar ik had het nooit echt geloofd.' Ze zuchtte. 'We dachten dat we ons kind meer konden geven dan wij zelf hadden gehad toen we opgroeiden. Maar nog voor haar tweede verjaardag... overleed hij.' Ze wreef over haar voorhoofd. 'Ik heb ook nooit een sigaret als ik er een nodig heb.'

Ephraïm leunde naar achteren, met zijn elleboog op het kleed. 'Het spijt me zo. Ik... ik moest gewoon weten of ik iemand kon verwachten die naar jou en Lori op zoek is.'

Ze beet van zich af en antwoordde: 'Dat zal wel.' Hoewel zijn woorden haar hadden gekwetst, was haar boosheid niet helemaal gerechtvaardigd. Terwijl haar bitterheid verder afnam, realiseerde ze zich hoe voor de hand liggend het was wat hij gevraagd had, namelijk gewoon of er iemand naar haar op zoek was.

'Frim, kijk,' riep Lori. 'Wat voor soort vis is dit?'

Hij stond op van het kleed en liep naar de oever van de kreek.

Cara ademde langzaam uit en ontspande terwijl hij wegliep. Ze haalde het speelgoedpaardje uit haar rugzak en probeerde zich te herinneren dat die van haar was geweest. Maar of ze het zich herinnerde of niet, het verleden was niet haar doel. Ze had alleen de dag van vandaag en de mogelijkheden die het bood om Lori een beter leven te geven dan zij en Johnny gehad hadden.

Natuurlijk had ze Ephraïm niet verteld over Mike. Maar had hij eigenlijk niet het recht om te weten waarom ze uit New York was gevlucht?

❦

NEGENTIEN

De horizon kleurde karmijnrood; een teken dat het avond werd. Ephraïm en Lori zaten midden op een omgevallen boom die van de ene kant van de kreek naar de andere lag. Ze lieten hun benen naar beneden bungelen en Ephraïm gaf Lori de laatste stukjes brood om naar beneden te gooien. Meervallen zwommen rondjes en hapten ernaar zodra het voedsel het water raakte. Voorspoed zat op de oever en volgde al hun bewegingen.

Ondanks dat hij zichzelf had voorgehouden om dat niet te doen, keerden zijn ogen steeds weer terug naar Cara. Ze zat op het kleed, haar benen opgetrokken voor haar borst, de jurk van zijn zus fladderde als een laken om haar heen. Ze keek naar de horizon waar het daglicht langzaam verdween. Ze zag eruit als een droomverschijning – een merkwaardige mengeling van verfijnde tederheid en bikkelharde steen.

Hij had met de vragen kunnen wachten tot ze was uitgerust en had gegeten. Te weinig voedsel en slaap in combinatie met de traumatische ervaring van gisteren en een lange werkdag, hadden haar overladen met spanning. Hij had moeten begrijpen dat hij haar waardigheid niet had moeten aantasten. Ze had iets van haar leven met hem gedeeld, dus het leek erop dat hij geen schade had aangebracht aan het kleine beetje vertrouwen dat hij had gekregen. Maar het vrat aan hem om te moeten toegeven dat ze gelijk had. *Zijn soort.*

Haar rake opmerking was geen openbaring. Zelfs nadat hij een tijd onder de Engelsen had gewoond, bleef hij te vaak de neiging hebben om mensen te veroordelen. Na te zijn grootgebracht in een bijzonder conservatieve omgeving, had hij geen idee hoe hij met een andere maatstaf zou kunnen meten. Maar als hij niet voorzichtig was, zou hij haar ongeloof in God alleen maar versterken.

'Frim, kijk,' fluisterde Lori. Ze wees naar een gebied met hoog gras. Een zwerm vuurvliegjes gaf een prachtige voorstelling.

Hij ging op de stam staan en stak zijn hand uit. 'Heb je er wel eens eentje gevangen?'

Ze pakte zijn hand om in evenwicht te blijven terwijl ze opstond. 'Echt niet. Kan dat?'

Hij grinnikte. 'Jouw mama is de beste insectenvanger die ik ooit heb gezien.' Ze baanden hun weg over de omgevallen stam en hij hielp haar op de vaste grond.

'Bijten ze?'

'Vuurvliegjes? Nee. Maar als ze dat wel deden, dan zou je moeder zo terug bijten.'

'Bah.'

Cara schraapte haar keel. Hij keek op en besefte dat ze vanaf het kleed naar de oever van de kreek was gelopen. 'Vertel je nu dat ik insecten eet?'

Hij grijnsde en hoopte dat een beetje plagerij de spanning tussen hen zou verminderen. 'Misschien.'

Het laatste beetje boosheid verdween van haar gezicht en maakte plaats voor vriendelijkheid.

Hij keek haar aan en vroeg zich honderden dingen af. Hij wilde dat hij in haar hart kon kijken en haar echt kon leren kennen, voorbij de paar zinnen die ze hadden gedeeld over haar verleden. Ephraïm legde zijn handen op Lori's schouder en draaide haar richting de weide. 'Als je hard rent, dan ben je bij de vuurvliegjes voordat Voorspoed er is, en kun jij ze laten opvliegen.'

Ze vloog ervandoor en de pup dribbelde achter haar aan.

Ephraïm draaide zich om naar Cara, maar hij had geen idee wat hij moest zeggen. Hij zou nooit echt begrijpen wat het was om op te groeien op een manier zoals zij dat had meegemaakt. Om te trouwen voor de verkeerde redenen, en dat het dan toch nog goed komt. Om daarna de man te begraven die ze had leren liefhebben en om vervolgens alleen haar kind op te voeden.

Ze stak het speelgoedpaard naar hem uit, als een symbool van vrede. 'Ik heet nu Cara Moore, niet Atwater.'

Hij plaatste zijn hand eroverheen en ze hielden het nu samen vast. 'Jarenlang was ik er zeker van dat je hiervoor terug zou komen. Toen gaf ik het op. Maar ik kon mezelf er niet toe brengen het weg te gooien.'

Hij haalde zijn hand weg en ze staarde naar het paard. 'Ephraïm, ik... ik word gevolgd door een man... al jaren. Hij is de reden dat ik Johnny nodig had, en dat ik hiernaartoe ben gekomen. Hier vindt hij me niet. Daar ben ik zeker van. In elk geval, hij stond ons op te wachten voor ons appartement, toen heb ik het geld wat ik had meegenomen, en samen met Lori ben ik in de bus gestapt. Toen we op het busstation aankwamen, had ik nog geen idee waar ik naartoe zou gaan. Het is dus onmogelijk dat hij weet waar ik ben. En dit keer heeft hij ook niets om me op te sporen.'

Had ze een stalker?

Hij zag nog steeds de defensieve bitterheid in haar, maar nu was hij ook verwonderd dat ze nog zoveel hoop en vertrouwen had.

Ze begon naar het kleed te lopen. 'Ik wil maar een ding, Ephraïm.' Haar ogen schoten vol tranen en ze schraapte haar keel. 'Dat is Lori beschermen. Ze is onschuldig aan de warboel die lang voor haar geboorte al is ontstaan. Je vroeg mij vanmorgen wanneer mijn moeder stierf. Ik was acht. En mijn vader verdween een paar weken later.'

'Cara.' Ephraïm voelde dat hij heel lang en hard *Nee* wilde schreeuwen. 'Ben je opgegroeid in de pleegzorg?'

'Ja. In een van die huizen kwam ik Mike tegen, een gestoorde tiener die veranderde in een stalker.'

Het verlangen om haar te begrijpen woog zwaarder dan de noodzaak om voorzichtig verder te gaan. 'Wanneer begon hij je te bedreigen, waarom ben je niet naar de politie gegaan?'

Ze zeeg neer op het kleed. 'Vele jaren geleden, en om vele redenen. Ik heb ooit geprobeerd om naar de autoriteiten te gaan, toen ik als pleegkind bij zijn ouders onder een dak leefde. Het is een lang verhaal, maar hij won en ik vluchtte. Toen hij later weer opdook, betekende hem aangeven hetzelfde als mezelf aangeven. Ik was een vijftienjarig weggelopen meisje dat drankjes serveerde en karig gekleed danste in een bar. Ik moest onder de radar blijven.'

Hij kwam naast haar zitten. 'En daarna?'

'Tegen de tijd dat ik de volwassen leeftijd bereikte, had ik Johnny om voor me te zorgen. Hij regelde een restaurant waar ik kon werken als serveerster. Hij heeft me nooit verteld wat er is voorgevallen tussen hem en Mike, maar de andere serveersters zeiden dat hij Mike op een dag betrapte toen die hier rondsloop en dat hij een pistool tegen z'n buik had geduwd en gezegd dat hij hem nooit meer wilde zien. Mike verdween. Ik heb hem niet meer gezien tot een jaar na Johnny's dood.'

'Wat is er gebeurd met Johnny?'

'Hersentumor – een groot agressief gezwel. Er zat vier maanden tussen de dag dat hij de diagnose kreeg en de dag dat ik naast zijn graf stond. Toen Mike hoorde dat Johnny dood was, kwam hij achter me aan en alles begon opnieuw: andere baantjes, verhuizen naar andere appartementen. Ik schudde hem voor een tijdje af, maar nooit langer dan een jaar.'

'Waarom ging je toen niet naar de politie?'

'Ik was bezorgd over Lori. Ik ken genoeg meisjes met verschrikkelijke vriendjes of echtgenoten, gevaarlijke jongens, die echt pijn gedaan zijn nadat ze met de politie hebben gepraat. Ik kon het me niet veroorloven om een gestoorde, gewelddadige man uit te dagen, en dat is Mike. Als ik Mike zou vermoorden en om die reden naar de gevangenis moet, of als Mike mij vermoordt, dan lijdt Lori daar ook onder.'

Ephraïm begreep het en hij vond het moeilijk om nonchalant te klinken. 'Ze zou in de pleegzorg belanden.'

'Is het leven niet fantastisch?'

Ephraïm voelde haar somberheid aan, hoewel haar gezicht weinig emotie verraadde. 'De laatste keer dat Mike me vond had hij teveel ontdekt: Lori's naam, haar school, waar ze van hield en niet van hield. Hij bedreigde mijn huisgenoot. Ze zei dat hij ons huis overhoop haalde. Hij wilde mij en het leek erop dat hij eindelijk begreep dat hij mij nooit zou krijgen – tenzij hij Lori zou hebben. Ik had echt geluk dat hij haar niet heeft opgepakt van school terwijl ik aan het werk was.'

Een verpletterende hoeveelheid gedachten schoot door zijn hoofd. Terwijl hij zocht naar de juiste woorden, zag hij ineens een beweging bij de omheining. Door de schemering kon hij niet goed zien wat daar bewoog. Misschien waren het de koeien van zijn vader die richting de schuur liepen.

Hij richtte zich weer op Cara. 'Ik ben blij dat je de weg hiernaartoe hebt teruggevonden.'

Cara zuchtte diep. 'Zodra de sociale dienst ons met rust laat, ben ik weg. Deze plek heeft mij niets te bieden. Ik dacht dat ik hier misschien een magische verbintenis zou terugvinden die wat speciaals voor ons zou betekenen, vooral voor Lori. Ik had beter moeten weten. Levina moet al tachtig geweest zijn toen ik nog een kind was. En als Emma Riehl, wie dat ook is, zo weinig om me gaf dat ze niet eens kwam opdagen, waarom dacht ik dan dat ze nu een band of relatie met mij en Lori aan zou willen gaan? Het was een dwaas idee.'

Emma Riehl? Zijn maag kromp ineen. Emma was de tante van Cara. Ze was getrouwd met Malinda's oudste broer Levi. Waarom dacht Cara dat Emma haar had moeten komen halen?

'Waar past Emma Riehl in het plaatje, Cara?'

Ze rolde met haar ogen en zag er meer afgemat uit dan paste bij haar leeftijd. 'Een paar weken nadat mijn moeder stierf, nam mijn vader me mee naar een busstation. Hij beloofde dat Emma Riehl me zou komen halen, en toen vertrok hij. Ze kwam nooit. Het volgende wat ik me herinner is dat iemand van de sociale dienst me kwam redden uit het land der eenzamen.'

Waarom liet haar vader haar achter op het busstation als hij niet werkelijk dacht dat Emma haar zou komen halen? Hij kon het Emma niet vragen, niet nu Cara in zijn huis woonde. Hij kon het Cara ook niet vertellen. Nog niet. Als ze het verkeerd aanpakte, zou de gemeenschap hem verantwoordelijk houden. Het was nog niet tot haar doorgedrongen dat hij Emma waarschijnlijk kende, of misschien kon het haar gewoon niets schelen na het voorval met de politie.

Ephraïm liet zijn vingers over de hare glijden. 'Je bent uitgeput. Je hebt een paar dagen regelmatig eten, rust en kalmte nodig. Misschien kan ik een van mijn zussen vragen om een paar dagen te gaan helpen bij Howard.'

Ze trok haar hand los en ging met haar vingers door haar korte blonde haar. 'Ik stel het aanbod op prijs. Maar ik moet werken om voor de sociale dienst te kunnen aantonen dat ik in staat ben om voor mezelf en Lori te zorgen. Ik wil weg – weg uit jouw huis, weg uit Dry Lake. Als jij geen aangifte hebt gedaan bij de politie, dan heeft iemand anders dat gedaan en dat betekent dat mensen hier nu al geen hoge dunk hebben van mij en Lori. Ik wil geen nieuw leven beginnen op een plek waar dat bij voorbaat al een verloren strijd is.'

Hoe vreemd het ook leek, hij wilde eigenlijk niet dat ze uit Dry Lake zou vertrekken. Ze had hier familie en haar wortels. Het was niet het juiste moment om haar dat te vertellen, maar als ze haar eigen plekje had, dan kon het wel. Dan zou de gemeenschap haar in een ander licht zien. Op dit moment zagen ze in haar alleen maar de geruchten bevestigd van de dronken dievegge. 'Wil je er dan niet achter komen waarom je moeder hierheen kwam? Of op welke manier Emma Riehl in het plaatje past? Of waarom je vader dacht dat zij je zou komen ophalen? Of waarom ze dat niet deed?'

'Ik kwam hier met dat doel voor ogen, maar nu weet ik dat het niks uitmaakt. Ik moet een leven opbouwen voor Lori. Haar jeugd is belangrijk. Niet de mijne.'

Achter haar stugge uiterlijk, was Cara nog steeds het kleine meisje dat in de kreek zwom, van hooizolders sprong en naar het leven keek met een verwachtingsvolle blik. Hij had jaren gewacht op haar terugkeer, met het verlangen haar weer te zien. Om in die ogen te kijken en het gevoel van vriendschap opnieuw te doen ontbranden. Cara verschoof en keek langs hem heen. 'Hé.' Ze tikte op zijn schouder en knikte naar achteren.

Hij draaide zich om en zag Simeon en Becca hun kant op lopen. De angst sloeg hem om het hart. De ligging van het land onttrok deze plek aan het oog, dus Ephraïm had gedacht dat ze hier veilig zaten. Hij kwam hier vaker en had er nog nooit iemand gezien.

Hij draaide zich om naar Cara. 'Blijf gewoon rustig zitten, oké?' Hij kwam overeind.

'Hoi Lori!' Simeon wees. 'Kijk, *Mamm*, daar is de pup waar we naar op zoek zijn!' Hij rende naar het plekje waar Lori en Voorspoed jacht maakten op vuurvliegjes.

Becca liep met een bezorgd gezicht naar Ephraïm. Ze zette haar handen op haar stevige heupen. 'Wat is hier aan de hand?'

Hij had veel van de geschreven en ongeschreven regels van zijn volk verbroken door alleen te zijn met een Engelse vrouw. Hij zou zich niet kunnen verdedigen, geen excuus of argument zou door haar of door iemand anders geaccepteerd worden. 'Ik weet wat ik aan het doen ben, je hoeft me niet de les te lezen.'

De schrik verdween van haar gezicht en maakte plaats voor veroordeling. 'Als je vader dit hoort wordt het zijn dood.'

Haar woorden knepen zijn keel dicht als een bankschroef. Hij had sinds gisteren geweten dat wat ze zei waar was, maar terwijl hij de angst in haar ogen las, realiseerde hij zich ook dat hij was gevangen tussen dat wat goed was voor zijn *Daed* en dat wat goed was voor Cara. Wat hij ook deed, een van hen zou pijn gedaan worden.

'Dit gaat niet om hem. En het zijn jouw zaken niet.'

Ze keek van Cara naar Ephraïm. De bezorgdheid op haar gezicht was overduidelijk, zelfs in het donker. Hij liet langzaam wat adem ontsnappen.

'Dit is verkeerd.' Ze sprak zacht, alsof ze probeerde te zorgen dat Cara het niet zou horen. 'Alleen, in het donker, op een kleed met een buitenstaander. Je bent in ernstige overtreding van alles wat we belangrijk vinden, zaken waarover je geloften hebt afgelegd.'

'Deze vrouw heeft de komende dagen hulp nodig, misschien een week.'

'Is... is zij degene over wie je *Daed* me vertelde, degene over wie Simeon zei dat ze in de schuur woonde en voor wie je *Daed* de politie heeft gebeld?'

'Dat had hij niet moeten doen. Ze is een ander soort mens dan hij denkt.'

Becca masseerde haar slapen. 'Ik wil op je oordeel vertrouwen, Ephraïm. Als jij denkt dat het eerzaam is om voor haar zaak te strijden, geef haar dan geld en stuur haar weg, en dan zal ik tegen niemand iets vertellen over deze avond.'

'Ze heeft meer nodig dan geld. Wat ze nodig heeft is... een vriend.'

'Ephraïm, alsjeblieft, zet er vanavond nog een punt achter, voordat het te laat is.'

Hij was verbijsterd door haar zachte dreigement, maar begreep dat ze bezorgd was over zijn keuzes op de manier waarop elke moeder dat zou doen. Hij wist dat ze zijn plichten naar de familie hoog had, maar had zich niet eerder gerealiseerd dat ze moederlijke gevoelens koesterde. 'Ze blijft. In elk geval voor een tijdje. Het spijt me.'

Becca's ogen vernauwden zich en ze bekeek Cara. 'Als ze gewoon maar iemand is die hulpbehoevend is. Weet Anna Mary dan van haar af?'

'Nog niet.'

'Waar slaapt ze?'

'Ik probeer een plek voor haar te vinden. Tot die tijd slaap ik in de werkplaats.'

Becca greep naar haar keel en wankelde alsof ze flauw zou vallen. 'Ze verblijft in jouw huis?' Ze hapte verschillende keren naar adem. 'Ik geef je tot zaterdag om haar uit je huis te krijgen. Daarna moet je naar de kerkleiders gaan om in het reine te komen met wat er gebeurd is. En daarna...' Ze draaide zich om naar de kreek. 'Simeon,' snauwde ze. '*Kumm.*' Zonder te wachten, beende ze richting het hek.

Ephraïm draaide zich om naar Cara, die naar hem opkeek vanaf het kleed. 'Dit verandert nergens iets aan.'

'Het spijt me verschrikkelijk. Ik had geen idee dat Amish hier strikte regels over hadden.'

'Hier zijn, samen met jou, gaat in tegen de gelofte die ik heb afgelegd toen ik tot het geloof toetrad. En dat was met goede reden. Maar op dit moment hebben we geen keus.' Hij ging naast haar zitten en keek hoe Simeon, zwaaiend naar Lori, richting het hek liep.

'Is Anna Mary je vriendin?'

'Ja. Zij is degene die de kip heeft gebakken en de cake die we net ophebben.'

'Dan kun je haar maar beter vertellen wat er aan de hand is.'

Wat moest hij tegen Anna Mary zeggen? Dat hij een vreemde vrouw had toegestaan de nacht door te brengen in zijn huis, in zijn bed, terwijl hij tegelijk niet overliep van enthousiasme omdat Anna Mary in zijn keuken eten stond te koken?

TWINTIG

Het snerpende geluid van de hydraulische zaag in Ephraïms hand, weerhield hem er niet van het versterkte gerinkel van de kantoortelefoon te horen. Hij liet het hout rusten voor het roterende zaagblad en keek op. Zijn voorman bewoog zich in de richting van het kantoor in de hoek om op te nemen. Grey's energieke tred verried geen spoor van zorgelijkheid. Ondanks dat ze elkaar al zo lang kenden, spraken de twee nooit over wat hen diep vanbinnen bezighield.

Morgen was het zaterdag – Becca's tijdslimiet – en Ephraïm had momenteel niet meer antwoorden dan eergisteren, toen ze hem het ultimatum gaf. Hij probeerde zich te concentreren op het stuk hout dat voor hem lag, maar Ephraïm kon het niet helpen dat hij aan Cara moest denken. Ze had hulp nodig, en hij wilde haar die geven, maar had Becca gelijk? Was hij hier op een verkeerde manier mee bezig? Hij had een gelofte afgelegd, dat hij zou leven volgens de Ordnung. Door een jonge Engelse vrouw toe te laten in zijn huis, overtrad hij de Oude Gebruiken. Het zou trouwens volgens elke christelijke maatstaf als onverstandig worden gezien.

Hoe kon het goed zijn om haar te helpen als het tegelijk scheiding bracht tussen hem en alles waarin hij geloofde – als het hem afzonderde van zijn familie en zijn gemeenschap? De Amish strekten zich uit naar hen die geen Amish waren, maar nooit op deze manier.

De gemeenschap zou er problemen mee hebben dat ze in zijn huis woonde, maar het echte probleem ontstond als ze ontdekten wie ze was – de dochter van Malinda Riehl Atwater. Hij wilde Cara niet vertellen dat haar moeder een spoor van wanhopige geliefden had achtergelaten. Tot twee keer toe.

Toen hij twaalf was had hij de oudsten horen zeggen dat Malinda haar geloften aan de kerk had gebroken. Ze had Dry Lake en haar verloofde enkele weken voor de trouwerij achtergelaten. Voor een buitenstaander. Er was een zwerver voorbijgekomen, en die had haar van het verstand beroofd. Deed haar dochter nu precies hetzelfde bij hem, door als een zwerver naar Dry Lake te komen en nu af te koersen op zijn ondergang? Zelfs als ze dat niet deed, zou de gemeenschap dan geloven dat ze daar onschuldig aan zou zijn? Het zonlicht dat op de betonnen vloer viel, werd plotseling overschaduwd. Hij keek op en zag Grey. Ephraïm zette de zaag af.

'Telefoon voor jou. Iemand van de sociale dienst,' zei Grey zacht.

'Bedankt.' Hij liep naar het kantoor en sloot de deur achter zich. De vrouw aan de telefoon stelde een paar vragen en vertelde vervolgens dat ze van plan was om die middag een huisbezoek te doen. Hij bedankte haar en hing op. Z'n hart ging tekeer. De tijd om het geheim te houden was voorbij. Als de maatschappelijk werker eenmaal zijn oprit indraaide en zijn huis binnenging, dan verspreidde het nieuws zich over de gemeenschap als pollen in de lente.

Hij pakte de krant van zijn bureau. Een tiental grote rode x'jes stonden in de vakjes bij de huurpagina. Hij had twee dagen zitten bellen op zoek naar een appartement voor Cara en Lori. Maar hij had niets gevonden. Zijn *Daed* zou het nieuws veel beter opvatten als Ephraïm kon vertellen dat ze binnen twee dagen vertrokken was. Hij concentreerde zich op de vakjes waarin hij een kruis had gezet en vroeg zich af of er een manier was om ervoor te zorgen dat ze voor zondag zou verhuizen. Deze week werd de kerk op zijn terrein gehouden. Als Cara dan al weg was, zou de straf van de kerkleiders minder streng zijn.

Morgen rond deze tijd wist iedereen in het district waarschijnlijk dat hij zijn huis gedeeld had met een vrouw. Hij wist dat Becca nog niemand iets verteld had. Ze wilde Ephraïm tijd geven om de situatie te veranderen. Maar hij moest het zelf aan *Daed* vertellen, voordat iemand anders dat deed. Anna Mary moest het ook weten. Maar toen hij eerder bij haar thuis was geweest, had haar moeder gezegd dat een chauffeur haar de avond ervoor had meegenomen naar het huis van haar zus.

Hij smeet de krant in de prullenbak. Zijn ongerustheid groeide, alsof er een brand woedde die recht op zijn huis af kwam.

❧

Cara zette de schone lunchborden terug in de kast toen er werd aangebeld.

'Wil je even opendoen?' riep mevrouw Howard vanuit haar bed.

Cara keek door het raam naar de achtertuin om te kijken waar Lori was.

Nadat ze drie nachten in een huis had geslapen in plaats van in een schuur, voelde ze de uitwerking van regelmatig eten en een goede nachtrust. Het was halverwege de middag en ze had nog energie en een vaste hand.

Toen ze de deur opende keek ze in het gezicht van een man van middelbare leeftijd met rood haar en sproeten. 'Cara?'

Een angstige rilling gleed over haar rug. 'Ken ik u?'

Hij schudde zijn hoofd. 'Ik ben Robbie. Ik werk voor Ephraïm.'

Hij wees naar de voorbank van de auto waar een jonge vrouw zat. 'Dat is Annie, het veertienjarige stiefzusje van Ephraïm. Ze komt jou hier aflossen en jij moet terug naar zijn huis. Hij zei dat ik tegen je moest zeggen dat ene mevrouw Forrester heeft gebeld, en dat ze over een uur bij zijn huis is.'

Ze had het gevoel dat ze stikte, en knikte benauwd. 'Oké, geef me een minuut.'

'Ik wacht in de auto.'

Allerlei onsamenhangende gedachten dwarrelden door haar hoofd toen ze door de gang naar de slaapkamer van mevrouw Howard liep. Ephraïms bereidwilligheid om haar te helpen was ongelofelijk.

Ze had het idee dat hij zich absoluut niet tot haar aangetrokken voelde, maar hij leek nog net zo eerlijk en direct als twintig jaar geleden, toen hij haar vroeg of ze een jongen of een meisje was.

Ineens zag ze hem voor zich in een andere gedaante, en ze grinnikte. Hollywood zou beslist de hand op hem willen leggen. Ze wist niet of hij kon acteren, maar hij zag er beslist goed uit met dat stroblonde haar en die grijsblauwe ogen. Een meter tachtig pure aantrekkingskracht, zou Kendal zeggen.

Mevrouw Howard keek op van haar boek toen Cara de slaapkamer binnenstapte.

'Weet u nog dat ik vertelde dat ik deze week mogelijk een keer weg moest?' Cara wachtte tot ze knikte. 'Dat is nu. Buiten wacht een chauffeur en hij heeft Annie meegenomen, een jonge Amish-vrouw die bij u blijft tot uw man thuiskomt.'

'Geen probleem, schat. Kan ze de tuin wieden?'

'Ze is veertien en Amish, dus daarin is ze beter dan ik.'

EENENTWINTIG

Met nog een uur te gaan voor de sociale dienst arriveerde, draaide Ephraïm het nummer van de dokter van *Daed*. Eindelijk kreeg hij de zuster van *Daed* aan de lijn. Omwille van de privacy, mocht de zuster hem niets vertellen over de gezondheidstoestand van zijn *Daed*. Ephraïm vroeg haar naar de algemene informatie over cardiomyopathie en die informatie kon ze vrij met hem delen. Ephraïm luisterde geconcentreerd en probeerde alles in zich op te nemen – wat gezegd werd en wat onuitgesproken bleef. 'Denkt u dat zijn hart het aankan als hij moeilijk nieuws te verwerken krijgt?'

'Moeite hoort bij het leven. Patiënten die lijden aan cardiomyopathie kunnen hun leven niet volledig vrijmaken van stress. En slecht nieuws kan vaak op een manier gebracht worden die niet verrassend of schokkend is.'

'Hij lijkt ieder jaar kwetsbaarder. Ik wil niets doen of zeggen wat tot een nieuwe aanval leidt, maar de symptomen wijzen erop dat hij voortdurend verzwakt.'

'We adviseren patiënten met cardiomyopathie en symptomen die lijken op die van uw vader, een AICD. Dat is een automatische hartdefibrillator die wordt geïmplanteerd in de borstkas. Die kan het hartritme terugzetten als dat nodig is.'

'Weet hij van deze mogelijkheid?'

'Het spijt me. Ik kan algemene informatie delen over de ziekte, maar uw vragen vallen in de categorie vertrouwelijke informatie tussen dokter en patiënt.'

Ephraïm bedankte en hing op. Hij moest zijn *Daed* vertellen over Cara op een niet schokkende manier.

Hij verliet het kantoor en ging de algemene werkruimte binnen. 'Ik ga ervandoor.'

Mahlon liet zijn beitel zakken. 'Heb je mijn vrije dagen al in de agenda gezet voor volgende week?'

'Kunnen we het daar later over hebben? Er zijn een paar zaken die ik moet regelen.'

'Ja. Niet vergeten dat Deb vanavond met jou en Anna Mary wil uitgaan.'

'Ik zal eraan denken. Jij en Grey zorgen ervoor dat het midden van de werkplaats leeg is en dat de verf hoog staat. Morgen komt het rijtuig met de banken.'

Eenmaal per jaar werd de kerkdienst bij hem gehouden, net als bij iedereen in de gemeenschap, maar het tijdstip kon onmogelijk slechter zijn gekozen. Omdat zijn huis te klein was, moest hij met z'n familie de kerkbanken opzetten in de werkplaats.

Hij had enkele minuten nodig om na te denken en wandelde het veld op. Het weiland stond vol met hoogstaand gras, in de verte glinsterde de vijver en hij voelde de wind langs zich heen waaien. Hij sloot zijn ogen.

Hij had een ongewoon zeurend gevoel, alsof hij een stap miste in de planning van de uren die voor hem lagen. Wat veroorzaakte zo'n onrust in hem? *Heb ik iets gemist wat ik had moeten doen?*

Enigszins onzeker of dit een gebed was, of dat hij zichzelf toesprak, was hij verrast door de rust die over hem kwam. Hij haalde diep adem. Misschien dat deze middag toch niet zo slecht werd. Hij bleef nog even dralen in de stilte en de aanwezigheid van God. Plotseling leek het alsof hij in de kerk zat, tijdens een van die zeldzame momenten dat Zijn Geest op alles rondom hem leek te rusten.

Wees zoals Ik voor haar.

De gedachte bracht zijn hart op hol en hij wandelde langzaam terug. Hij kon niets anders zijn voor Cara dan een vriend – voor een korte periode. Hij vond haar heel boeiend en onder andere omstandigheden hadden ze bevriend kunnen zijn. Maar zij kwam uit een andere wereld, ze was een buitenstaander – en de dochter van Malinda Riehl.

'Ephraïm?'

Hij draaide zich om naar zijn *Daed*. 'Goed om te zien dat u op bent.' Hij zette zijn voet op de onderste plank van een dubbel hek. 'Ik was naar je op zoek. Je bent niet veel in de buurt de laatste tijd. Ben je zo druk met de zaak?'

'Het gewone werk. Hoe voelt u zich?'

'Vrij goed. Ik hou de inname van zout in de gaten en hoop dat ik niet opnieuw vocht ga vasthouden.'

'*Daed*, ik moet met u praten over een aantal zaken die gaande zijn. Denkt u dat u eraan toe bent?'

Het gezicht van zijn *Daed* plooide zich in een halve glimlach. 'Natuurlijk.'

'Misschien kunnen we het beste teruggaan naar uw huis om te gaan zitten.'

'Je gaat me toch niet behandelen als een moederskindje, zoals Becca doet, of wel?' Hij lachte. 'Ik geloof niet dat ik daar tegen zou kunnen. Ik weet dat Becca niet nog een tweede echtgenoot wil verliezen, maar als ze niet niet snel opklaart, dan stop ik met haar gerust te stellen. Ze heeft alle dochters in huis al op haar hand, dus begin jij alsjeblieft ook niet.'

'Goed, laten we dan tenminste in de tuin gaan zitten.'

Ze kuierden die kant op en gingen elk in een van de tuinstoelen zitten. De wind droeg de geur van het avondeten dat Becca klaarmaakte.

Zonder te zeggen wie Cara was, begon hij te vertellen over de vrouw die hij had ontdekt terwijl ze in zijn schuur verbleef. '*Daed*, iemand heeft de politie gebeld.'

'Ja, dat heb ik gedaan.'

Ephraïm probeerde zijn stem te beheersen en hij onderdrukte de neiging om te snauwen. 'Daar was ik al achter, maar u had eerst met mij moeten praten.'

'Je had een brief geschreven waarin stond dat ze weg moest gaan.'

'Het is mijn schuur en mijn terrein en ik was het aan het afhandelen. De politie dook op en wilde haar en haar dochter uit elkaar halen, dus heb ik gezegd dat ze in mijn huis konden verblijven. Daar is ze de afgelopen drie nachten geweest.'

'Een Engelse vrouw en een kind, zonder echtgenoot?' Hij keek eerder bezorgd dan boos. 'Ik kan nauwelijks geloven dat je het op die manier hebt afgehandeld. Als ze berooid was, waarom heb je haar dan niet naar ons huis gebracht?'

'Om verschillende redenen.' Niet alleen omdat niemand ze zou willen, maar ook omdat Cara en Lori een rustige plek nodig hadden om de wreedheid van wat hen was overkomen te verwerken, dus geen plek in een huis vol met mensen waar ze te gast zouden zijn. 'U was net terug uit het ziekenhuis. En uw huis barst al uit z'n voegen met alle kinderen.'

Teleurstelling doorgroefde het gebied rond de ogen van zijn *Daed*. 'Beter haar in een slaapkamer vol kinderen, dan dat jouw ziel in gevaar wordt gebracht.' Hij keek Ephraïm ongelovig aan. 'Maar jaren geleden ben je naar huis gekomen toen ik je nodig had. En je hebt meer betekend voor deze familie dan ik ooit van je zou mogen vragen. Ik zal ervoor zorgen dat de bisschop dat niet vergeet als hij met ons als voorgangers spreekt nadat hij jou heeft gesproken.'

'*Daed*.' Ephraïm pauzeerde. 'Ik ga hierover niet spreken met de bisschop. Ik vertel u gewoon wat er aan de hand is, en waarschuw alvast voor wat er komen gaat.'

'Is ze niet weg?'

'Nee.'

Daed staarde hem aan en las hem woordeloos de les. 'Je vraagt niet om vergeving, bent niet klaar om berispt te worden door de kerk en wilt dit niet achter je laten?'

'Nee.'

'Nee?' Zijn stem galmde over het land en weerkaatste terug naar hen. 'Je moet hier een punt achter zetten. Je moet boete doen –

voor de kerkleiders, deze gemeenschap en voor God, voor Wie je geknield hebt en gezworen om de Ordnung te eerbiedigen en te leven volgens onze tradities.'

Ephraïm had die belofte afgelegd. En sinds hij negen jaar geleden was teruggekeerd naar Dry Lake had hij zich altijd ten doel gesteld om een goede invloed te hebben op de jongere generatie, om ze te helpen de Oude Gebruiken te eerbiedigen.

Wees zoals Ik voor haar.

De gedachte dreef op de wind en leek zijn ziel van buitenaf binnen te dringen. 'Het is niet in tegenspraak met onze gebruiken om iemand te helpen.' 'Het is ook niet tegen onze gebruiken om met een vrouw te zijn, maar dat rechtvaardigt het nog niet, behalve in één omstandigheid, of wel?'

'*Daed*, ik vraag uw vertrouwen in mij. Alstublieft.'

Hij leunde naar voren. 'Ik vertrouw op God en in de Oude Gebruiken en in de autoriteit van de kerk. Het Woord zegt dat ieder mens recht doet in eigen ogen. Wij hebben de Ordnung omdat een mens zich niet mag laten leiden door emoties en impulsieve beslissingen.'

Hij wist dat de woorden van zijn vader de waarheid waren, maar sloot de ene waarheid de andere uit? 'Het is ons ook geleerd dat we het goede niet moeten achterhouden als het in onze mogelijkheden ligt om het te doen.'

'Denk je echt dat je hier goed aan doet? Je moet trouw blijven aan je gelofte.' *Daed* wreef over zijn borst. 'Zelfs als voorganger betwijfel ik of ik iets kan doen aan de eenzame tijd die voor je ligt.'

Ephraïm knikte. De nacht waarin hij ervoor had gekozen om in zijn huis te slapen vanwege Lori, in plaats van in de werkplaats, had hij geweten dat de mensen hem zouden gaan uitsluiten.

Daed haalde diep en vermoeid adem. 'Wie is deze vrouw?'

Ephraïm schudde zijn hoofd en wenste dat hij het niet gevraagd had. Een veelbetekenende blik verscheen in zijn *Daeds* ogen. 'Je kende haar al voordat ze opdook in de schuur. Je kent haar uit jouw tijd onder de Engelsen, of niet?' Hij sloeg met zijn vuist op de leuning van de stoel en zijn gezicht werd rood. 'Je kunt hier absoluut niet mee doorgaan.'

Ephraïm had geen keus. Hem de waarheid vertellen was beter dan dat hij dacht dat een Engelse hierheen was gekomen om een ingebeelde relatie te hernieuwen. 'Ze is de dochter van Malinda Riehl.'

Alle kleur trok uit zijn vaders gezicht. 'Cara?'

Ephraïm knikte.

Daeds ogen vulden zich met tranen. 'Ik dacht dat ik Malinda vrijdag langs de weg zag lopen met Cara naast zich. Ik dacht dat ik me dingen inbeeldde. Maar het was nooit tot me doorgedrongen dat het Cara zou kunnen zijn. Ik zal je zeggen wat ik zag: een dronken dievegge, of nog erger.'

'Nee, *Daed*, u zag iemand die hulp nodig had. Ze is geen dronkaard, daarvan ben ik zeker.'

Zijn *Daed* sloeg zijn ogen op naar de hemel. 'O, trouwe Vader.' Hij concentreerde zich weer op zijn zoon. 'Luister. Malinda Riehl groeide op als een van ons en ze had dezelfde onderwijzing gehad als jij. Maar toen ze de eerste keer wegliep, pleegde ze verraad en liet ze gebrokenheid achter. Denk je dat haar dochter een haar beter is? Ik zal je dit zeggen: ze is erger. Dat de gemeenschap je uitsluit zal nog het makkelijkste zijn van wat je te wachten staat.'

Ephraïm sloot zijn ogen en zocht naar kalmte terwijl hij luisterde naar de zingende vogels en de wind die door de bladeren ritselde. 'Ik weet niet wat er gebeurd is toen Malinda de eerste keer vertrok, maar de tweede keer was het geen vrije keus. Ik heb begrepen dat ze een heleboel negatieve gevoelens losmaakte toen ze voor Cara op zoek was naar een veilige plek, maar...'

'Je hoeft mij niet te vertellen wat er gebeurd is,' onderbrak zijn *Daed* hem. 'Jij was niet veel meer dan een kind. Ik herinner me de problemen die ze veroorzaakte nog goed. Het gebeurde nauwelijks zes maanden nadat ik als voorganger was gekozen. Haar aanwezigheid dreef een wig tussen je moeder en mij, maar de kerkleiders waren het erover eens dat Cara hier kon komen wonen. Levina, Malinda's eigen grootmoeder, wilde Cara opvoeden. Maar we konden Malinda geen toestemming geven om te blijven. Met tientallen argumenten die we alle drie als kerkleiders keer op keer bespraken, konden we niets voor Malinda doen om haar te helpen om te vluchten voor haar echtgenoot, zoals ze was weggevlucht uit de gemeenschap die van haar hield. Malinda antwoordde nauwelijks op onze uitspraak, behalve dat ze wat tijd nodig had met Cara om haar voor te bereiden. Ze vertrokken weer naar New York en kwamen nooit meer terug. Zelfs geen telefoontje.'

'*Daed*... ze is overleden. Niet lang nadat ze hier vertrokken was met Cara kreeg ze een ongeluk waarbij ze direct om het leven kwam.'

Zijn vader werd stil. 'Als je moeder nog zou leven om dat te horen...' Hij sloot zijn ogen. 'Het spijt me. Echt waar.' Hij hapte naar adem. 'Jij kunt niet begrijpen hoe verschrikkelijk ik dit allemaal vind. Maar deze warboel is niet onze schuld, ook al was ik degene die de politie belde. Je kunt je eigen redding niet in gevaar brengen omdat Malinda de wereld verkoos boven God. Vertel me dat haar dochter niet ook van de wereld is.'

Dat kon hij niet. De zwaarte van wat hem te wachten stond, drukte zwaar op hem. 'Ik weet dat u dit allemaal niet kunt begrijpen. Ik weet niet eens of ik het wel begrijp. Maar mijn besluit staat vast. Ik doe wat ik kan om haar te helpen.'

Zijn vader keek hem aan. 'Ze heeft er al voor gezorgd dat jij je rug hebt toegekeerd naar God en je familie. Laat deze vrouw niet blijven. Doe je dat wel, dan wordt ze je ondergang.'

'Mijn beslissing komt niet voort uit rebellie. Het is goed om dit te doen, en ik ben de juiste persoon hiervoor.'

Daed legde zijn handen op Ephraïms schouders en kneep er zachtjes in. 'Je hebt het mis. Maar het lijkt erop dat ik niet degene ben die je hiervan kan overtuigen.' Hij stond op en wandelde het huis in. Ephraïm sloot zijn ogen. 'Wees zoals Ik voor haar.' Hij mompelde de woorden en vroeg zich af wat ze werkelijk betekenden.

TWEEËNTWINTIG

Terwijl ze in Robbie's auto naar Ephraïms huis reden, voelde Cara zich weer als een dom kind. De woorden die ze nodig had, veranderden in nonsens in haar hoofd. Door de jaren heen had ze altijd een hekel gehad aan de ontmoeting met maatschappelijk werkers. In haar ervaring zagen ze allerlei zaken die er helemaal niet waren, maar nooit de zaken die juist glashelder waren.

'Ken je Ephraïm al lang?' vroeg Robbie.

Cara sloeg haar armen over elkaar en vroeg zich af of ze het aan Ephraïm verplicht was om de man vriendelijk te woord te staan. 'Lang genoeg.'

Hij fronste en haalde zijn schouders op. 'Hoe kom je aan die jurk?'

'Sorry?' Cara probeerde de scherpte uit haar toon te houden.

'Het is een alledaagse jurk, maar jij bent geen Amish.'

'De Howards drongen aan op zedige kleding, dus ik draag het als dat nodig is. Zouden we misschien in stilte verder kunnen rijden, alsjeblieft.'

'Ik neem aan van wel.' Hij trok zijn pet recht. 'Ik probeer alleen maar een praatje te maken.'

Wie probeerde hij voor de gek te houden? Hij was aan het vissen en hoopte wat antwoorden binnen te halen. Maar ze zou hem niets vertellen, voor het geval dat onbeleefd zou zijn tegenover Ephraïm. Haar hoofd stond niet stil, de ene gedachte stak de andere aan, als vuurtjes die zich verspreidden op een winderige heuvel. Wat als de maatschappelijk werker haar huidige levensomstandigheden niet als voldoende stabiel zou omschrijven? Wat als ze Lori meenam omdat Cara gedwongen was geweest om te stelen om haar doch-

171

ter te voeden? Op dit moment verdiende ze genoeg om in hun levensonderhoud te voorzien. Maar mevrouw Howard zou binnen twee weken uit het gips mogen. Wat moest ze dan beginnen? Als Ephraïm stopte met zijn hulp, zou ze weer dakloos zijn. Hoe kon ze aan de maatschappelijk werker bewijzen dat ze in staat was om voor Lori te zorgen als alles afhing van de genereuze daad van één man? Het voelde plotseling alsof ze uit de ene hoek was gekropen om vervolgens te worden vastgezet in de volgende. En zou Mike het niet fantastisch vinden om te weten met welke ellende hij haar had opgezadeld?

Ze trommelde met haar vingers op haar dij en wenste dat ze zou kalmeren. 'Je hebt zeker geen sigaret bij je, of wel?'

'Het spijt me, ik ben al jaren geleden gestopt.'

Ze dwong zichzelf om stil te zitten en probeerde ergens anders aan te denken dan aan mevrouw Forrester. Ephraïm was van plan geweest om deze ochtend een bezoek te brengen aan Anna Mary om haar te vertellen wat er aan de hand was. Hij leek daar beslist niet zenuwachtig over, dus ze nam aan dat ze een bijzonder goede relatie hadden.

Robbie remde nauwelijks af toen hij afsloeg naar de werkplaats.

'Heeft Ephraïm gezegd dat je hierlangs moest rijden?'

Hij haalde z'n schouders op. 'Niks over gezegd.'

'Rij dan naar de weg die rechtstreeks naar Ephraïms huis leidt. Laten we niet via de werkplaats gaan. Alsjeblieft.'

'Dat had je iets eerder moeten zeggen. Daar is het nu te laat voor.'

Hij reed voorbij het grote huis en stopte voor de werkplaats.

Ze vroeg zich af of de man opzettelijk hierlangs was gereden en mompelde een sarcastisch bedankje. Ze hoopte dat de familie van Ephraïm hen niet had zien passeren. Maar wat gebeurd is, is gebeurd.

Ze draaide zich om naar haar dochter. Het idee dat de sociale dienst haar weg zou halen, bezorgde haar koude rillingen. Niemand haalde haar dochter weg. Ze was redelijk genoeg om te weten dat de sociale dienst er niet was om zoveel mogelijk kinderen te scheiden van hun moeders. Toch was ze op van de zenuwen. Als er niets was om zich zorgen over te maken, waarom draaiden haar emoties dan op volle toeren?

Toen de motor afsloeg, vond ze haar stem terug. 'Lori, we gaan door het veld, rechtstreeks naar Ephraïms huis. Als je hem in de werkplaats ziet staan, mag je hem niet roepen of iets anders doen om zijn aandacht te trekken.'

Robbie fronste. 'Ik veronderstel dat ik toch beter de lange weg had kunnen nemen.'

'Dat veronderstel ik ook.' Ze stapten uit en ze pakte Lori's hand vast. Zonder een woord te zeggen staken ze het parkeerterrein over naar Ephraïms erf. Eén blik op deze omgeving was in elk geval voldoende voor een maatschappelijk werker om te zien dat ze een goede verblijfplaats had. Het zonlicht viel op de prachtige hardhouten vloeren en voor het eerst vroeg ze zich af of Ephraïm die zelf had gelegd. Het beige aanrecht was vlekkeloos en alles, behalve hun ontbijtvaat, was netjes en schoon.

Een briesje verkoelde de warme lucht toen Cara de rugtas in een stoel zette. 'Weet je nog toen de politie ons met Ephraïm mee naar huis liet gaan?'

Lori knikte.

'Nou, omdat we in de schuur sliepen, moesten ze onze namen doorgeven aan iemand die op kleine kinderen let. Ze willen zeker weten dat er goed voor je gezorgd wordt. Vandaag komt mevrouw Forrester ons bezoeken. Ze gaat een paar vragen stellen en wij gaan heel beleefd antwoord geven.'

'Ik vond het fijner in de schuur met de puppy's dan in New York. Mag ik dat vertellen?'

Wist ze maar hoe ze Lori aanwijzingen kon geven over wat ze moest antwoorden. Cara liep naar de gootsteen in de keuken.

'Mag ik haar vertellen over Voorspoed?'

Cara likte haar lippen en probeerde te kalmeren. 'Natuurlijk, maar die hond is niet van jou. Dat vergeet je toch niet, hè?'

'Hij is net zo lang van mij als dat u ervoor zorgt dat we hier niet weg hoeven.'

Cara draaide de warmwaterkraan open en probeerde de beschuldigende toon in Lori's stem te negeren. In Lori's ogen was alles wat ze deden een keus van haar moeder. Cara had besloten dat Lori daar beter in kon geloven, dan dat ze dacht dat er een boze man achter hen aanzat. Ze verdiende het om zich veilig te voelen – zelfs al nam ze het haar moeder onderweg kwalijk. Het was net als met alle andere beslissingen die ze moest nemen: een keuze uit twee kwaden.

Een verlangen overspoelde Cara. Het was zo intens dat het genoeg kracht leek te hebben om haar in een andere wereld te trekken. Ze smachtte ernaar om het uit te roepen naar een hogere macht... om een onzichtbare levensvorm te vragen om de zaken recht te maken, niet alleen voor wat betrof de sociale dienst, maar ook voor de familie van Ephraïm.

Ze realiseerde zich dat ze nog steeds een Amish-jurk droeg en droogde haar handen af om zich te verkleden in de slaapkamer. Het zou geen goed doen als de vrouw vragen ging stellen over de jurk, bijvoorbeeld hoe ze eraan was gekomen.

Lori volgde haar. 'Mag ik naar buiten?'

'Vandaag niet.' Cara trok haar spijkerbroek en sweater aan. Ze moest op de een of andere manier Lori zien binnen te houden totdat de familie van Ephraïm op bed lag. 'Je mag een boek lezen, tekenen of spelen met het speelgoed dat Ephraïm je gegeven heeft.'

'Verstoppen we ons weer?'

Cara liet zich op het bed zakken. 'Lori, je moet vandaag binnenblijven en je heel erg goed gedragen. Wil je dat doen voor mama?'

Haar dochter bekeek haar aandachtig. 'Hoe komt het dat ik vlinders in mijn buik heb?'

Ze legde lachend haar handen op Lori's hoofd. 'Omdat ik ze heb, en dat kun jij voelen. Maar het komt wel goed. Ephraïm zal zorgen dat ons geen verkeerde dingen overkomen.'

Ze hoopte maar dat dit waar was, en ze haatte zichzelf omdat ze hulp nodig had. Ze haatte Mike omdat hij haar in deze situatie had gebracht. Ze haatte het om te moeten steunen op giften. Maar ze zag geen andere manier. Op dit moment niet.

Iemand klopte aan en Cara sprong verschrikt overeind. Ze gebaarde naar Lori om te gaan staan en Cara streek het bed glad.

'Hallo?' klonk een meisjesstem door het huis. 'Ephraïm?'

Cara haastte zich de slaapkamer uit en trof een knappe Amish-vrouw met gitzwart haar en blauwe ogen die bij de deur stond te wachten. De vrouw nam Cara op van top tot teen. 'Wat doe jij hier?'

Een tweede vrouw, dezelfde als die Cara en Lori gratis eten had gegeven op de veiling, stapte naar voren. 'Waar is Ephraïm?'

Onzeker over wat ze van Ephraïm wel en niet mocht zeggen, deed ze er het zwijgen toe.

De blauwogige haalde haar schouders op. 'Hij lijkt hier niet te zijn.'

Lori kwam bij haar moeder staan. 'Ik zag hem in de werkplaats toen we thuiskwamen.'

'Thuis?' herhaalde de blauwogige met een geschrokken gezicht.

De hordeur klapte open en Ephraïm stapte naar binnen. Hij wierp een vlugge blik op het gezelschap en wendde zich tot de vrouw met de blauwe ogen.

Ze schonk hem een liefelijke glimlach en zocht in zijn ogen naar bevestiging voordat ze haar ogen neersloeg. Dit meisje was verliefd. Het moest Anna Mary zijn.

'*Mamm* vertelde dat je vanmorgen langs bent geweest voor mij.'

'Ja, ik wilde met je praten.' Hij wierp een blik op Cara en Lori.

De blauwogige hield haar blik gericht op Ephraïm. 'Ik ben vannacht bij mijn zus blijven slapen.'

Hij keek Cara aan. 'Gaat het goed?'

Ze forceerde een knikje.

Hij schonk haar een lichte glimlach, maar zijn ogen stonden gespannen. 'Deborah, Anna Mary, dit is Cara Moore en haar dochter Lori. Ze verblijven hier een tijdje.'

Deborah staarde met stomheid geslagen naar Ephraïm.

De ogen van Anna Mary werden groter. Ze wees met haar beide wijsvingers naar de vloer. 'Hier?'

Ephraïms gezicht versteende. 'Ja.'

'Ze kan niet híér blijven.'

Lori verschool zich achter haar moeder toen de spanning in de kamer om te snijden werd. Een klop op de hordeur bracht Cara aan het schrikken. Ephraïm wierp haar een blik toe en ze hadden geen woorden nodig om elkaar te begrijpen. De maatschappelijk werker was gearriveerd en ze had gehoord wat Anna Mary verkondigde. Zonder een teken van gespannenheid, wendde hij zich tot de nieuwkomer: 'Mevrouw Forrester?'

'Elaine Forrester, inderdaad.'

'Komt u binnen.'

Hij liet de vrouw, die ergens in de dertig moest zijn, binnen. Ze leek in geen enkel opzicht op de maatschappelijk werksters die Cara zich herinnerde. Geen vreemde brillen of een half opgestoken wilde bos grijs haar en ze keek hen niet aan met zo'n spiedende blik. Ze hield een blauwe aktetas in haar ene hand en keek Ephraïm recht aan. 'U moet Ephraïm Mast zijn.' Hij knikte en schudde haar hand. 'Ik zou ook graag met u willen spreken, maar ik ben hier allereerst voor Cara en Lori Moore.'

Cara's huid prikte als een speldenkussen toen ze naar voren stapte. 'Ik ben Cara en dit is mijn dochter Lori.'

'Aangenaam kennis te maken. U woont nu hier, is dat correct?'

'Ja,' antwoordde Ephraïm. 'Voor zolang als dat nodig is.'

Zijn stoutmoedige verklaring schokte Cara. Anna Mary klemde haar kaken op elkaar en zei niets.

'Mevrouw Forrester, dit is mijn zus Deborah en mijn vriendin, Anna Mary.'

'Aangenaam kennis te maken.' Ze liep naar de keukentafel en legde haar aktetas erop. Ze haalde een lederen klembord tevoorschijn en tikte erop. 'Ik kijk eerst even rond.' Ze keek Cara aan. 'En daarna maken we een praatje.'

Ze voelde zich bijna net zo kwetsbaar als wanneer Mike dreigend tegenover haar stond, en ze knikte.

Ephraïm gebaarde Deborah en Anna Mary naar de achterdeur. Ze liepen zwijgend achter elkaar naar buiten. Hij draaide zich om naar Cara. 'Je redt je wel. Ik ben in mijn schuilplaats. Dat is het perkje dat omheind is door de haag. Als ze klaar is om met mij te praten, roep je me maar.'

'Bedankt.'

Ephraïm volgde Deborah en Anna Mary naar de schuilplaats. Ze waren nauwelijks door de smalle opening in de haag, of ze stonden stil en draaiden zich naar hem om. Het was duidelijk dat *Daed* en Becca allebei niets gezegd hadden over Cara. Deborah's ogen smeekten om antwoorden en ze zag er bezorgder uit dan toen hun moeder was gestorven. Dat had hij niet verwacht, of misschien had hij de tijd niet gehad om er echt over na te denken.

Anna Mary leek eerder verward dan jaloers. 'Wat is er aan de hand?' Hij besefte dat het nieuws, alles, de komende paar minuten naar buiten zou moeten komen, maar het leek hem verstandig om het zo langzaam mogelijk mee te delen. Hij stond op het punt om door de gemeenschap uitgesloten te worden, en Anna Mary moest de waarheid van hem horen. 'Cara heeft hulp nodig en die bied ik haar.'

'Ephraïm, waar komt ze vandaan? Wie is ze?' vroeg Deborah. 'Hoe ken je haar?'

'Ze komt uit New York. Ze kwam hier een week geleden. Ze sliep in Levina's schuur en ik heb haar een onderkomen gegeven.'

'In de schuur?' Anna Mary huiverde. 'Waar slaap jij dan?'

'Het is ingewikkeld. Haar dochter Lori was bang dat de politie terug zou komen, dus ik heb de eerste nacht in de voorraadkamer geslapen. En de afgelopen nachten sliep ik in de werkplaats.'

'De politie? Zat die achter hen aan?'

'Nee. Niet echt. Het was voornamelijk een misverstand, maar ze waren er wel.'

Zijn zus staarde hem aan. 'Waarom doe je zoiets?' Deborah hield haar hoofd bezorgd opzij. 'Als dit bekend wordt bij de bisschop dan word je uitgesloten. En ik kan me niet voorstellen wat dit met *Daed* doet.'

'*Daed* weet ervan. Ik heb hem al gesproken. Wat de gezondheid betreft nam hij het goed op. Ik heb deze keus zelf gemaakt.'

Anna Mary ging op de houten schommel zitten. 'Zelfs zonder met mij te overleggen?'

Hij onderdrukte de neiging om te zeggen dat hij haar toestemming niet nodig had om iemand te helpen. Bovendien was er geen tijd geweest voor een bestuursvergadering, en was ze niet thuis geweest toen hij had besloten dat het tijd was om het haar te vertellen.

'Je doet dit in de wetenschap dat de gemeenschap je gaat uitsluiten?' Deborah veegde een verdwaalde traan van haar wang. 'Deze Cara moet voor jou meer zijn dan zomaar een vreemdeling die in jouw schuur schuilt. Wie ís ze? En wie is die Elaine Forrester?'

Ephraïm nam plaats naast Anna Mary. Hij was niet van zins om ze te vertellen over Cara's banden met de gemeenschap, althans niet voordat hij aan Cara zelf verteld had dat ze hier familie had en dat haar moeder was opgegroeid als Amish. 'Elaine is een maatschappelijk werker. Cara is een vriendin van heel lang geleden, en ze heeft hulp nodig om haar dochter te kunnen houden.'

'Heeft ze je het hoofd op hol gebracht?' vroeg Deborah zacht.

Anna Mary zuchtte zwaarmoedig. 'Je moet het niet laten klinken alsof hij geïnteresseerd is in haar. Denk je echt dat hij een meisje zoveel toegang geeft tot zijn huis als hij zich tot haar aangetrokken voelt?'

Gelukkig had Anna Mary er een redelijke kijk op. Ephraïm legde zijn hand op de hare. 'Ik heb advertenties nageplozen en telefoontjes gepleegd om een plek voor haar te vinden. Maar er is hier gewoon niets in deze buurt.'

'Er moeten banen en appartementen te vinden zijn in Shippens-burg,' bood Anna Mary aan.

Ze gooide de knuppel in het hoenderhok en hij merkte hoezeer haar opmerking hem in verwarring bracht. Hij wilde helemaal niet dat Cara naar Shippensburg ging.

Verbijsterd door de gevoelens die door hem heen golfden, wendde hij zich af van Anna Mary's peilende blik en staarde over het veld. Cara's verleden lag verborgen bij de Amish van Dry Lake. En of iemand uit zijn gemeenschap dat nu leuk vond of niet, Cara verdiende het om behandeld te worden als een schat die hun ooit ontstolen was, maar die nu naar hun was teruggekeerd door een kracht die niet de hare was.

DRIEËNTWINTIG

Cara had antwoord gegeven op wel honderd vragen, inclusief een aantal indringende over haar relatie met Ephraïm. En nu wachtte ze in de woonkamer terwijl mevrouw Forrester en Lori babbelend een rondje door het huis maakten. Ze hoorde Lori vertellen over haar leven in New York en dat ze wel honger had gehad toen ze daar weg waren gegaan, en dat ze met Ephraïm had gepicknickt.

'Lori,' zei de vrouw. 'Hoe doet je mama als ze heel erg boos is?' Zonder aarzelen antwoordde Lori: 'Dan gaat ze op haar knieën voor me zitten en wijst ze hier.' Cara kon ze niet zien, maar ze wist vrij zeker dat Lori naar haar neus wees. 'Dan zegt ze heel vlug: Lori Moore. En dan zegt ze: je moet nu stoppen.' Lori deed haar moeders stem na. 'Soms zegt ze: nu even niet, meisje. Als je volwassen bent doen we het zoals jij wilt.'

'Slaat ze je wel eens?'

'Nee. Maar ze heeft wel eens een man bij een busstation geslagen. Ze wilde niet zeggen waarom en ik heb het niet meer gevraagd.'

'Heeft ze je wel eens alleen gelaten bij iemand die jou sloeg?'

Ze liepen de voorraadkamer in en Cara kon niet alles meer verstaan. Het leek erop dat mevrouw Forrester toe was aan de meer persoonlijke vragen. Een paar minuten later kwamen ze de kamer weer in. De vrouw legde het leren klembord naast zich neer en zocht in haar aktetas. Cara probeerde een glimp op te vatten van haar notities. Mevrouw Forrester tikte op het juridische formulier waarop Cara's volledige naam en haar sociaal fiscale nummer stonden vermeld. 'Als ik uw informatie invoer in de database van New York, kom ik u dan tegen?'

Cara slikte, ze was er niet zeker van dat Lori er klaar voor was om dit te weten. 'Ik verblijf tussen mijn achtste en vijftiende in de pleegzorg.'

'Omdat?'

'Mijn moeder was overleden en mijn vader was... weggelopen.'

'U staat dus maar in het systeem tot uw vijftiende. Waarom is dat?'

'Ik was gevlucht.'

De vrouw haalde verschillende folders tevoorschijn en legde ze op de koffietafel. 'Waarom bent u uit New York weggegaan?'

'Is dat van belang?'

'Dat weet ik pas als u het me vertelt.'

Cara bleef eromheen draaien omdat ze geen antwoorden wilde geven waar Lori bij was. 'Er zijn redenen. Goede.'

De vrouw leunde naar voren. 'Ik ben hier niet vanwege een anonieme tip. Dit bezoek is gebaseerd op de verklaring in een politierapport en op hun getuigenis. Daar komt bij dat u Lori op 1 mei van school hebt gehaald. De scholen in New York eindigen pas half juni en hier pas over een week. Technisch gezien spijbelt ze en u bent daarvan de oorzaak.' Ze klopte op de folders. 'Mijn gevoel zegt me dat er iets aan de hand is wat niets te maken heeft met uw vaardigheden als ouder. Hoewel de keuzes die u gemaakt hebt beslist vragen oproepen.'

Fantastisch. Nog meer inzichten van iemand die er niets van snapte. Cara schatte in dat deze vrouw twee weken zou overleven met iemand als Mike op haar hielen. Misschien nog minder.

Mevrouw Forrester haalde haar schouders op. 'Ik ben hier alleen om te helpen, maar ik heb antwoorden nodig op alle vragen die ik stel.'

Cara wilde haar soort hulp niet, maar ze stond toch op. 'Kom, Lori. Je mag buiten wachten bij Ephraïm.'

Lori pakte haar hand en liep stilletjes met haar mee tot ze buiten waren. 'Gaat ze u in de boeien doen en u ergens mee naartoe nemen?'

'Nee.'

'Zeker weten?'

'Ja.' Verder wist ze niet zoveel zeker, maar over dit punt maakte ze zich geen zorgen. Ze liepen naar de twee meter hoge haag en vonden de smalle doorgang. Ze zag Ephraïm met Anna Mary op de schommel zitten. Het was een voorbeeldig stel. 'Mag ze misschien een paar minuten bij jou blijven?'

'Ja hoor.'

Lori greep haar hand steviger vast. 'Ik wil bij jou blijven.'

Ephraïm stond op. 'Wat dacht je ervan om naar de schuur te lopen om te kijken hoe het met Voorspoed gaat?'

Lori schudde haar hoofd.

'Dan nemen we de pup mee terug hiernaar toe.' Ephraïm stak zijn hand uit, maar Lori verroerde zich niet.

Cara trok haar hand los. 'Ik ben hier als je weer terug bent. Dat beloof ik.'

'Nee.' Lori klemde zich vast aan haar moeders been.

Cara trok Lori's handen los en knielde voor haar neer. 'Kom op, meisje. Ik ga nergens naartoe. Kun je me niet geloven op m'n woord?'

Lori sloeg haar armen rondom de nek van haar moeder. 'Ik zal braaf zijn. Maar ik wil niet dat u weggaat.'

'Je zou niet eens van me afkomen als je zou veranderen in een hele groep lastige kinderen. Vergeet dat nooit.' Cara gaf haar een dikke knuffel en stond op. 'Als je weer terug bent, dan ben ik wel klaar.'

Lori veegde haar tranen weg en pakte Ephraïms hand.

Hij kwam dichterbij Cara staan. 'Hoe gaat het binnen?'

'Ik denk goed. Alleen ben ik bang dat ze vragen gaat stellen over zaken in mijn leven waar ik geen antwoorden op heb.'

Ephraïm grinnikte, maar het klonk geforceerd zodat ze zich afvroeg of het hem eigenlijk iets kon schelen. Ze wist dat hij een man van eer was, anders zou hij dit allemaal niet voor haar doen. Maar dat was iets anders. Mensen deden dingen voor de eer, zodat ze met zichzelf konden leven. Meelevend? Dat betekende dat zij en Lori ertoe deden.

Toen ze terug naar binnen ging, zat mevrouw Forrester op de bank op haar te wachten. Cara liep naar de schommelstoel en ging zitten, klaar om de moeilijkste vragen tot nu toe te beantwoorden.

'Cara, wat is er de oorzaak van dat je uit New York moest vertrekken, terwijl je daar niet over wilt praten waar je dochter bij is?'

In plaats van dat Cara in de verdediging schoot, beschreef ze wat ze met Mike had meegemaakt, en de vrouw schreef het op.

Mevrouw Forrester wees met de pen naar de juridische formulieren. 'Het zou logisch zijn geweest als hij al jaren geleden was gestopt met jou lastig te vallen. Maar toen je in de pleegzorg zat en je hierover vertelde aan de autoriteiten, heeft iemand het verknald, Cara. Ik zou daar onderzoek naar kunnen doen, maar jij moet contact opnemen met de politie.'

'Nee.'

'Hij kan dit anderen ook aandoen.'

Ze sprak een verwensing uit. 'Dat is niet mijn probleem. Toen ik hem jaren geleden probeerde aan te geven, negeerde iedereen mij. Het enige wat ik nu nog van belang vind, is dat ik in leven blijf om voor Lori te zorgen.'

'Oké, oké.' Ze nam het formulier van de tafel. 'Er zijn programma's waarin hulp wordt geboden. Lori is te oud voor het hulpprogramma voor moeders met jonge kinderen, maar er zijn andere mogelijkheden die helpen in het voorzien van voedsel en onderdak.'

Cara stak haar hand op. 'Ik begrijp het niet. Is er twijfel of ik Lori mag houden of niet?'

'Wist je dat je dochter heeft gezien dat Kendal drugs gebruikte?'

Cara slikte. 'Ja... dat heeft ze me verteld. Ik heb daar fikse ruzie over gehad met Kendal. Het is geen tweede keer gebeurd.'

'Het hebben van geen vrienden kan beter zijn dan het hebben van slechte.'

'O ja? Ik ben benieuwd hoe jij je voelt als je een maniak achter je aan hebt die iedereen uit je leven wegjaagt.'

De vrouw zuchtte. 'Cara, je hebt een nieuwe start gekregen, en ik zie

geen reden waarom ik jouw dochter bij je weg zou moeten halen.'
Het antwoord waarop ze gehoopt had hing als bevroren in de lucht
en Cara zat doodstil, alsof ze bang was dat het zou verdampen en
verdwijnen als ze bewoog.

De vrouw stond op. 'Ik leg nog een bezoek of twee af. Je moet haar
laten inschrijven bij een school voordat het volgende jaar begint.'

'Is... is dat alles?'

'We zijn klaar voor nu.'

Cara's hart sprong op in haar borst, en het begon te kloppen in een
vreemd en opgewonden ritme dat ze nog nooit eerder had gevoeld.
'Ik heb in de loop van mijn carrière als maatschappelijk werkster
behoorlijk veel gezien en gehoord, en jij bent behoorlijk goed
met slechte omstandigheden omgegaan.' Ze overhandigde de formulieren aan Cara en legde uit hoe ze aanspraak kon maken op
overheidshulp.

'Ik wil geen hulp. Ik wil gewoon met rust gelaten worden.'

'Dat is jouw beslissing. Laat het me weten als je van gedachten
verandert.'

Toen ze naar buiten kwamen, liep Ephraïm naar hen toe. Cara's
ogen ontmoetten de zijne en ze vroeg zich af of hij besefte wat hij
voor haar gedaan had.

Mevrouw Forrester wendde zich tot haar. 'Bedankt, Cara. Ik zou
graag nog een paar minuten alleen met Ephraïm willen spreken.'

Deborah en Anna Mary zeiden Ephraïm gedag en vertrokken. Cara
nam Lori mee naar binnen en hoopte dat Ephraïm met haar zou
komen praten zodra hij kon.

'Heb ik het goed gedaan, mama?'

Ze knielde bij Lori. 'Jij was jij.' Ze beet op haar lip en probeerde
de tranen tegen te houden. 'En dat was helemaal perfect.'

'Komt de politie terug?'

Ze trok het jurkje van haar dochter recht. Na een week lang dag
en nacht hetzelfde te hebben gedragen, zagen haar kleren eruit als
lompen. Het was een lange reis geweest om los te komen van Mike,

maar eindelijk waren ze echt opnieuw begonnen. 'Nee.'

'Hoeven we ons niet meer te verstoppen?'

Cara snakte naar adem en vocht nog harder tegen de tranen. 'Nee lieverd, dat hoeft niet meer.'

Ze sloeg haar armen om Lori heen en de niet te evenaren troost van de omhelzing verwarmde haar.

Ze hoorde voetstappen op de veranda en keek op, zonder zich zorgen te maken dat Ephraïm haar tranen zag.

'Mevrouw Forrester is weg.' Hij opende de hordeur en kwam binnen. 'Ze mag je. Ze zei dat ze wenste dat alle moeders zo vastbesloten waren om voor hun kroost te zorgen als jij.'

Cara lachte. 'Wat kan mij het schelen of ze me aardig vindt of niet?'

Zijn lach verwarmde haar en ze kwam overeind. 'Dat kan je zeker iets schelen, geloof me.'

De puppy jankte en Ephraïm liet hem binnen. Cara voelde zich duizelig worden van de last van jaren die van haar schouders viel. Het verlangen om de kamer rond te dansen kwam in haar op.

Ephraïm leunde tegen het aanrecht. 'Het lijkt me dat dit gevierd moet worden.'

Lori rende naar het midden van de kamer met Voorspoed op haar hielen. 'We gaan dansen! Een, twee, drie.' Ze klapte bij elk liedje in haar handen.

Cara lachte en ging naast haar staan. Voorspoed rende rondjes om hen heen en blafte. Zij en Lori neurieden het liedje *My Girl* en klapten en dansten in het rond, net zoals ze dat vaak deden bij het kleinste beetje goede nieuws dat hun kant op kwam. Ze hieven hun handen omhoog en draaiden rond hun as, het was een traditie die niets kostte en Lori altijd opvrolijkte. Hoe lang dansten en lachten ze al samen? Ze draaiden rond en rond, lachend en gekke bewegingen maken.

Toen de dans was afgelopen gaven ze zichzelf applaus. Maar plotseling dook Lori achter haar weg en Cara keek op. Twee mannen in het zwart stonden naast Ephraïm. Wanneer waren zij binnengekomen? Lori klemde zich met haar hele lichaam vast aan Cara's been. Een man wreef over zijn borst. '*In dei Heemet?*' De man leek ontsteld en zijn stem klonk aarzelend.

De oudere man trok zijn ogen los van Cara. 'Ephraïm,' fluisterde hij hoofdschuddend. '*Kumm raus. Loss uns schwetze.*'

Ephraïm knikte en de twee mannen verlieten het huis.

Hij liep naar Lori. 'Dit is jouw huis totdat we iets beters voor jullie vinden met elektriciteit en een eigen slaapkamer. Niemand gaat daar iets aan veranderen.' Hij legde zijn hand op haar hoofd. 'Geloof je me?'

Lori liet Cara's been los en ze ontspande terwijl ze knikte.

De vreugde van een paar minuten eerder was verdwenen van Cara's gezicht. 'Is alles goed?'

'Ja. Maar ik moet gaan. Ik slaap vannacht in de werkplaats. Ik heb geen tijd om het vuur aan te maken om te koken. Kun je dat zelf?'

'Natuurlijk. Ben je in de problemen?'

'Ik ben niet in de problemen met de Ene Die belangrijk is.'

'Wat?'

'Voor jou was de politie en mevrouw Forrester belangrijk. We hebben allemaal iemand met wie we niet in de problemen willen raken.'

Ze lachte. 'Misschien moet je haar meenemen naar iets heel leuks.'

Een onzekere blik gleed over zijn gezicht. 'O, je denkt dat ik bedoelde...' Hij grinnikte en tikte tegen zijn hoed. 'Welterusten, dames.'

⁂

Deborah vocht nog tegen de tranen toen ze een schone jurk aantrok voor die avond. Zij en Mahlon hadden plannen gemaakt,
maar op dit moment was ze niet in stemming om uit te gaan. Een
gedeelte van haar wilde het liefst in bed kruipen en de dekens over
haar hoofd trekken. Maar ze hoopte dat ze Mahlon van gedachte
kon doen veranderen over zijn vertrek morgen, en ze wilde ook de
gelegenheid niet voorbij laten gaan om in de buurt van Ephraïm
te zijn. Misschien als ze eenmaal wat tijd met hem doorbracht, dat
ze zou kunnen begrijpen waarom hij zoiets schaamteloos en dwaas
had gedaan.

Toen ze buiten mannenstemmen hoorde, liep ze naar het raam. De
bisschop en haar *Daed* stonden op het erf met Ephraïm te praten.
Ze schoof het raam omhoog zodat ze mee kon luisteren.

'Ik begrijp waar het op lijkt,' zei Ephraïm. 'Maar ik heb niets verkeerd gedaan. Het enige wat ik vraag is tijd om haar te helpen om
op eigen benen te staan.'

'Ze is nog erger dan haar moeder,' zei *Daed*. 'Malinda zou zich nooit
zo kleden, of stelen, of haar kind dakloos rondzeulen. Als je geen
afstand neemt van haar, dan zorg je voor afstand tussen jou en God.'

'Zo zit het niet. Ze bevindt zich op een weg die ze niet zelf heeft
gekozen. Het is voor haar gekozen, en ik wil haar van die weg afhel-
pen. En ze heeft geen slechte invloed.' Deborah hoorde de woede
in de stem van haar broer terwijl hij zich verdedigde. Ze kon zich
niet voorstellen dat hij zich liet verleiden door een meisje, maar ze
had zich ook niet kunnen voorstellen dat hij een Engelse vrouw,
deze Cara, had uitgenodigd om in zijn huis te slapen.

'Zagen wij haar dan niet dansen in jouw huis? In die strakke kleding, met teveel onbedekte huid en zelfs haar navel zichtbaar.' De stem van de bisschop bleef kalm toen hij met Ephraïm probeerde te redeneren.

'Ze ziet de zaken niet op de manier waarop wij ze zien. Jullie zien haar wegen als zondig. Zij ziet ze als normaal.'

'Het maakt niet uit hoe zij ze ziet. Verwijder haar uit je leven en uit deze gemeenschap,' voegde *Daed* toe.

Deborah vroeg zich af waarom ze van het meisje af wilden. Ze begreep dat ze haar uit het huis van haar broer weg wilden hebben, of hij nu in de werkplaats sliep of niet. Maar waarom wilden ze haar weg hebben uit Dry Lake?

'Dat kan ik niet doen.'

Deborah voelde haar maag samentrekken.

'Doe dit alsjeblieft niet,' zei de bisschop. 'Als je weigert toe te geven, dan hebben we geen andere keus dan streng op te treden totdat je de weg van de wijsheid verkiest. Uitsluiting is altijd pijnlijk, maar ben ik gedwongen om de grenzen nog strenger te stellen dan normaal?'

Iemand klopte op Deborah's deur. '*Kumm.*'

Anna Mary reikte Deborah's zwarte schort aan. 'Gestreken en klaar om aan te trekken.'

'*Denki.*'

De bisschop stond naast Ephraïm en sprak zachtjes zodat ze hem niet langer kon verstaan.

'Waar kijk je naar?' Anna Mary liep naar het raam.

Deborah voelde zich als een kledingstuk dat door de mangel werd gehaald. Waarom was Ephraïm zo koppig?

Het gezicht van Anna Mary werd asgrauw. 'Weet de bisschop het?'

Deborah deed haar schort voor. Er viel niets te zeggen om dit beter te maken. De schade was toegebracht.

Anna Mary draaide zich langzaam weg van het raam en liet zich op het bed zakken. 'Maak je niet teveel zorgen over Ephraïm. Hij wilde dit meisje helpen, maar ik denk dat hij mij tegelijk wil testen.'

Deborah speldde de schort vast rond haar middel. 'Wat bedoel je?'
'Hij is al die jaren vrijgezel geweest en heeft lange periodes doorgebracht zonder met een meisje te gaan. En nu gaat hij al langer met mij dan iemand anders. We zijn heel erg dicht bij elkaar gekomen. Ik kan zijn stem zelfs vanbinnen horen als hij buiten het dorp werkt.' Ze trok een kussen op haar schoot. 'En nu doet hij dit! Je kunt me niet vertellen dat dat niet vreemd is.'
Terwijl ze piekerde over de conclusie van haar vriendin, trok Deborah haar *Kapp* over haar hoofd. 'Als hij uitgesloten wordt, blijf je dan op hem wachten?'
'Natuurlijk. We mogen hem wel bezoeken, en we kunnen hem avondeten brengen. Samenzang en uitgaan is verboden, maar daar kunnen we wel omheen werken.'
Deborah ging naast haar vriendin zitten. 'Ik hoorde wat de bisschop zei. Ik denk niet dat de gebruikelijke beperkingen worden toegepast.'
'Waarom niet?'
'Omdat Ephraïm weigert Cara uit zijn huis te zetten, of zijn leven te scheiden van het hare. Hij is van plan om te doen wat hij juist vindt.'
Anna Mary's ogen vulden zich met verdriet. 'Er is niemand anders voor mij. Maar het wachten is niet het moeilijkste. De schade aan zijn reputatie, die zal hem nog jaren achtervolgen.'
Deborah pakte haarspelden van het nachtkastje en zette daarmee de *Kapp* vast op haar hoofd. 'Ik word niet goed als ik erover nadenk.'
'Cara is niets anders dan een onrust stokende niemendal... een... een slet.' Anna Mary gooide het kussen op bed. 'Hij had medelijden met haar en wilde helpen. Ik word gek van het idee dat mensen daar anders over denken.'
Geschrokken van de hardvochtige kijk die haar vriendin had op Cara, liep Deborah naar het raam. Het erf was leeg, het gesprek voorbij. Ephraïm en Mahlon zaten waarschijnlijk beneden op hen te wachten. 'Geëxcommuniceerd.' Ze walgde van de smaak die dat

woord in haar mond achterliet. 'Ephraïm doet dit. Mahlon gaat ervandoor omdat hij daar zin in heeft. Waarom moeten mannen soms zo eigenzinnig zijn?'

Anna Mary deed de slaapkamerdeur open. 'Ik heb geen idee. En dan zeggen ze dat vrouwen moeilijk te begrijpen zijn.' Ze haalde haar schouders op. 'Misschien dat de bisschop uiteindelijk toch niet zo streng zal zijn.'

'Misschien.' Maar na wat Deborah de bisschop tegen Ephraïm had horen zeggen, gaf ze dat weinig kans.

Toen ze de woonkamer inliepen om Mahlon en Ephraïm op te zoeken, ving ze een glimp op van een beweging in de ouderlijke slaapkamer. 'Ik kom eraan.'

Ze liep naar de deuropening. Haar vader zat op de rand van het bed, zijn ellebogen op zijn knieën en zijn hoofd in zijn handen. Naast hem stond Becca met haar rug naar de deur. 'Mag hij niet meer in de werkplaats komen om te werken? Dat is nooit eerder onderdeel geweest van een uitsluiting. Zal de zaak het overleven zonder Ephraïm?'

'Daar staat mijn hoofd op dit moment niet naar.'

'Die winkel zorgt ervoor dat onze kinderen te eten hebben.'

Deborah klopte op de deur. '*Daed*?'

'Deborah.' Hij stond op en wreef in zijn ogen. 'Je ziet er mooi uit, als een jonge vrouw die klaar is voor haar geliefde.'

Ze knikte. 'Gaat het goed met u?'

'Ja. Een beetje van streek, dat is alles.'

'Je broer...' Becca barstte in tranen uit. 'Al die kinderen die nog moeten opgroeien, en dan de oudste die al jarenlang een man van geloof is, die begint nu te wankelen?'

'Hij wankelt niet.' Deborah slikte haar tranen weg. 'Hij wankelt niet. Hij gaat in tegen de Ordnung, maar hij neemt de straf op zich om weer een gerespecteerd lid te worden. Ik weet dat hij dat zal doen.'

Haar *Daed* streek met zijn hand over haar wang. 'Natuurlijk doet hij dat. Goed, wat wilde je komen vragen?'

'Ik was op zoek naar Ephraïm en Mahlon.'

'Ze zijn naar de werkplaats gegaan. Je broer moet Mahlon een heleboel leren tussen nu en zondag.'

Ze kon niet geloven dat de procedure van uitsluiting zo snel in gang zou worden gezet. 'Zondag?'

Daed knikte. 'De afkondiging vindt plaats in de kerk.'

Haar hart zat in haar keel. 'Waarom zo snel?'

'De situatie met Cara is erger dan Ephraïm zei.'

De pijn die zich in haar borst aandiende was vertrouwd, alsof ze opnieuw een familielid verloor. 'O, *Daed*.'

'Het komt wel goed, Deborah. Gewoon een kleine storm. Daar komen we wel doorheen.'

Maar ze wist dat hij daar niet echt in geloofde. Ze zag het in zijn ogen en hoorde het in zijn stem. 'Ik heb vanavond afgesproken met Ephraïm, Mahlon en Anna Mary. Ik praat met hem. Goed, *Daed*?'

Hij glimlachte met waterige ogen. 'Natuurlijk. Doe wat je kunt.' Hij wreef over zijn borst. 'Ik... ik denk dat ik even ga liggen.'

Deborah hielp hem in bed en kuste hem op zijn wang. 'Neemt u het alstublieft niet te zwaar op. Hij doet dit omdat hij een goed mens is, niet uit zonde.'

Daed klopt haar op de hand. 'Ik hoop dat je gelijk hebt.'

Ze vertrok, erop gebrand om haar broer redelijkheid in te praten.

❧

Ephraïm stond bij zijn bureau en probeerde de onbekende zaken van het bedrijf uit te leggen aan Mahlon: de boekhouding, het bestellen van gereedschap, hout en verschillende materialen bij de verfwinkel vandaan. Voor hen lag een kalender met kleurcodes waarin de dagelijkse taken en de langetermijndoelen genoteerd stonden. Alles had te maken met de meubelmakerij, inclusief de klantenservice.

Mahlon stak zijn handen in zijn zakken. 'Ik dacht dat jouw wortels en je respect voor de Oude Gebruiken dieper gingen dan dit.'

Ephraïm gooide zijn pen op de takenlijst. 'Hoor je ook maar iets van wat ik vertel over de werkplaats en de winkel?'

'Ik kan dat allemaal niet leren voor zondag. Jij bent de eigenaar. Grey is de voorman. Ik bouw gewoon kasten en doe wat mij wordt opgedragen.'

Het net van de aanstaande verbanning begon zich steeds strakker rondom Ephraïm te sluiten en hij bleef zich afvragen hoe zijn familie en zijn zaak het zouden redden zonder hem. Hij liep naar een dossierkast en begon te zoeken naar documenten die Grey en Mahlon konden helpen tijdens zijn afwezigheid. Hij verwachtte geëxcommuniceerd te worden, maar hij had niet gedacht dat de bisschop zulke strikte maatregelen zou nemen.

Uitsluiting was al een zeldzaamheid. Als de bisschop echt dacht dat het noodzakelijk was, dan ging een straf gepaard met een paar pijnlijke restricties. Mensen mochten niets van hem aannemen, maar ze konden wel dingen aan hem geven, ze werden zelfs aangemoedigd dat te doen, om zo liefde te laten zien. Het was hem niet toegestaan om met anderen aan tafel te zitten tijdens de maaltijd. Maar hij kende zijn familie; die zouden gewoon niet aan tafel eten. In plaats daarvan deelden ze hun maaltijd wel in de woonkamer of buiten, in tuinstoelen, en op die manier kon Ephraïm zich bij hen voegen. Onder de ban zouden de gesprekken in het begin vreemd zijn, maar hij en zijn familie en vrienden zouden hun weg wel vinden in dat ongemak. Bij een normale uitsluiting zou het hem zijn toegestaan om zijn werk te doen, zelfs al mocht hij niets geven aan iemand die Amish was en mocht hij zelfs niet samen een kast dragen.

Het was typerend voor uitsluiting dat de schaamte het ergste was, en het feit dat iemand niet kon blijven voor de maaltijd na de kerk, en ook geen samenkomsten of samenzang mocht bezoeken.

Maar deze uitsluiting?

Wees zoals Ik voor haar. De frase keerde terug en haalde hem uit zijn egoïstische gedachten.

Met verschillende documenten in zijn hand, draaide hij zich om naar Mahlon. 'Er moeten rekeningen betaald worden voor het huishouden van *Daed* en de werkplaats.' Hij legde de informatie op het bureau. 'Grey heeft je hulp nodig, en je moet het proberen. Je hebt gezegd dat je volgende week blijft, in plaats van op reis te gaan. Maar blijf je totdat ik niet meer ben uitgesloten?'

'Waarom laat je dit allemaal gebeuren voor een buitenstaander? Ik zou het kunnen begrijpen als je eigen hart je ingeeft dat je uit de Ordnung zou moeten stappen, maar voor een vreemdelinge die zomaar voorbijkomt?'

Het ontging Ephraïm niet dat Mahlon zijn vraag niet had beantwoord. 'Ze verscheen en had hulp nodig. Ik kon niet zeggen: kun je misschien volgend jaar terugkomen als mijn *Daed* beter is en Mahlon zijn zaken op een rijtje heeft?'

'Mijn zaken op een rijtje?' mompelde Mahlon. 'Probeer de volgende keer wat directer te zijn.' Hij boog zich naar voren. 'Wie is ze?'

'Iemand die de prijs betaalt voor keuzes die haar ouders maakten – precies waar onze kerkleiders ons altijd voor waarschuwden toen we opgroeiden.'

'Heeft ze Amish-wortels?'

Ephraïm knikte. 'Ze weet het zelf niet. Ze denkt dat haar moeder bevriend was met Amish.'

'Als haar leven een voorbeeld is voor wat er gebeurt als je familie de kerk verlaat, dan klamp ik me er uit alle macht aan vast.'

'Men zou hopen dat je vasthoudt aan de Oude Gebruiken omdat je in ze gelooft.'

'Jij bevindt je bepaald niet in de positie om mij de les te lezen.'

Ephraïm veranderde van onderwerp. 'Ik heb er een hekel aan om Grey thuis te storen, maar ik denk dat we vanavond bij hem langs moeten gaan om hem voor te bereiden op wat er volgende week gaat gebeuren. Dan zal het maandag wat makkelijker verlopen. Als je iets moet weten, kun je het Grey vragen. Maar hij zal wel van je nodig hebben dat je jouw aandeel levert plus iets extra.'

De deur van de werkplaats ging open en Deborah en Anna Mary kwamen binnen. De ogen van Anna Mary stonden bezorgd. 'Is het waar? Vanaf zondag?'

Hij liep naar haar toe en nam haar in zijn armen. Ze was goed omgegaan met het nieuws dat Cara in zijn huis verbleef. Maar om te horen dat de uitsluiting vaststond en al zo snel zou beginnen, dat was teveel voor haar. Hij vond het vreselijk, maar hij moest haar waarschuwen voor de zwaarte van zijn uitsluiting vanaf zondag, en dat het haar zelfs nauwelijks zou zijn toegestaan om zijn bestaan te erkennen totdat de ban zou worden opgeheven.

Mahlon ging naar Deborah en fluisterde haar iets toe, waarna ze knikte. Er lag zoveel op Mahlons schouders de komende weken of maanden. Ephraïm hoopte maar dat hij het aankon.

VIJFENTWINTIG

Het gekletter van de regen op de dakpannen kwam Ephraïms droom binnen en hij werd wakker. Het cement onder zijn stromatras en de pijn in zijn lijf verzekerde hem ervan dat hij te oud was om op de vloer te slapen. De droom waarin God door een dek van dikke wolken en sterke wind riep naar Cara, begon te vervagen. Hoe vaak had hij 's nachts al gedroomd dat God haar riep? En hoe vaak had zij naar Hem gespuugd en was ze weggelopen?

Hij zuchtte. Op dit moment geloofde Cara niet eens in God, dus ze spuugde niet naar Hem. Misschien was het maar een droom – misschien waren het zijn eigen angsten en geen vaag voorgevoel. Hij kwam overeind en wachtte tot de energie in zijn lichaam terugkeerde. Na vandaag had hij geen baan en geen banden met vrienden en familie. Hij miste zijn leven nu al. De werkplaats aansturen, honkbal, volleybal, gezamenlijke maaltijden, samenzang, familie – dat alles was een deel van wie hij was.

Tijdens de dienst zouden de voorgangers zijn daden in contrast brengen met de wijsheid van het Woord. De bisschop zou zijn beslissing uitleggen en vervolgens zijn oordeel uitspreken en Ephraïms leven zou onmiddellijk zeer stil worden.

Een kop koffie en een douche zou hem nu heel goed doen. In plaats daarvan waste hij zich bij de vuile wastafel in zijn kantoor. Hij wilde voorkomen dat hij Cara vanmorgen tegen het lijf liep. Hij wilde niet dat ze lucht kreeg van wat er stond te gebeuren. Ze had al meer dan genoeg aan haar hoofd zonder dat hij daar een schuldgevoel aan toevoegde.

Ze had er recht op om te weten wie ze was en dat ze hier in Dry Lake bloedverwanten had. En hij was van plan dat aan haar te vertellen als de tijd daar rijp voor was, maar eerst moest de gemeenschap meer open en mild naar haar worden. Dat werden ze wel, met-tertijd. Maar op dit moment duizelden ze nog van het nieuws dat de dronken dievegge voor wie Ephraïms vader had gewaarschuwd, een nacht met Ephraïm had doorgebracht in zijn huis. Ze zouden veronderstellen dat ze de dochter van haar moeder was en van haar af willen. Hij had geprobeerd om aan zowel zijn *Daed* als aan de bisschop uit te leggen wat Cara's goede kanten waren, en waarom ze een tweede kans verdiende, maar ze vonden niet dat ze op zijn oordeel konden vertrouwen. Een enkeling geloofde hem: Deborah, Mahlon, Anna Mary, en een paar vrienden, maar verder niemand. Nog niet. Maar dat kwam wel. Het waren goede mensen. Zelfs de uitsluiting was bedoeld uit liefde en een verlangen om Ephraïm terecht te wijzen, niet uit wrok of boosheid. Maar ze lieten toe dat angst hun raadgever was. De gebeurtenissen uit de tijd dat Malinda Dry Lake verliet, kende hij slechts als geruchten want zelf lag hij nog in de luiers. Maar wat hij gehoord had, was heftig genoeg.

Wat hem van alles nog het meest beangstigende, was dat als Cara onmiddellijk uit Dry Lake had willen vertrekken, hij eigenlijk niet wilde dat ze ging. Ze had iets, iets dat zowel sterk en fascinerend was als kwetsbaar en koud. Hij had nog nooit zoiets gezien bij een ander mens. Geen wonder dat God naar haar riep.

Omdat Ephraïm geen datum had genoemd waarop Cara zijn huis uit zou zijn, had de bisschop geweigerd om een datum vast te stel-len waarop de uitsluiting ten einde kwam. Vandaag begon dus een onduidelijke reis zonder vastgesteld einde. Hij mocht nog wel naar de kerk, en dat zou hij ook doen.

Hij ademde langzaam in en probeerde de zwaarte van de werkelijk-heid van zich af te zetten.

Nadat hij zich geschoren had en zich zo goed mogelijk had gewas-sen bij de vuile wastafel, trok hij zijn zondagse kleren aan en liep de werkplaats in. Alle houtbewerkingsmaterialen waren naar de zijkant geschoven en de kerkbanken stonden opgesteld voor de samenkomst: de mannen aan de rechterkant, de vrouwen links, elkaar met de kansel in het midden. Binnen een uur zouden de mensen aankomen. Hoewel de bisschop vandaag gepland stond bij een andere kerk, was hij toch hierheen gekomen. Om zorgvuldig en zachtmoedig de uitsluiting van Ephraïm af te kondigen.

Hij verafschuwde de uren die voor hem lagen en voelde zich eenzamer en meer gespannen dan ooit. Hij ging in een van de kerkbanken zitten. 'God?' Hij fluisterde het woord en hoopte dat hij wist wat hij moest vragen. Duizenden herinneringen aan het opgroeien in deze gemeenschap overspoelden hem. Hoewel hij een tijdje was weggeweest voordat hij officieel was toegetreden tot het geloof, had hij nooit iemand pijn gedaan – niet op de manier waarop hij dat nu deed. Hij was nauwelijks twintig en geen lid toen hij naar New York vertrok. Nu was hij een man, en hij had de keus om het geloof aan te hangen al lang geleden gemaakt. Wat deed hij dan nu in deze warboel?

De aroma van koffie dreef door de lucht en hij keek op.

Zijn vader ging op de bank naast hem zitten en reikte hem een mok koffie aan. 'Heb je weer hier geslapen?'

Ephraïm nam de mok aan. 'Ja.'

'Wat ben je aan het doen, zoon?'

Hij nam een slokje van zijn koffie en genoot ervan dat zijn vader precies wist hoeveel suiker en melk hij erin moest doen. 'Ik weet het niet, *Daed*. Het goede, hoop ik.'

Niemand wilde dat hij uitgesloten zou worden, de bisschop niet en de voorgangers, vrienden en familie ook niet, maar zonder tucht en het elkaar verantwoordelijk houden voor het volgen van de Ordnung, zou hun geloof al lang geleden verwaaid zijn.

Vanwege Ephraïms weigering om te gehoorzamen aan de tucht, zoals de bisschop het noemde, zou het hem niet zijn toegestaan om te werken of bezoekers te ontvangen in zijn huis, en hij mocht niet aangesproken worden totdat de bisschop de tuchtmaatregelen versoepelde.

In plaats dat hij altijd wilde toegeven aan de Ordnung, voelde hij zich er nu mee in conflict. Maar als dat nodig was om op z'n minst een aan flarden gescheurd en vervaagd beeld van God te laten zien aan Cara en Lori, dan moest het maar zo.

'Je zei dat ze de zaken niet zo ziet als wij. Maar is ze in elk geval een gelovige?'

Hij schudde zijn hoofd.

'Wat zij gelooft kan de kracht hebben om jou weg te drijven van de enige ware God.'

Ephraïm staarde naar de karamelkleurige vloeistof in zijn kopje en zocht naar woorden. Zelfs als hij er dagen over deed om alles aan zijn *Daed* uit te leggen, dan nog zou hij het niet begrijpen. Hij zou hem alleen maar waarschuwen met de Schriften en gaan zitten kniezen over Ephraïms afwijkende mening. Het Woord gebruiken als bron voor discussie... Ruziën zou niets oplossen en alleen maar meer afstand tussen hen scheppen.

Ephraïm vouwde zijn handen om de mok. 'Waarom ging Cara's moeder weg?'

'Malinda was verloofd met een van de onzen. Hij was naar Ohio gegaan om tijdens de zomer te werken voor zijn oom. Haar vader had elke zomer Engelsen in dienst om te helpen met de oogst. Die zomer, voor het trouwseizoen, werd ze verliefd op een van hen. De Amish man met wie ze verloofd was, had er geen idee van dat ze op een ander viel. Een paar weken voor het huwelijk ging ze ervandoor met die Engelse. Malinda's verloofde zei dat ze zwanger was geraakt van die Engelse en dat ze geen keus had. Je moeder heeft dat nooit geloofd. Maar ik denk dat het waar was, want ze kwam nooit meer terug – totdat ze jaren later bang was dat haar dronken echtgenoot Cara iets aan zou doen.'

Ze zaten in stilte en keken naar de regen. Toen het geluid van paard en wagens en onderdrukte stemmen de werkplaats binnendrong, begreep Ephraïm dat hij nog maar even met zijn *Daed* kon praten.

'Ik weet niet wat er allemaal gebeurd is met Malinda, maar Cara is opgegroeid in de pleegzorg, en haar leven is een nachtmerrie. Ik voel dat God haar roept. Misschien dat ik het verkeerd zie, maar ik denk dat Hij me gevraagd heeft om Hem aan haar te laten zien. Dat is alles wat ik wil doen.'

Zijn vader keek in zijn ogen. 'Ik geloof dat het meeste van wat je zegt de waarheid is.'

'Het meeste?'

Hij trok een wenkbrauw op. 'Is dat álles wat je wilt?'

Niet in staat om zijn *Daed* in de ogen te blijven kijken, wendde Ephraïm zich af en keek naar buiten door de brede deuropening van de werkplaats.

'Ik heb gezien hoe je naar haar kijkt, zoon. Ze trekt je aan op een manier die je niet kunt weerstaan. En ze zal je breken op een manier die niemand kan repareren.'

Zijn stem trilde.

Anna Mary kwam de werkplaats binnen. Ze zag bleek. De huid rond haar ogen was opgezet, alsof ze uren had gehuild.

Daed schudde zijn hoofd. 'Zelfs zij zal niet in staat zijn om te repareren wat Cara jou aandoet.'

Een angstgevoel bekroop Ephraïm. Misleidde hij zichzelf door te denken dat God dit van hem wilde? Waren het zijn eigen verborgen motieven die hem hiertoe aanzetten?

Onzeker of hij naar Anna Mary moest gaan of niet, bleef hij zitten. Ze nam plaats aan de vrouwenkant. Een voor een arriveerden de gezinnen en namen zwijgend plaats op volgorde van leeftijd en geslacht. Gisteren, voor zonsondergang, had het nieuws dat vandaag bekend werd gemaakt zich verspreid over de gemeenschap.

De dienst begon als elke andere. Al snel waren de liederen afgelopen en stond de eerste voorganger op om zijn boodschap mee te delen. Ephraïms vader volgde. De geur van voedsel dreef op de lucht en hij wist dat Cara een vuur had gemaakt en iets aan het klaarmaken was. De ogen van Anna Mary schoten zijn kant op. Zij wist het ook. Ondanks de realiteit, schonk ze hem een begripvol lachje. Hij kon alleen maar hopen dat ze die tolerante geest bleef behouden gedurende deze beproeving.

Met de vrouwenbanken recht tegenover de mannen, bleven de ogen van hem en Anna Mary elkaar vinden. De drie voorgangers, inclusief Ephraïms vader, spraken om de beurt, elk bijna een uur. Kinderen gingen naar het toilet en kwamen weer terug. Moeders die hun kinderen moesten voeden, liepen naar een grote opslagruimte aan de achterkant van de werkplaats, waar ook stoelen stonden opgesteld, en ze keerden terug met slapende baby's op de arm.

De bisschop kwam voor de gemeente staan en sprak in hun eigen taal: dat de Amish het zich niet konden permitteren om de kinderen van degenen die de kerk hadden verlaten zomaar weer naar binnen te laten huppelen, zodat de dopelingen de Ordnung zouden veronachtzamen.

Hij stak een Duitse Bijbel omhoog. 'De Schrift zegt dat het een man goed is geen vrouw aan te raken en u te onthouden van alle schijn des kwaads. Hoe kan een man dan zijn huis delen – een huis met één slaapkamer – met een vrouw, zelfs voor één nacht, en daarbij beschouwd worden als onderworpen aan de Ordnung? Waar het hart is, daar volgt het vlees.'

Hij legde de Bijbel neer. 'Ephraïm vertelt ons dat zijn hart niet bij deze vrouw is en dat zijn vlees niets anders volgt dan God. Maar ik denk dat hij zichzelf bedriegt. Ik denk niet dat hij de zonde van ontucht heeft gepleegd. Nog niet. Maar zelfs dan, kunnen wij deze daad van rebellie tolereren? Tenzij we duidelijke grenzen trekken, en degenen die zich onderwerpen aan het gezag van de kerk binnen die grenzen blijven, zijn onze maatstaven van betrouwbaarheid niet beter dan die van de wereld. We hebben geen andere keuze dan de tucht aan te bieden, in liefde, in de hoop,' hij keek Ephraïm nu voor de eerste keer aan, 'in de buitengewone hoop dat hij ervoor kiest om zijn eigen wegen te beëindigen en de wegen van zijn volk te bewandelen. De wegen van de Ordnung.'

'Voorspoed, kom terug.' Lori's stem kwam door de open deur naar binnen en weerkaatste in de ruimte. De bisschop ging verder alsof hij haar niet gehoord had, maar alle ogen waren naar buiten gericht. 'Voorspoed!'

De puppy rende de werkplaats binnen, onmiddellijk gevolgd door Lori.

'Lori Moore.' Cara kwam de hoek om, ze droeg een spijkerbroek en een strak shirt dat een paar centimeter van haar buik bloot liet. Ze kwam abrupt tot stilstand, de schrik stond duidelijk in haar ogen te lezen. 'Lori.' Ze fluisterde en gebaarde haar dochter om uit het gebouw te komen.

Alle ogen waren op Cara gericht. Welke bloedverwanten ze ook had in Dry Lake, degenen die wisten, of binnenkort te weten kwamen wie ze was, zouden niet snel de schok en belediging vergeten van deze aanstootgevende kleding. Nog wel op Amish terrein, tijdens een kerkdienst.

Lori wees naar Ephraïm. Cara schudde haar hoofd, maar het meisje liep recht naar hem toe en kwam naast hem zitten. 'Ik mocht van mama niet van het erf af. Ze zal heel boos op me worden. Mag ik hier blijven?' Ze fluisterde en wierp ondertussen een blik op haar moeder.

Hij zag stukjes van Cara in haar. Slim. Vastberaden. Opstandig. En alarmerend doortrapt.

Cara keek hem even onderzoekend aan, en hij knikte. Lori dacht waarschijnlijk dat ze had gewonnen, maar de blik in Cara's ogen zei dat haar dochter flink in de problemen zat. Het minst verstorend voor de voortgang was het om Lori nu te laten blijven. Bovendien, hoe verkeerd kon het zijn voor een vaderloos kind om bij een man te gaan zitten – om de troost van zijn nabijheid te ervaren, op de manier waarop hij dat zelf had ervaren als kind bij zijn eigen *Daed*? Gelukkig was wat de bisschop verder nog te zeggen had over de uitsluiting, allemaal in Hoogduits of Pennsylvaans. Lori zou er geen woord van verstaan.

Cara vertrok en Lori klom bij hem op schoot. Haar koude huid herinnerde hem eraan dat ze niet eens een trui had voor de warmere lentedagen, alleen een volwassen maat joggingjasje dat tot op de grond hing. De vochtigheid van de vroege regen kleefde aan haar en hij sloeg de zijkanten van zijn zwarte jas om haar heen. Al snel stopte het rillen.

Tegen de tijd dat de bisschop eraan toe was om de overtredingen van Ephraïm samen te vatten, zat Lori ontspannen en vredig in zijn armen en lag de hond aan hun voeten. Het was niet het beeld dat de goedkeuring had van iemand in deze ruimte. Maar terwijl de bisschop alles uitlegde aan de gemeenschap, ervoer Ephraïm de aanwezigheid van Lori als troostend. Zijn district draaide hem de rug toe, maar hij zou Cara en Lori niet de rug toedraaien.

De bisschop vroeg Ephraïm te gaan staan. Hij schoof Lori naar zijn linkerarm en stond op. Ze keek toe met grote ogen, maar probeerde zich niet los te wurmen. Als ze nooit eerder in een kerk was geweest, dan dacht ze niet al teveel na over wat er precies aan de hand was. De bisschop gebaarde naar hem, en vanuit hun zitplaatsen keek de gemeente zijn kant op. Iedereen leek hem aan te staren in een mengeling van verdriet en verwarring.

'Tot nadere aankondiging zullen jullie niet met hem spreken of zaken met hem doen. Ik wil u aanmoedigen om hem te schrijven, om Ephraïm eraan te herinneren wie hij voor u is en om te vertellen over de roeping die God in zijn leven heeft geplaatst. Vertel hem hoeveel jullie hem missen, en deel Gods wijsheid op een manier die u van toepassing acht, maar het is niet toegestaan hem te bezoeken totdat hij de vrouw uit zijn huis verwijdert. Begrijpt en onderschrijft iedereen deze maatregel?'

'Ja.'

De klank van hun meerstemmige antwoord weerkaatste in zijn oren. Hij wierp een blik op zijn familieleden die de tranen in hun ogen hadden. De aangeslagen uitdrukking op Anna Mary's gezicht baarde hem zorgen, en hij hoopte dat ze de kracht had om de geruchten te verdragen die ongetwijfeld vanaf vandaag zouden circuleren.

'Als daad van gehoorzaamheid waarmee we hem ertoe willen aanzetten om de leringen van onze voorvaderen in ere te houden, beginnen we deze reis met groot verdriet, en wij zullen hem dagelijks in onze gebeden gedenken.'

Ephraïm bleef staan terwijl de bisschop bad. Nadat hij 'amen' had gezegd, werd hij diep in zijn ziel geraakt door het schuifelende geluid van geliefde mensen die zonder een woord te zeggen vertrokken.

Anna Mary huilde zachtjes en verroerde zich niet, totdat haar moeder een arm om haar schouder sloeg en haar het gebouw uit leidde.

Lori keek naar de mensen die achter elkaar vertrokken in ijzige stilte. 'Wat zijn ze aan het doen?'

'De dienst is afgelopen,' fluisterde Ephraïm.

Toen de ruimte leeg was, bleef hij zitten. Lori leunde met haar rug tegen zijn borst en vroeg niets.

Het was afgelopen.

En toch was dit het begin.

Zijn hoofd bonsde luider dan zijn hart, maar hij kreeg zich weer onder controle voordat hij naar huis liep.

Toen hij binnenkwam, hoorde hij Cara in de voorraadkamer. 'Lori Moore, ben jij dat?'

De ogen van het meisje werden groot.

Cara verscheen in de deuropening. Ze schudde haar vinger naar haar dochter. 'Wat heb ik je gezegd...'

Ephraïm stak zijn hand op. Hij had genoeg strijd gezien voor een dag. 'Niet doen. Niet nu.'

Cara keek naar hem op, klaar om de confrontatie aan te gaan. Maar opeens flitste het begrip in haar ogen. 'Gaat het goed?'

'Ja.' Hij zette Lori op haar voeten. 'En jij moet je moeder gehoorzamen als ze je iets zegt.'

Hij praatte zacht, maar Lori's ogen vulden zich met tranen. Zijn eigen emoties beukten op hem in als de golven van een stormachtige zee en hij was nog nooit zo moe geweest. Hij vroeg zich af hoe Cara zich al die jaren had weten te redden. Ze trok van het ene verlies naar het andere, altijd in gevecht om te overleven, altijd geconfronteerd met mensen die haar de rug toekeerden, en toch deed ze wat er gedaan moest worden, zonder op te geven.

De puppy stond keffend voor de deur.

Een begripvolle glimlach verscheen op Cara's lippen. 'Voorspoed blaft dat hij naar binnen wil. Ik denk dat jij degene bent die de deur moet opendoen.'

Ze kon niet weten wat er gaande was tussen hem en zijn gemeenschap, maar ze voelde zijn spanning aan. Hij haalde opgelucht adem. Als zij het kon doorstaan om telkens weer alles te verliezen, dan kon hij heus wel de beproeving aan om gedurende een seizoen uitgesloten te zijn, zonder dat hij er iets aan overhield.

Hij liet de hond binnen. Vervolgens stapte hij naar de deuropening van de voorraadkamer. Ze had die volledig schoongemaakt. 'Sjonge jonge!'

'Tja, zo ben ik,' plaagde ze en daarna wees ze op een stapel dozen die langs de muur stond. 'Die moet je nog uitzoeken want het meeste lijkt rommel. De rest heb ik gesorteerd en per doos voorzien van een etiket.'

Hij snuffelde in de dozen die volgens haar rommel bevatten. Oude schoenen, verroeste lampen en kapotte spullen. 'Hé, dit is absoluut geen afval.'

Ze haalde haar schouders op. 'Melk je nog steeds koeien?'

Hij lachte en voor het eerst in dagen voelde hij de spanning afnemen. 'Dit heeft niks te maken met de opslag van verse melk. Hoewel ik me kan voorstellen waarom je dat denkt.' Hij hield een zilveren cilinder omhoog. 'Dit is een ijsmachine, eentje die je met de hand moet aanslingeren.'

'Is dat zo? Wanneer heb je die voor het laatst gebruikt?'

'O nee. We gaan deze kamer niet opruimen op basis van het vrouwelijke gezichtspunt. Het zijn mijn spullen en het blijft als ik dat zeg.'

'Ik begin te begrijpen waarom je nog altijd vrijgezel bent. Weet je, vrouwen moeten niets hebben van een houding die zegt: het gebeurt zoals ik het wil en anders is daar het gat van de deur.' Ze zette een afgesloten doos op een plank. 'Maken mensen werkelijk zelf softijs? Of is dat een van die dingen die je gekocht hebt naar aanleiding van een televisiereclame – en die eigenlijk niet echt werken.'

'IJsmachines werken. En hoe denk je dat een Amish iets koopt van de televisie?'

Ze haalde haar schouders op. 'Ik weet het niet. Bestaan er televisies die lopen op gas, vuur of kerosine?'

Hij keek haar geamuseerd aan. 'Ik zal alle ingrediënten verzamelen en wat maken. Dan zul je het zelf zien.'

'Softijs, handgemaakt door een man die denkt dat een fornuis bestaat uit een vuurtje in een holte? Als ik mag kijken en niet hoef te proeven, dan vind ik het best.' Haar goudbruine ogen ontmoetten de zijne en vroegen hem van de dag te genieten en de loden last die hij droeg te vergeten.

Hij verlangde ernaar om door te dringen tot de verborgen kamers van haar hart en wat hij daar ontdekte mee te nemen naar zijn eigen hart. De emoties veroorzaakten gevoelens die hij niet zou moeten hebben. Hij hoopte dat zijn motieven om haar te helpen zo puur waren als hij dacht. Zo was het wel begonnen. Hij moest zich laten drijven door godvrezendheid en nergens anders door. Anders zouden de enorme zorgen van iedereen terecht blijken.

En hij zou een dwaas zijn.

֎

ZESENTWINTIG

Cara goot het merendeel van haar ontbijt in een kom en zette het opzij. Ze wilde het later naar de moederhond brengen. Lori lag uitgestrekt op de vloer van de woonkamer te lezen en te spelen met Voorspoed.

Ephraïm was nergens te bekennen. Hij verscheen elke ochtend op tijd om hen naar het werk te rijden en elke avond om ze weer op te halen bij Howard en thuis te brengen, en in de tussentijd hield hij zich verborgen. Er waren nu vier dagen voorbij sinds die noodlottige kerkdienst, en behalve gisteravond dankzij Lori, had hij geen enkele keer met hen gegeten.

Hij had een fijn huis met voldoende voedsel, maar ondanks zijn woorden wist ze dat ze niet langer welkom waren. Sinds de zondag dat ze per ongeluk de kerkdienst had onderbroken, voelde ze dat hij zich terugtrok.

Wanneer Ephraïm haar van en naar het werk bracht, zag ze andere mensen op hun wagens, en zij zagen haar. Maar het vriendelijkste gebaar dat Ephraïm en zij ontvingen, was een knikje. Als de geur van de muffe schuur die aan haar kleren kleefde, zo droeg ze elke dag de geur van hun afkeer.

Als de anderen zo over haar dachten, kon zij ze gemakkelijk negeren. Maar op Ephraïm had het oordeel van zijn familie en vrienden een veel grotere uitwerking. Het was duidelijk dat haar vriendschap met hem uitdoofde. Ze verlangde naar een eigen plek, voordat ook hij haar zou afwijzen.

Het deed haar verdriet, omdat ze wist dat ze goede vrienden zouden kunnen zijn, als de omstandigheden anders waren. Vriendschappen waren net als voedsel: iedereen had zijn eigen smaak, voorkeur voor textuur en voedingsstoffen. Zij en Kendal waren een goedkoop toetje waar je niet teveel van moest eten, en op z'n best was het nog maar middelmatig. Maar de vriendschap met Ephraïm had voor haar de waarde van voedsel in tijden van hongersnood.

Nadat ze de keukentafel had afgenomen met een doekje en haar handen had gedroogd, ging ze de slaapkamer in. Ze trok haar spijkerbroek en shirt uit en de blauwgroene jurk aan die ze steeds meer begon te verafschuwen. De vieze kleren propte ze in de boekentas met het idee ze vandaag bij Howard te wassen. Omdat ze steeds dezelfde kleren droegen als waarmee ze uit New York waren vertrokken, versleten ze snel. Maar haar spijkerbroek zat daardoor wel lekkerder. Komend weekend wilde ze met Lori de stad in om nieuwe kleren voor haar te kopen.

Ephraïm klopte aan en Voorspoed begon te keffen. 'Zijn de dames klaar?'

Cara zwaaide de rugtas over haar schouder en haastte zich de slaapkamer uit. 'Ja hoor.' Ze pakte de kom met eten. 'Kunnen we even stoppen bij de schuur?'

Ephraïm keek van de kom in haar handen naar haar gezicht.

Cara wenkte Lori dat ze door moest lopen naar de wagen. Ephraïm wendde zijn ogen niet af toen ze voor hem langsliep. 'Wat?'

'Heb je zelf ook iets gegeten, of geef je alles aan dat mormel?' Hij pakte Voorspoed op en sloot de deur achter hen.

'Ik had genoeg.'

Ze klommen in de wagen en hij en Lori begonnen te praten over het boek dat ze aan het lezen was. Toen hij in de buurt van de schuur het paard langzamer liet lopen, zei hij: 'Vanaf nu geef ik de hond te eten. Wat je kookt, moet je opeten.'

Ze voelde zich woedend worden en greep haar rugtas, graaide er geld uit en smeet dat op zijn schoot. 'Hier, dekt dat de kosten?'

Zonder hem een blik waardig te keuren stapte ze uit en liep ze de schuur in. De moederhond kwispelde. Cara knielde neer en riep haar terwijl ze het folie van de kom afhaalde. 'Ik heb roerei voor je gemaakt.'

Tegen de tijd dat de hond klaar was, ging de schuurdeur knarsend open.

Ephraïm doemde op in de deuropening. 'Ik wil je geld niet, ik wil dat je eet.'

Ze stond op en realiseerde zich hoe klein ze met haar een meter zestig was ten opzichte van hem. 'Je hebt nogal controleproblemen, of niet?'

'Ik ben bezorgd, dat is mijn probleem.' Hij nam haar hand en vouwde zijn duim en wijsvinger rondom haar pols. 'Je verliest gewicht.'

Ze rukte zich los. 'Je hebt er geen idee van welke maat ik had in New York.'

'Hoe goed paste je spijkerbroek in New York?'

'Wat?'

'Als je de mode van de Engelsen volgt, dan zou ik zeggen dat het nauwsluitend was. Nu is het bijna een maat te groot. Eet, Cara. Oké? Ik voer die stomme hond wel.'

Ze knikte en vroeg zich intussen af of dat wat hij zei en dat wat ze hoorde hetzelfde was. Toen ze hem voor het eerst ontmoette, had hij zo bazig en hooghartig geleken, dus misschien lag het aan de manier waarop ze zelf luisterde.

'Ze is niet stom.' Ze klonk als een verwend kind en had er onmiddellijk spijt van dat ze haar mond niet had gehouden.

'Prima.' Hij sloeg zijn ogen ten hemel. 'Ik voer de hoogbegaafde hond.'

'Weet je, ik ben niet hulpeloos. Ik kan voor mezelf en Lori zorgen en zelfs zo af en toe een zwerfhond voeren. Ik begrijp dat het daar niet op lijkt.'

'Mama, help!' Lori's gil doorsneed de lucht en ze renden allebei naar buiten.

Ephraïms paard dat voor de wagen gespannen was, draafde de

weg op, achter een ander rijtuig aan. Lori zat op de bok en keek met grote angstige ogen achterom. De twee mensen in het andere rijtuig keken ook om. Ze leken in te houden, waardoor het paard van Ephraïm hetzelfde deed.

Lori probeerde naar de zijkant van de wagen te kruipen.

'Nee, blijf daar,' commandeerde Ephraïm terwijl hij achter het rijtuig aan rende. Cara probeerde hen bij te houden, maar ze raakte steeds verder achterop.

'Lori, grijp de teugels en trek eraan,' riep Ephraïm terwijl hij dichterbij kwam. Cara kon niet zien of haar dochter de instructies opvolgde. Het rijtuig ervoor vertraagde nog verder en Ephraïms paard volgde het voorbeeld.

Ephraïm rende langs de wagen. Hij wierp zijn bovenlichaam over de nek van het paard en greep de teugels. Binnen een paar seconden stond het paard stil.

De mensen in de andere wagen gingen langzamer rijden tot ze bijna stilstonden, terwijl ze toekeken. Toen Ephraïm knikte, knikten ze terug en reden verder. Cara holde naar Ephraïms rijtuig. Ze zag dat Lori huilde en Ephraïm tegen haar sprak. Ze haalde de wagen in en klom omhoog. Ze nam haar dochter op schoot. 'Waarom doet het paard zoiets?'

Nog nahijgend ging Ephraïm op de bank zitten. 'Dat was het rijtuig van Mahlon. Voor de grap hebben we dit paard getraind om die te volgen. Ik denk dat ik hem niet op de rem had staan.'

'Waarom stopte je vriend niet?'

'Hij vertraagde op een manier die ervoor zorgde dat mijn paard niet bovenop zijn wagen zou botsen.'

'O ja?' Ze gebaarde naar de rijdende wagen. 'En vervolgens groetten hij en je zus ons nauwelijks voordat ze verder reden.'

'Laat het rusten, Cara.'

Gefrustreerd, maar niet van plan om de discussie aan te gaan, reden ze in stilte verder naar het huis van de Howards. Toen ze uit de wagen klom, mompelde ze dankjewel. Hij knikte en vertrok.

Er was iets vreemds gebeurd tussen haar en Ephraïm, maar ze wist niet wat het was.

De uren vlogen voorbij, terwijl ze kookte, schoonmaakte en kleren waste, maar ze had nog altijd geen antwoorden op haar vragen toen de werkdag ten einde liep.

'Cara,' zei meneer Howard toen hij thuiskwam, 'we moeten praten.' Hij trok zijn portemonnee uit zijn achterzak. Ze bekeek elk biljet dat hij haar toestopte. 'Je bent fantastisch geweest. We hadden wel gewild dat je hier al was voordat ik al mijn verlofuren had opgemaakt in de eerste week na Ginny's ongeluk. Je kwam hier ruim op tijd en vertrok later dan ik van je durfde te vragen. Maar we hebben tijdens onze laatste afspraak ontdekt dat haar heupbeen sneller is hersteld dan verwacht. Ik heb net gesproken met haar dokter, en in plaats van de gebruikelijke controleafspraak, mag morgen haar heupgips eraf. We zouden je graag willen laten blijven, maar ons budget laat het niet toe. Hoe erg we het ook vinden, we moeten het nu verder zelf zien te rooien.'

Het was vreemd dat teleurstelling telkens weer pijn deed. 'U kent verder ook niemand die hulp nodig heeft, of wel? Ik kan vrijwel alles aan met een beetje inwerktijd.'

'Nee, voor zover ik weet niet.' Hij stak zijn portemonnee terug in zijn broekzak.

'Oké.'

Lori zat in de tuin met poppen te spelen in de schaduw van een boom. Toen Cara haar ging halen om mevrouw Howard netjes gedag te zeggen, zag ze honderd meter verderop iets wat ze deze week al twee keer eerder had gezien – een paard en wagen met daarin een van de mannen van middelbare leeftijd die ze herkende van bij Ephraïm. Hij zat op de achterklep van de wagen en verkocht groente of iets dergelijks. Waarschijnlijk asperges en rabarber, want dat was het enige wat rijp was in Howards tuin. Maar deze weg leek een vreemde plek om iets te verkopen. Er was bijna geen verkeer. En de man in de wagen leek meer interesse te hebben in haar, terwijl ze in de tuin werkte of de was ophing, dan in de verkoop van producten. Ze had het Ephraïm willen vragen, maar hij leek niet in de stemming om vragen over zijn gemeenschap te beantwoorden. Ze besloot dat het tijd was om direct op de man af te stappen, en dat deed ze. Toen hij haar zag, sprong hij van de achterklep, duwde de kratten verder de wagen op en haastte hij zich naar de bok. Hij klakte met de teugels en reed weg.

Was het tijd geweest om te gaan, of wilde hij niet met haar praten? Samen met Lori ging ze naar binnen om afscheid te nemen van meneer en mevrouw Howard. De Howards verontschuldigden zich opnieuw omdat ze haar zo snel hadden laten gaan, en ze begreep dat hun beslissing gebaseerd was op iets waar ze ook niets aan konden doen. Ze verzekerde hen ervan dat het niet erg was en verzamelde al haar en Lori's schone wasgoed voordat ze vertrok. Terwijl ze over tuinpad naar de weg liep, vroeg ze zich af of Ephraïm hen zou komen halen na hun kibbelpartij van vanmorgen.

'Wacht,' riep meneer Howard.

Cara stopte. 'Ja?'

'Ginny herinnerde me ergens aan. Mijn zuster woont een stukje verderop aan deze weg. Ze heeft een paar maanden geleden verf gekocht. Ze was begonnen met het verven van een kamer, maar heeft dat nog niet afgerond, laat staan dat ze is toegekomen aan de rest van het huis. Ik weet niet hoe goed je bent in schilderen, maar ik kan een goed woordje voor je doen.'

'Bedankt.'

Hij wees. 'Ongeveer drie kilometer die kant op. Nummer 2201. Een stenen huis van twee verdiepingen, zwarte luiken met lichtgele sierlijsten.'

'Denkt u dat ze het erg vindt als ik daar nu naartoe ga?'

Hij schudde grinnikend zijn hoofd. 'Doe dat maar, jongedame. Ze zou rond deze tijd thuis moeten zijn. Ik loop naar binnen om haar te bellen.'

Lori pakte haar hand en ze liepen verder. In de verte verscheen een paard en wagen over de heuvels. Hij kwam hun kant op.

Ephraïm.

Haar hart begon sneller te kloppen. Ze had nog nooit iemand ont-moet zoals hij. Ondanks dat ze af en toe wat moeilijkheden hadden om met elkaar op te schieten, en ondanks dat hij in zaken geloofde die niet bestonden, was ze op hem gesteld zoals hij was: vastberaden, eerlijk en vrijgevig. Die man had heel wat in zijn mars. En hij was ook aantrekkelijk. Als hij geen Amish was geweest, dan zou ze zelfs voor hem zijn gevallen. Voor haar betekende dat heel wat.

'Kijk mama, daar is Frim.'

'Ja, ik zag hem net al over de heuvels komen.'

'Denkt u dat hij Voorspoed bij zich heeft?'

'Die heeft hij elke dag nog meegenomen.'

'Morgen is het zaterdag. Misschien maakt hij ijs voor ons.'

'Morgen is het vrijdag, schat.'

Lori zei een naar woord.

'Lori Moore, pas op wat je zegt.'

'U zegt ook lelijke woorden.'

'O ja, nou, als je bijna volwassen bent, dan hebben we het daar nog wel eens over. Tot die tijd praat je zoals een meisje hoort te praten. Begrepen?'

Ze haalde haar schouders op. 'Waarom dan?'

'Ik weet het niet, kind. Zo is het nu eenmaal.'

'Ephraïm zegt nooit nare woorden.'

'Mooi zo, dan doe je maar zoals hij.'

Ephraïm kwam naast hen tot stilstand. Hij had een vage glimlach op zijn gezicht. Dat was een zeldzaamheid sinds ze de kerkdienst van zondag had onderbroken.

'Goedemiddag, dames.'

Lori zette haar voet op het opstapje en trok zichzelf omhoog. 'Hallo, Frim.'

Ephraïm keek langs Lori heen met een serieuze blik naar Cara. Ze lachte. 'Hoi.'

'Goedemiddag.'

Voorspoed verwelkomde hen door wild op en neer te springen.

'Mama zei dat ik moest doen zoals u.'

Ephraïm krabde aan zijn kin. 'Moet jij je al scheren dan? Je mag mijn scheermes wel lenen.'

Lori schoof naar hem toe. 'Ze zei dat ik moest praten zoals u.'

Cara ging zitten. 'Hé Lori, hou je mond.'

Ephraïm zei iets in het Pennsylvaans. De oprechtheid in zijn toon en gezicht verwonderde haar. Was hij geïrriteerd door hun inbreuk op zijn leven of niet?

Dat terzijde, zijn woorden klonken als iets wat hij al eerder gezegd had deze week. Hij schonk Lori een glimlach. 'Bedoelt ze dat?'

'Nee hoor,' kwetterde Lori. 'Ze bedoelt dat ik geen nare woorden mag zeggen.'

Ephraïm keek op naar Cara. 'Zouden we niet willen dat je moeder ook een beetje op haar woorden paste?'

Cara protesteerde: 'Hou je mond, allebei.'

'Netjes blijven, mama.'

Ephraïm lachte en klakte de teugels boven de rug van het paard. 'Ik let meestal goed op wat ik zeg.'

'Kun je een week zonder een verwensing te uiten?' vroeg Ephraïm.

Cara stak haar kin omhoog. 'Hou je mond, Frim. Voordat ik in de verleiding kom om nog veel meer te zeggen dan een paar onschuldige verwensingen.'

Hij grinnikte.

Ze trok haar salaris tevoorschijn uit de zak die ze in de jurk had genaaid. 'Vandaag was mijn laatste dag bij de Howards.'

'Wist je dat?'

'Nee. Mevrouw Howard mag sneller uit het gips dan ze gedacht hadden. Toch had ik gehoopt dat ze me daarna ook nog wel in dienst zouden houden. In elk geval tot ze zelf weer op de been was na een week fysiotherapie. Er moet iets gebeurd zijn met hun financiën.'

Hij liet de wagen langzamer rijden om af te slaan richting zijn huis.

'Ik heb een tip gekregen voor een ander baantje, een paar kilometer verderop. Zou je het erg vinden om me daarheen te brengen?'

'Wat voor soort werk?'

'Schilderen.'

'Heb je ooit eerder geschilderd?'

'Nee. Maar tot een paar dagen geleden had ik ook nog nooit gekookt op een hout gestookt fornuis, en ik heb je niet horen klagen over de maaltijd van gisteravond.'

Hij keek naar Lori en wreef over zijn buik.

Hij was die avond laat binnengekomen om zijn telescoop te halen. Dat was al de hele week zijn manier van doen. Als elk spoortje daglicht was verdwenen, sloop hij het huis in om snel zijn telescoop uit de voorraadkamer te halen, ze goedenacht te wensen, en weer te vertrekken. Maar afgelopen avond had Lori hem overgehaald om een tweede maaltijd te komen eten met haar samen.

'Toen je moeder ongeveer zo oud was als jij,' zei hij, terwijl hij de teugels liet vieren, 'vroeg ik haar of ze ooit eerder maïs had geplukt, en ze zei: "Nee, maar ik kan het wel leren." Toen begon ze me mee te helpen.'

Verward door de plotselinge herinnering, staarde Cara hem aan. Misschien moest ze gewoon ontspannen en genieten van zijn vrolijke bui, maar ze kon het gevoel niet van zich afzetten dat hij een plannetje voor haar beraamde.

'Vanwaar al die gezellige praatjes?'

Hij zuchtte. 'Ik kan het niet winnen. Als ik bezorgd ben en ergens iets over zeg, dan vind je me bazig. Als ik teveel geef, dan wil ik iets van je. Als ik te weinig geef, dan ben ik gemeen en begrijp ik onmogelijk je situatie.'

Zijn woorden waren scherp. Maar ze wist dat hij gelijk had. 'Als jij elke dag van je leven wordt gestoken, wil ik wel eens zien hoe je daarna over bijen denkt.'

'Ik ben geen bij.'

Ondanks dat ze zich schuldig voelde, wist ze dat hij haar nooit zou begrijpen. Het leven had haar erop getraind om alles te beschouwen vanuit wantrouwen. En de zwerm bijen kon nu ieder moment in de aanval gaan.

ZEVENENTWINTIG

Vanuit zijn beschutte schuilplaats in de tuin staarde Ephraïm door zijn telescoop, zonder iets anders te zien dan zijn eigen denkbeelden. Hij keek al naar de sterren sinds hij twaalf was geworden, maar een telescoop had hij nog maar een jaar of tien.

Vanavond was het uitspansel van de nachtelijke hemel vol schitterende sterren en planeten verscholen achter Cara's gezicht. Die goudbruine ogen en zachte gelaatstrekken bleven in zijn hoofd hangen als de volle maan in de herfst – zijn favoriete nachtgezicht. In het juiste seizoen, rond 22 september, tekende de oranje helderheid van een echte herfstmaan de contouren van de omgeving, de hooglanden en de donkere vlakten, zodat alles duidelijk zichtbaar werd voor het blote oog. De schoonheid was een deel van hem. Het was te wonderlijk om van weg te kijken, het leek alsof hij zijn hand kon uitstrekken en de maan kon aanraken. Maar hoe dichtbij de maan ook leek, hij was nog altijd meer dan driehonderdduizend kilometer ver weg.

Wat dat betreft leek Cara op de maan.

Het echtpaar waar ze naartoe was gegaan vanwege de schilderklus heette de familie Garrett, volgens de postbus. Ze liepen met haar mee naar buiten toen ze afscheid nam, en hij hoorde wat ze tegen haar zeiden. Als ze iemand kon vinden om haar te helpen de meubels te verplaatsen, en het werk voor het eind van het volgende weekend klaar kon hebben, dan namen ze haar aan.

Ze had het werk niet afgewezen of geaccepteerd. Hij had verwacht dat ze hem om hulp zou vragen tijdens de lange rit terug, maar dat had ze niet gedaan. Hij weigerde zich als vrijwilliger aan te melden.

Hulp vragen was een van de oudste bijbelse principes en een van de manieren waarop mensen elkaar respect betoonden.

Terwijl hij zich probeerde te concentreren op de hemel, stelde hij de telescoop bij. Hij hoorde of voelde niets, maar hij wist al wat het antwoord was. *Wees zoals Ik voor haar.*

Als God van mensen houdt, dan berekende Hij niet wat het Hem kostte. Hij rekende alleen uit wat het betekende voor degenen die Hij hielp. Het leven van Zijn Zoon was daarvan het bewijs. Maar Ephraïm was geen God. En Cara irriteerde hem net zoveel als ze hem fascineerde.

Het Pennsylvaanse spreekwoord dat hij afgelopen week had uitgesproken, cirkelde door zijn hoofd. *Die Sache, as uns zammebinne, duhne sich nie net losmache, awwer die Sache as uns ausenannermache schtehne immer fescht.* Het was niet zijn bedoeling die zin hardop uit te spreken, en hij kon haar niet vertellen wat het betekende. Maar op een avond stond hij naast de wagen toen ze eraf klom. Ze wankelde een beetje en hij hield haar in balans. Toen ze zo dichtbij hem had gestaan, had hij die waarheid uitgesproken, waardoor iets van de spanning van het moment brak.

Het was niet zo dat hij in romantisch opzicht interesse in haar had. Zeker niet. Zijn aandacht ging uit naar Anna Mary. Zij was uit hetzelfde laken geweven als hij. Maar Cara...

Een angstige schreeuw klonk vanuit het huis. Hij begon meteen het erf over te hollen. Toen hij het huis binnenkwam, hoorde hij Cara gillen: 'Nee, Ephraïm!' De angst in haar stem maakte gevoelens in hem los als stof dat meegevoerd werd in een wervelstorm.

Toen hij zich door de keuken haastte, schoot er een schaduw door de kamer. Cara botste tegen hem op en stuiterde van zijn borst af als een rubberen bal. Ze wankelde terug.

Ephraïm pakte haar arm vast om te voorkomen dat ze viel. 'Wat is er aan de hand?'

Haar onnatuurlijke ademhaling vertraagde niet toen ze haar vingers tastend over zijn gezicht uitspreidde en ze bevoelde hem alsof hij niet echt was.

'Het is al goed, Cara. Je bent nu wakker.'

Ze deinsde terug. Het beeld van haar in zijn shirt, waarin ze verdronk als een tiener, brandde zich in zijn geest. Ze viel neer op een keukenstoel. Zijn Bijbel lag open op de tafel voor haar. Had ze zitten lezen?

Haar hand bedekte haar mond en het zilveren maanlicht reflecteerde in een eenzame traan. Ze liet haar armen zakken. 'Wat doe je hier?'

'Ik keek naar de sterren toen ik jou hoorde schreeuwen.'

Ze wierp een blik op de klok maar zei niets over het feit dat het al twee uur 's nachts was geweest.

Cara haalde beverig adem. Tegen beter weten in ging hij tegenover haar zitten. De gloed van de maan belichtte sommige delen van haar lichaam en liet andere delen in de schaduw vallen. De bladzijden van de Bijbel ritselden toen een briesje door de keuken waaide. Boomkikkers en krekels zongen hun zomerse lied. Ze veegde een traan van haar wang en sloeg haar armen om zich heen.

Ephraïm wachtte tot ze iets zei. Maar binnen enkele momenten trok haar kwetsbare kant zich terug en herwon ze de controle over haar ademhaling. De vrouw voor hem rechtte haar rug en werd weer zo onverzettelijk als de eerste dag dat hij haar ontmoet had.

Wees zoals Ik voor haar.

Hoe zou hij dat moeten doen? Ze vertrouwde hem niet, en hij wilde vertrouwd worden. Op z'n minst een beetje, zodat ze in elk geval geloofde dat hij niet méér schade aan haar leven ging veroorzaken. Hij hield zijn hoofd scheef en probeerde oogcontact te krijgen.

Ze duwde de Bijbel opzij, schoof haar stoel naar achteren en stond op.

'Welterusten.'

'Wacht.'

Hij probeerde iets te verzinnen waarover ze met hem zou praten, en hij besloot over het werk te beginnen. 'Wat zei het echtpaar Garrett?'

'Niet veel.'

Hij vroeg zich af of ze hulp zou vragen voor iets waarbij ze haar dochter niet dreigde te verliezen, en hij onderdrukte een zucht.

'Neem je de baan aan?'

'Ik zou er goed geld mee kunnen verdienen. Genoeg om hier weg te kunnen.'

Was het hier zo slecht? Hij gebaarde dat ze moest gaan zitten, maar dat deed ze niet. Hij liep naar de keukenkast. 'Wat houdt je dan tegen?' Hij pakte een glas.

'Ik moet eerst wat zaken oplossen.'

'Ach, kom op nou, Cara. Als je hulp nodig hebt, hoef je het alleen maar te vragen.'

Ze keek hem aan. 'Heb je gehoord wat ze wilden?'

Hij schonk water in uit de kraan en zette het glas op de tafel naast haar.

'Ja.'

'Jij hebt een fulltime baan. Het is al een flinke aanslag op jouw tijd om ons telkens heen en weer te rijden. Hoe zou ik je om nog meer kunnen vragen?'

'Je zou me kunnen vragen om je te helpen iemand te vinden.' Zijn kortaangebonden toon leek haar niet in de war te brengen.

Ze nam een slokje en leunde tegen het aanrecht, voor het oog niet boos of gespannen. Op dit moment zou hij haar zijn huis geven als ze haar hart zou luchten, zo graag wilde hij haar begrijpen. Ze wilde dat geld verdienen. Dat wist hij gewoon. Het zou het begin zijn van onafhankelijkheid voor haar en Lori. Waarom was ze nog steeds zo bang voor hem? Gefrustreerd geraakt door haar, kon hij zich niet langer stilhouden. 'Prima. Ik help wel. Bedankt voor het vragen.'

'Jij?'

'Je hoeft niet zo duidelijk je vertrouwen in mijn vaardigheden te laten merken.'

'Maar jij hebt al een baan.'

'Eigenlijk heb ik momenteel niets.'

'Niets?' Rimpels van onzekerheid plooiden haar wenkbrauwen. 'En jij wilt een huis schilderen in je vakantieperiode?' De verwarring op haar gezicht verdween. 'O.'

'Wat o?'

'Als je me hierbij helpt, kan ik hier sneller weg. Dat is het wel waard om tijdens je vakantie te gaan schilderen.' Ze leek tevreden met zichzelf en hij was niet van plan haar te corrigeren.

'Dit is mijn voorstel: ik word voor een week jouw medewerker en doe alles wat je nodig hebt. Maar jij moet antwoord geven op één vraag.'

'Hangt van de vraag af.'

'Woorden als koppig en halsstarrig zijn niet sterk genoeg om jou te omschrijven.'

Ze lachte zachtjes. 'Hé, je geloofsovertuiging kun je niet zomaar uit- en aanzetten. Als je koppig moet zijn om te overleven, dan wordt het een deel van je. En dan word je daar de slaaf van.'

Hij vroeg zich af of ze er enig idee van had hoe vaak haar gedachten het onderricht van God volgden. 'Je schreeuwde naar mij in je slaap. Wat deed ik in die droom?'

Haar vingers gleden langs haar lippen, over haar wang, en weer terug.

'Ik wil het weten zodat ik kan helpen.'

Ze opende drie keer haar mond voordat de woorden haar ontsnapten. 'Ik was geblinddoekt, en jij leidde me ergens naartoe. Toen we daar waren, zei je me de blinddoek af te doen omdat je iets speciaals voor me had.' Ze zette het glas op tafel. 'Dit is onnozel. Ik ga naar bed.'

Hij haalde zijn schouders op. 'Prima. Ga maar naar bed.' Hij zou niet buigen voor een koppige vrouw – een lichtgewicht op dat gebied.

Ze snoof verongelijkt. 'Er was een luchtballon met een mand. Jij overtuigde me ervan dat ik in moest stappen. Ik ging hoger en hoger. Alles beneden was prachtig en ik voelde me vrij. Toen zag ik een touw dat vastzat aan de bodem van de mand. Het uiteinde ervan hing in een zwart gat dat steeds groter en groter werd. Toen begon de mand te schudden en uit elkaar te vallen. Ik schreeuwde naar jou om me te helpen.' Ze zuchtte. 'De bodem viel uit de mand en vlak voordat ik de grond raakte, werd ik wakker.'

Ephraïms hart bonsde.

'Ben je nu tevreden?'

Hij schudde zijn hoofd. 'Ik zal je niet naar een plaats leiden waar de zwaartekracht van de wereld kan worden getrotseerd om je vervolgens te zien vallen.'

'Het was een stomme droom.'

'Of misschien is het een van je grootste angsten die bovenkomt terwijl je slaapt – de angst om een man te vertrouwen, de angst dat als er problemen komen, niemand je kan helpen.'

Ze tilde het glas op, nam een slok en zette het weer neer. Daarna verplaatste ze haar gewicht van de ene voet naar de andere, maar ze antwoordde niet op wat hij gezegd had. Ze wees naar de Bijbel. 'Daarin staan echt heel vreemde dingen.'

Zijn moeder had de Engelse versie van de Bijbel voor hem gekocht toen hij een tiener was. Het lezen van een Duitstalige Bijbel was lastig, en ze wilde het eenvoudiger voor hem maken om zich open te stellen voor Gods Woord als hij dat ooit van plan was. Destijds had hij het niet als een waardevol geschenk gezien, maar het was steeds meer voor hem gaan betekenen.

'Ja, dat klopt.'

'Vind jij dat ook?'

'Natuurlijk. Dat vindt iedereen. Sommige delen zijn duizenden jaren oud. Als jij en ik al problemen hebben om elkaar te begrijpen vanwege cultuurverschillen, moet je je voorstellen wat er gebeurt als we niet van dezelfde generatie zijn, uit hetzelfde land komen of dezelfde taal spreken.'

'Geloof je echt dat er een God is?'

'Ja. En ik geloof dat Hij Zijn Zoon Jezus gezonden heeft en dat Hij Zijn Geest heeft achtergelaten om ons te leiden.'

'Mijn moeder geloofde in God. En op zijn manier deed Johnny dat ook.'

'Op zijn manier?'

Ze haalde haar schouders op. 'Het restaurant dat hij beheerde was zeven dagen per week geopend, dus naar de kerk gaan was er niet bij. Ik heb hem nooit de Bijbel zien lezen, maar wel een paar keer zien bidden – niet alleen voor het eten, maar ook als hij over de etages liep sprak hij hardop tot God. Veel daarvan leek over mij en Lori te gaan.' Ze boog zich naar de Bijbel en gleed met haar vingers over de pagina. 'Ik kan wel begrijpen dat mensen in iets willen geloven dat sterker is dan zijzelf.'

In plaats dat hij de discussie over dit onderwerp opende, besloot hij liever te zwijgen dan het verkeerde te zeggen. Ze had het zelf niet in de gaten, maar God was in gesprek met haar.

Ze sloot de Bijbel en duwde hem opzij. 'Als je er nog een week, of misschien twee, voor me kunt zijn, is dat alles wat ik nog nodig heb.' Ze liet haar vingers langs haar lippen glijden. 'Kun je dat?'

Het was alsof ze uitrekende hoeveel innerlijke kracht hij nog overhad om haar te blijven helpen, en ze kwam uit op een week, hooguit twee. 'Ja. Zoveel kan ik je wel beloven.'

Ze knikte, maar hij dacht niet dat ze hem geloofde.

❧

ACHTENTWINTIG

*E*phraïm rolde de verfroller op en neer over de muur van de slaapkamer bij de familie Garrett en hij luisterde naar Cara en Lori in de kamer ernaast.

Cara was wat opener geworden en durfde zelfs een paar vragen te stellen over zijn geloof. Hij had al verschillende keren op het punt gestaan om haar te vertellen over haar eigen afkomst, maar het leek alsof het veel belangrijker was om die eeuwige waarheid te delen, dan de feiten. Helemaal omdat de geschiedenis rond haar moeder zeker pijn zouden veroorzaken en geen antwoorden opleverde. Zelf dacht ze dat haar moeder in Dry Lake was geweest om vrienden op te zoeken. En om wat voor reden dan ook was deze 'vriend' van haar gezin nooit op komen dagen bij het busstation. Hij vond het verschrikkelijk om te bedenken hoe verraden ze zich zou voelen als ze de waarheid leerde kennen en zich realiseerde dat hij het al die tijd had geweten. Maar om het haar te snel te vertellen zou zoveel van haar wegnemen, helemaal als ze reageerde zoals hij verwachtte door te vluchten – om nooit meer terug te komen. Tocht vrat het hem vanbinnen op om het geheim te houden.

Hij doopte de roller in een grote emmer en verdeelde de verf zorgvuldig voordat hij hem weer op de muur zette. Hij twijfelde er niet aan dat het nieuws over wie ze was de familie Riehl had bereikt. Ze wisten dat ze bij Ephraïm verbleef, maar niemand was langsgekomen om haar te ontmoeten.

Als Cara daarachter zou komen, zou ook dat pijnlijk zijn en hij wilde haar graag beschermen. Als ze lang genoeg bleef, hoopte hij dat de gemeenschap de juiste keus maakte en haar niet langer zou negeren. Ze waren erin geoefend om de wereld en al zijn valstrikken buiten te sluiten, maar soms sloten ze de verkeerde dingen buiten in hun poging om goddeloosheid te vermijden. Het zou tijd kosten om te wennen aan het idee dat Malinda's dochter was teruggekeerd, helemaal omdat ze onacceptabele kleding droeg, kort haar had, in een schuur woonde en in zijn huis danste. Maar als ze haar ooit een kans gaven, zouden ze een buitengewoon persoon zien.

Zijn aandacht werd getrokken door Cara's zachte stem toen ze ergens om grinnikte. Vijf dagen lang twaalf tot veertien uur werken... en hij wilde meer. Meer plezier, meer gezamenlijke lunches in de schaduw van een boom, meer werk tot middernacht, en meer tijd om zachtjes te praten tijdens de eerste kop koffie in de ochtend.

Met de roller bij zich liep hij door de gang. De familie Garrett had de aanbeveling van Howard volledig ter harte genomen. Voordat ze op vakantie gingen, hadden ze Cara de sleutel van het huis gegeven en de toestemming om al hun eigendommen uit de kasten te halen, zodat ze verder kon met schilderen. Bij de woonkamer stond hij stil. Cara steunde met haar handen op haar heupen. De nieuwe overalls die ze afgelopen zaterdag in de stad had gekocht, en vervolgens verschillende keren had gewassen in zijn handwasmachine, waren nu bedekt met verf. Ze nam grote passen door de kamer.

'Lopen,' zei Lori.

'Die heb je al geprobeerd. Kom op, meisje, gebruik je verbeelding.' Ze bewoog traag met haar heupen. 'Geef me eens een goed synoniem voor wat ik doe.'

'Struikelen.'

'Struikelen?' Cara lachte. 'Weet je de woorden nog die we gisteravond in dat boek lazen? Wat dacht je van paraderen of flaneren.' Ephraïm schraapte zijn keel. 'Of schuifelen als een oud vrouwtje?' Ze draaide zich om met een verbaasde blik, voordat ze de verfkwast naar hem opstak. 'Is die slaapkamer al klaar?'

'Nee, mevrouw.'

'Dan stel ik voor dat je terug schuifelt voordat ik die kant op flaneer om je ondersteboven op je gluurdershoofd te zetten.'

Hij liet zich niet van z'n stuk brengen. 'Ik denk dat de titel "baas" een beetje jouw paradepaardje is geworden.'

Lori giechelde. 'Ze probeerde me eerder ook al dingen te leren over de idiomen.'

'O, daar ben ik het mee eens. Iedereen moet gewaarschuwd worden voor de idioten.'

'Frim,' foeterde Cara, dreigend met haar volle verfkwast, 'idiomen, niet idioten.'

'Waar heb jij geleerd over idiomen?'

'Eerste jaar middelbare school. Blijkbaar was het niet jouw lievelingsonderwerp zoals bij mij. Een idioom is een bijzondere uitdrukking, zoals in "ik loop over je heen".'

'Ik zeg het nog maar eens: het idee dat je baas bent stijgt je een beetje naar het hoofd.'

Ze trok haar wenkbrauwen op. 'Aan het werk jij.'

Hij schudde zijn hoofd. 'Het is vrijdagmiddag. We hebben genoeg gedaan. Morgen zetten we alles terug en ronden we het af voor de Garretts terugkomen.'

'Ik weet het niet.'

's Nachts, als hij in zijn huis sliep, bleef zij hier in het huis van de familie Garrett om een beetje te slapen, maar vooral om vroeg op te staan en de volgende kamer voor te bereiden die geschilderd moest worden. Ze maakte de laden leeg, bracht afplakband aan en verfde alvast de randen van de plafonds, plinten en de hoekjes. Zodra hij arriveerde was de kamer klaar om gesaust te worden. 'Je bent hier nu al de hele week. Vanavond moet je weer in mijn huis slapen, zodat je ook echt slaapt. En ik maak weer softijs.'

Lori begon door de kamer te dansen. 'Ja! Ja! Ja!'

'Alleen als je je moeder bij het werk kunt weghalen.'

'Je misbruikt de liefde van mijn kind voor ijs om mij te manipuleren.' Cara hield haar verfkwast onder zijn kin als een zwaard. 'Je speelt vals.'

225

'Ja, en ik win ook nog.'

Ze lachte. 'Prima. Als we onze kwasten en rollers hebben schoon-gemaakt, dan vertrekken we.'

'Nee, we stoppen ze in een emmer vol met water en nemen ze mee. Ik maak ze later schoon.'

Ze fronste, protesteerde en liep mompelend de kamer uit. Na de hele week met haar te hebben doorgebracht, wist hij dat stoom afblazen en plagerij bij haar samenviel. Hij vond het amusant. Hij had deze week een glimp opgevangen van de vrouw die ze was toen het leven haar wat waardigheid en veiligheid schonk. Nu begreep hij waarom hij op haar terugkeer naar Dry Lake gewacht had. En waarom hij naar New York was gegaan om haar te zien. Hij had nog nooit zo'n vriendschap gehad. Hij kon het niet onder woorden brengen, maar het leek alsof ze de littekens op zijn hart weghaalde en hem het leven liet zien op een nieuwe, frisse manier.

Lori trok aan zijn broek. 'Frim?'

Hij woelde door haar haren. 'Roepen de ijsjes je?'

Ze knikte. 'En ze roepen ook om de puppy.'

'Ga hem dan maar snel uit de achtertuin halen en zet hem op de wagen.'

Hij liep naar de slaapkamer en legde de roller in de verfbak naast de emmer. Hij had nooit gedacht dat het voor een vrouw belang-rijk was om geld te verdienen, om datzelfde gevoel van macht te hebben als hij had wanneer hij de meubelmakerij leidde. Dat was dom van hem geweest, en hij vroeg zich af waarover hij nog meer verkeerd gedacht had in zijn leven.

Hij hoorde haar bezig in de keuken en ging naar haar toe.

Ze keek op, terwijl ze over haar rug wreef. 'Vanavond geroosterde kaas, goed?'

Hij knikte en wilde dat hij een beter fornuis had. Behalve ontbijt waren er ook niet zo heel veel gerechten die hij kon bereiden op dit fornuis. Het werkte goed genoeg, en hij had ook nog andere redenen om zo'n fornuis te hebben, maar erop koken was nooit belangrijk geweest. Voor de uitsluiting had hij de helft van zijn lunches en avondmaaltijden bij zijn *Daed* gegeten, en Deborah had hem voorzien van de andere helft.

Zijn *Daed* had het nodig om de maaltijd met hem te delen zo vaak als hij kon. Het gaf hem tijd om over zaken te praten en het schuldgevoel van zijn vader weg te nemen omdat die zoveel hulp nodig had. Hij dacht bezorgd na over zijn *Daed*, de familie en de zaak. Hij miste het om met zijn familie aan de eettafel te zitten, maar het had niet zoveel leegte in hem veroorzaakt als hij gedacht had.

Cara knipte met haar vingers, een scheef lachje op haar gezicht. 'Moet ik de emmers met water, kwasten en rollers zelf naar de wagen slepen?'

'Sorry.'

Het duurde niet lang voordat hij de laatste spullen op de wagen had geladen. Cara sloot het huis af en zette haar rugzak op de vloerplank. Ze rekte een paar keer haar rug, duidelijk pijnlijk en verstijfd.

'Ephraïm, wie is dat?' Ze knikte naar het stilstaande rijtuig langs de kant van de weg.

Hij wierp er een vluchtige blik op en zag Rueben Lantz. 'De *Daed* van Anna Mary.'

'O. Dat verklaart denk ik waarom hij me in de gaten houdt.'

'Denk je dat hij je in het oog houdt?'

'Dat weet ik zeker.'

'Misschien kijkt hij niet naar jou, maar vertrouwt hij mij niet.' Helaas kon Ephraïm hem momenteel geen ongelijk geven. Hij had nooit gedacht dat hij ooit zo'n band met een vrouw zou voelen die hij nog maar een paar weken kende. Maar nog altijd waren zijn gevoelens niet romantisch. Cara was een vriend, en dat woord had de laatste tijd nieuwe betekenis gekregen.

Ephraïm hoopte dat Rueben verder zou rijden voordat ze hem passeerden, maar dat deed hij niet.

'Stop je niet even om met hem te praten?' vroeg Cara.

'Nee.'

'Of in elk geval te groeten?' Ze keek hem onderzoekend aan, alsof ze wachtte op een logische verklaring.

'Hij kijkt niet onze kant op.'

Het was een beetje vreemd dat Rueben geen oogcontact maakte of een teken van herkenning gaf, maar op een bepaalde manier kon Ephraïm het Rueben niet kwalijk nemen dat hij boos op hem was. Gelukkig liet ze de zaak met rust. Al snel kwamen ze bij zijn oprit. Hij liet het paard langzamer lopen toen hij de schuur inreed. 'Ik ben al de hele week niet voor het donker thuisgekomen.'

Ze zette haar duim en wijsvinger op elkaar en bootste – in haar eigen woorden – het bespelen van de kleinste viool ter wereld na. Alsof ze wilde zeggen: altijd hetzelfde liedje.

'Slavendrijver.'

'Rijkeluiskind.'

Ze slingerde de rugzak over haar schouder en klom naar beneden. Hij maakte het paard los en liet het los in de wei. Voorspoed rende achter het paard aan en Lori volgde.

Ze tuurde langs het hek over de weilanden. 'Moet je die vijver zien.' Hij had het al honderden keren gezien, maar vandaag weerspiegelde de amberkleurige schaduwen de bijna ondergaande zon en het herinnerde hem aan de herfstmaan. 'Wil je die kant op wandelen?'

'Ja, graag.'

Onder het lopen leek Cara de omgeving diep in zich op te nemen, ze bekeek aandachtig de bomen en de wilde bloemen, terwijl ze dichter bij de vijver kwamen.

'Frim, kijk.' Lori rende naar hen toe met een tak in haar hand.

'Let op.'

Ze gooide de stok en Voorspoed stormde er achteraan. Hij keek ernaar en rende toen terug naar Lori.

'Hier.' Ephraïm floot. De puppy negeerde hem, maar de moederhond kwam plotseling aanrennen. Lori giechelde en pakte een andere stok. Terwijl Cara naar het water staarde, gooide Lori de stok, en tot hun verbazing ging de moederhond hem telkens halen.

228

Cara sloeg haar armen om haar eigen schouders. 'Het is adembenemend.'

'Een nachthemel is beter.'

Ze liep naar de rand van het water en hij vroeg zich af wat ze dacht. En voelde.

De bladeren van de bomen langs de tegenovergelegen oever fluisterden in de wind. Een groep wilde eenden landde op het water voor haar en veroorzaakte rimpels.

Lori rende naar haar moeder maar ze kon niet op tijd stoppen, zodat ze onverwacht naar voren geduwd werd. Lori viel op de kant, maar Cara belandde bijna in de vijver. Terwijl ze haar balans hervond, stormde de moederhond tegen de achterkant van haar benen aan, waardoor haar knieën knikten. Cara viel voorover in het ondiepe water.

Ephraïm rende naar haar toe, greep haar arm vast en hielp haar overeind. De modder droop van haar armen en borst. Haar witte gymschoenen waren verstopt onder een laag zompige modder.

'Gaat het? De hond...'

Ze spatte de viezigheid van haar handen. 'Ik heb uitstekend in de gaten wat er gebeurd is.'

'Kom mee, dan gaan we hier weg.' Hij hield haar arm vast, terwijl ze op de droge oever wilde stappen.

Cara probeerde naar voren te komen, maar ze bleef vastzitten. Ze trok aan haar been. Haar blote voet schoot plotseling los, en ze botste op Ephraïm, waardoor ze allebei begonnen te wankelen. Toen hij probeerde haar andere arm vast te grijpen om haar in balans te brengen, sprong de hond bovenop hem, zodat ze beiden in het water belandden.

Hij kwam overeind en voelde het glibberige slijk door zijn kleren sijpelen. Hij worstelde verder en nam haar bij de arm in een poging haar omhoog te trekken. Toen ze zich aan hem optrok, gleed hij uit en nam hij haar weer met zich mee.

Cara ging overeind zitten in het ondiepe water en keek hem aan.

alsof dit zijn bedoeling was. 'We kunnen dit wel voor elkaar krijgen, toch?'

Hij lachte. 'Tot nu toe hebben we weinig succes. Maar ik denk niet dat we de moed op moeten geven.' Hij stond op en reikte haar zijn hand.

Ze hield haar beide handen omhoog in een stopgebaar. 'O nee. Vergeet het maar. Jij hebt we wel genoeg geholpen, hartelijk bedankt.'

Elk moment dat hij met haar doorbracht zorgde ervoor dat hij hunkerde naar meer. Hij realiseerde zich plotseling dat hij zich in veel donkerder water dan dat van de vijver bevond.

Ze hielp zichzelf omhoog en zocht in de modder tot ze haar schoen had gevonden. Toen ze die op de oever gooide viel ze bijna opnieuw. Op handen en voeten kroop ze het ondiepe water uit het droge land op, waar ze in het gras ging zitten. 'Ik stink naar vis en slijk. Bah.'

Ze keek op en zag de tranen in Lori's ogen. 'Als je moet huilen, kind, dan wil ik Frim best even terugduwen in het water, hoor.'

'Wat heb ik gedaan?' Hij zette twee reuzenstappen om het water uit te komen en liet zich met een plof op de grond naast haar vallen. 'Laten we de hond in het water gooien. Dit is allemaal haar schuld.'

De spanning op Lori's gezicht verdween. 'Bent u niet boos, mama?'

'Ja. Dat ben ik wel.'

Lori lachte. 'Echt waar?'

'En ik ben nat en vies.' Ze stond op. 'Een badkamer voor twee volwassenen om schoon te worden. Nou, hoe zou dat moeten...'

Ze maakte haar zin niet af en Ephraïm keek op om te zien wat de oorzaak was. Op de heuvel boven hen stonden Mahlon, Deborah en Anna Mary. Ze keken toe. Zijn zus keek alsof het tafereel voor haar absoluut onbegrijpelijk was. Ze draaide zich om. Mahlon zwaaide en volgde. Hij begreep blijkbaar wat er aan de hand was. Ze hadden de herrie gehoord en waren komen kijken om te zien of iemand hulp nodig had, maar nu moesten ze weer vertrekken zonder met hem te spreken. Anna Mary verroerde zich niet.

'Ondankbaar publiek,' mompelde Cara. 'Wat is er aan de hand?'

Hij haalde zijn schouders op en keek hoe Anna Mary naar hem toekwam. Zou ze de verbanning negeren en met hem komen praten? Cara stond op en liep de heuvel op. 'Hoi Anna Mary.'

Anna Mary gaf geen antwoord. Ze concentreerde zich alleen op hem. 'Dit is verkeerd, Ephraïm. Probeer je haar de indruk te geven dat jij werkelijk geïnteresseerd zou zijn in iemand zoals zij?'

'Iemand zoals ik?' Cara's stem kreeg een scherp randje.

Anna Mary wendde zich tot Cara. 'Ik geef jou nergens de schuld van. Hij moet beter nadenken. Maar dat doen mannen niet, weet je.'

'Iemand zoals ik?' herhaalde Cara.

Hij was niet verbaasd over Cara's woedende toon. Maar hij begreep niet waarom Anna Mary niet eens een klein beetje jaloers leek. Sinds ze elkaar zagen, had ze soms jaloers gereageerd als hij vertelde over meisjes met wie hij gesproken had, of die hij had thuisgebracht na de samenzang. En geen enkele daarvan had iets voor hem betekend. Nooit. Maar zijn gevoelens voor Cara leken zich sneller te vermenigvuldigen dan redelijk was.

'Terwijl hij jou hielp, raakte zijn zaak achter op schema.'

'Zo is het genoeg, Anna Mary.' Maar het was al te laat. Hij zag in Cara's ogen dat ze meer begreep dan hij had gewild.

Anna Mary klemde haar kaken op elkaar. 'Dan moeten we praten. Alleen.' Cara graaide de rugtas van de grond en stak haar hand uit naar Lori. Toen ze buiten gehoorsafstand waren, wendde Anna Mary zich tot hem. 'De bisschop heeft me toestemming gegeven om hier te zijn.'

Ephraïms hartslag versnelde. 'Wat is er aan de hand?'

'De werkplaats kan de bestellingen niet aan en je bent pas een week weg. Grey en Mahlon hebben geprobeerd op schema te blijven, maar je *Daed* moest inspringen. Het is teveel spanning voor hem. Zijn hart kon het niet aan en nu ligt hij weer in het ziekenhuis.'

Het was alsof de afgelopen week een uitspatting was en de realiteit zich nu weer aandiende. Zijn adem stokte. 'Ik wil hem zien.'

'De bisschop zei dat hij bereid was om de ban op te heffen omwille van je *Daed*.'

'Goed. En ik wil ook praten met zijn hartspecialist.'

'Becca heeft geprobeerd om de dokter te spreken. De laatste keer dat ik haar sprak zei ze dat hij morgenochtend zijn ziekenhuisronde maakt.'

Ephraïms hart sloeg over. Cara kon het schilderwerk niet in haar eentje afronden, niet voordat de Garretts terug waren. Maar hij kon zichzelf niet langer op een zijspoor zetten. De laatste keer dat hij met *Daeds* verpleegster had gesproken, liet ze doorschemeren dat er misschien een mogelijkheid was aangaande zijn hartprobleem. Hij moest dat onderzoeken, voordat het hart van zijn vader het helemaal begaf.

Meteen probeerde hij tien dingen tegelijk te regelen en hij voelde zich alsof hij opgesloten zat in de donkere silo waar Cara zich ooit schuilhield. 'Je moet een paar dingen voor me doen. Ten eerste, vraag aan Mahlon en Grey of ze Cara morgen willen helpen. Ze is een schilderklus aan het afronden. Als een van hen mijn plaats inneemt, dan kan ik rechtstreeks naar het ziekenhuis.'

'Dat doen ze. Je weet dat ze dat doen. Maar er is meer wat ik je moet vertellen.'

Hij wist niet zeker of hij meer aankon.

'Mijn *Daed*, de bisschop en een paar leden van de gemeenschap hebben een plek voor Cara gevonden om naartoe te verhuizen – in Carlisle.'

'Jouw *Daed* is erbij betrokken?'

'Hij maakt zich meer zorgen dan ik over de aanwezigheid van die vrouw.'

Omdat hij met zijn hoofd dag en nacht bij Cara was, kon Ephraïm zich indenken waarom Rueben bezorgd was. De kolkende emoties vanbinnen verontrustten hem zelf ook van tijd tot tijd. Misschien moest hij de wijsheid van de mannen in zijn gemeenschap laten zegevieren over zijn huidige keuzes.

'Een afstand van dertig kilometer vindt de bisschop voldoende, maar het is ook weer niet zo ver dat je niet op de hoogte kan blijven van hoe het met haar gaat. *Daed* en een paar anderen hebben aangeboden om de huur van drie maanden te dekken, plus de aanbetaling. De bisschop heeft ook een lijst potentiële banen op loopafstand van de plek.'

De plicht naar zijn familie en gemeenschap en het verlangen om bij Cara te zijn streden in zijn binnenste.

'Laat haar gaan, Ephraïm. Stop ermee om te proberen het antwoord te zijn op al haar problemen, en doe wat goed is voor jouw familie. Voor de zaak en voor de gemeenschap. Voor ons.'

Hij wist dat ze gelijk had. Met zijn zieke vader en de problemen in de werkplaats, had hij geen keus. Bovendien, het was zijn doel om voor Cara een plek te vinden en ervoor te zorgen dat zij en Lori niet gescheiden zouden worden – dat, en ervoor zorgen dat de gemeenschap accepteerde wie ze was en dat ze haar juist behandelde. Als de bisschop, Rueben Lantz en een aantal anderen al deze moeite hadden genomen om voor haar een plek te vinden, dan moesten ze wel bereid zijn haar te accepteren – tenminste enigszins – ondanks de geruchten over haar en haar moeder.

Ephraïm dwong zichzelf te antwoorden. 'Ja. Het lijkt dat de tijd gekomen is.'

De vriendschap met Cara leek te verflauwen, als een droom die hij niet vast kon houden na het ontwaken, met alleen het verlangen dat achterbleef.

NEGENENTWINTIG

Hoe kan hij dit nou doen?' Deborah vocht tegen haar tranen. 'Het lijkt wel alsof hij ervan geniet om uitgesloten te zijn. Zag je hem lachen en gek doen?' Ze stopte bij de waslijn en trok een handdoek van de knijpers.

Mahlon liet zijn hand in die van haar glijden. 'Het was een grappige situatie. Dat is alles. Ze waren allebei in het water gevallen.'

'Wat had hij sowieso bij de vijver te zoeken? Een wandeling heeft niets te maken met iemand een verblijfplaats geven.' Deborah vouwde de handdoek half op en liet hem in de mand vallen. 'En wat als *Daed* dat had gezien? Begrijpt Ephraïm wel wat het met hem kan doen?'

Mahlon pakte de wasmand op en hield die voor haar vast. 'Je *Daed* was er niet, dus moet je je daar niet druk over maken.'

Ze nam een jurk van de lijn en vouwde die zonder aandacht op voordat ze hem in de mand gooide. 'Ik had degene willen zijn die met hem mocht praten.'

'Dat weet ik. Maar de bisschop heeft gelijk. Als Ephraïm zich weer teruggetrokken moet voelen tot de kudde, dan moet Anna Mary het trekwerk doen. Als een verliefde vrouw een man niet kan laten zien en horen wat hij moet doen, dan kan niemand dat.'

'*Mamm* zou tot hem zijn doorgedrongen. Als zij er geweest was, dan zou hij dit allemaal niet doen.'

'Dat weet je niet. Kom op, Deb, Ephraïm verdient wat ruimte. Hij trekt zich terug om iets te doen waarvan hij voelt dat het juist is. Denk je echt dat hij het verkeerd heeft?'

Zonder te antwoorden begon Deborah meer kleren van de lijn te halen, ondertussen haar tranen wegvegend. Afgelopen week was afschuwelijk geweest. En de wetenschap dat Mahlon in zijn eentje weg wilde gaan, zorgde alleen maar dat haar pijn groter werd.

Toen ze Anna Mary op hen af zag lopen, stopte Deborah het geploeter met de was. 'Hoe ging het?'

Ze haalde gespannen haar schouders op. 'Ik ben nooit eerder zo vrijpostig geweest tegenover Ephraïm, maar ik heb hem verteld wat hij moest doen, en hij was het ermee eens.'

'Gaat hij het doen?'

Anna Mary knikte.

'Was Cara het ermee eens?'

'Ik heb niet met hem gepraat waar zij bij was.' Anna Mary sloeg haar armen over elkaar. 'Maar ik heb Ephraïm verteld dat het niet goed is om zo vriendelijk met haar om te gaan. Ze zou de verkeerde ideeën kunnen krijgen over zijn gevoelens voor haar.'

Deborah zuchtte. 'Ik hoop maar dat *Daed* er niet achter komt dat Ephraïm de juiste afstand niet weet te bewaren tot haar.'

⁊

Ephraïm klopte op zijn eigen voordeur en wachtte een moment voordat hij binnenstapte. Hoe moest hij Cara uitleggen dat de noden van zijn familie en de zaak zijn leven dicteerden. Dat deden ze al jaren.

Ze stond naast de dubbele gootsteen bij het aanrecht, nog altijd in haar natte, modderige kleren. Haar gezicht en armen dropen van het schone water en ze pakte een handdoek. De rugtas stond in een gootsteen. Ze draaide zich naar hem toe en keek hem aan. 'Je hebt tegen mij gelogen.'

'Dat heb ik niet.'

Ze droogde haar gezicht en armen af met de doek, maar hield haar ogen op hem gericht. De teleurstelling die ze probeerde te verbergen sneed door hem heen. 'Prima. Wees maar niet eerlijk tegenover mij.'

Hij had geen idee wat hij moest zeggen en worstelde met alles wat gezegd zou moeten worden.

'Ik vind dit ongelofelijk.' Ze slingerde de handdoek in de gootsteen.

'Luister, het is ingewikkeld en ik kan het uitleggen.'

'Je hebt het iets meer dan een week volgehouden. Dat is meer dan ik had kunnen verwachten. En ik kan het waarderen.'

Haar kalme, feitelijke toon was in tegenspraak met de teleurstelling die in haar ogen te lezen was. De muur die tussen hen was afgebroken, stond er weer, alsof het om een mislukte goocheltruc ging.

'Jij moet morgen in de werkplaats aan de slag. Ik rond het werk bij Garrett alleen af en zodra ik betaald ben, kom ik jouw deel van het geld brengen. Daarna vertrekken Lori en ik.'

'Je hebt er lucht van gekregen dat er iets niet in orde is, en dat is het dan? Dan ben je er klaar mee?'

'Ik kleed mij misschien niet fatsoenlijk en draag mijn haar niet netjes en weet misschien niets van de Bijbel die jij elke avond leest, maar ik bespeel mensen in elk geval niet.'

'Ik was je niet aan het bespelen.' Hij liep naar haar toe en voelde dat zijn schoenen en sokken nog vol water stonden. 'Ik heb een aantal dingen achtergehouden, maar niet om je te misleiden. Ik probeerde je te beschermen, tot de tijd daarvoor rijp was.'

'Wat voor dingen?'

'Waarom ga je niet even douchen, dan praten we na het eten.'

Ze schudde haar hoofd. 'Het maakt toch niets uit. Ik ben niet van plan ook maar iets te vertrouwen van wat je te zeggen hebt.'

Hij had afschuwelijk werk geleverd in een poging om het goede voor haar te zoeken. Maar hij moest het haar uitleggen. 'Om tientallen redenen die je niet kan begrijpen, heb ik geprobeerd om dat te doen wat goed is. Er zijn hier meer mensen bij betrokken dan jij alleen, Cara. Mensen om wie ik geef.'

Ze trok een gezicht. 'Waar heb je het over?'

Hij schoof een stoel voor haar naar achteren. 'Ik denk dat je moet gaan zitten.'

'Nee.' Ze staarde in zijn ogen met dezelfde uitdagende blik die ze had op de dag dat hij haar bij de schuur zag. 'Ik heb dingen te doen.' Ze liep naar de badkamer, sloot de deur en draaide de douche open. Hij begreep dat het er niet om ging wie God voor haar was, maar hoe zij zich gedroeg tegenover God. Terwijl hij zich afvroeg of de relatie met God altijd op deze manier startte, begon hij voor haar te bidden.

De deur van de slaapkamer knarste toen Lori hem opende. 'Mogen Voorspoed en ik nu naar buiten komen?'

'Natuurlijk. Heb je honger?'

Lori schoof een stoel aan. Haar bruine ogen stonden bezorgd. 'Mama is boos, hè?'

'Een beetje.'

'Moeten we nu weg?'

Hij hoopte van niet. Hij wilde het wel beloven, maar hij had geen controle over Cara. Ze kon zomaar haar spullen pakken en vertrekken. Misschien had hij eerder deze week met Cara moeten praten, toen ze aan het schilderen waren en Lori op de bank lag te slapen. Maar het was zoveel makkelijker geweest om de harde werkelijkheid nog even te vergeten en Cara te laten genieten van de vooruitgang die ze had geboekt. Nu moest hij met haar praten, maar zonder Lori in de buurt. 'Ik heb een idee. Zou je het leuk vinden om mijn zus te ontmoeten?'

'Hebt u een zus?'

Hij lachte. 'Een heleboel zelfs. Maar ik wil je laten kennismaken met eentje, namelijk Deborah.'

'Mag Voorspoed ook mee?'

'Ja. *Kumm.*'

Ze liepen over het erf en de parkeerplaats langs de werkplaats, naar het huis van zijn *Daed.* Deborah stond in de tuin en sprak met Mahlon en Anna Mary. Ze hadden hem nog niet gezien.

'Ga maar naar het meisje in de blauwe jurk en zeg maar dat je haar je puppy wilt laten zien en blijf dan even bij haar.'

'Moet ik blijven?'

Hij hurkte voor haar neer. 'Heel even maar. Ik moet met je moeder praten, oké?'

'Dat doen jullie al de hele week.'

'Dat weet ik, maar dit is anders. Als je goed luistert, dan maak ik later ijs, zelfs al is het middernacht.'

Ze keek hem onzeker aan. 'Mama vindt het niet fijn als ik hier zonder haar blijf.'

Hij had het gevoel dat Lori degene was die het niet zo'n fijn idee vond. 'Ze zal het niet erg vinden, daar zorg ik wel voor.'

Lori gaf hem een knuffel om zijn nek. Ondanks dat hij zoveel jongere zusjes had, was hij verbaasd over de genegenheid die hij voelde voor dit kleine meisje. Hij legde zijn hand op haar rug en hoopte dat hij echt wat voor haar kon betekenen. Maar dat lag niet alleen aan hem. Cara's wil en keuze kon alles tenietdoen.

Lori liep naar het groepje en de modderige Voorspoed rende met haar mee. Ze keken alledrie naar Lori toen ze iets zei. Zijn zus reageerde meteen vriendelijk op het meisje. Deborah boog en aaide de hond ondanks zijn natte vacht. Toen ze hurkte en met Lori babbelde, keek ze op naar Ephraïm en hield even zijn blik vast. Voor ze haar ogen liet zaken, verzekerde haar warme glimlach hem ervan dat ze loyaal was.

Anna Mary schonk hem een kille blik, alsof ze hem waarschuwde om zich aan hun afspraak te houden. Hij draaide zich om en wilde naar huis lopen, maar besloot om zich eerst te wassen en wat schoons aan te trekken. Omdat hij verschillende nachten in de werkplaats had doorgebracht, had hij daar een paar schone kleren liggen. De werkers waren al weg.

Na een vlugge wasbeurt, haastte hij zich terug naar huis. Het was niet de bedoeling dat Cara dacht dat Lori ervandoor was gegaan terwijl zij onder de douche stond. Toen hij naar binnen stapte, kwam ze juist uit de badkamer, blootsvoets en gekleed in Deborah's jurk. Ze droogde haar haren met een handdoek. Of ze nu onder de

modder van de vijver zat, in een spijkerbroek vol verfspatten rond-
liep, of Amish kleren aantrok, haar schoonheid was onmiskenbaar.
Ze had kort haar, net als hij, en het ging in tegen alles wat hij had
geleerd over dat een vrouw nooit haar haren mocht knippen, maar
hij vond het toch leuk staan.

Ze keurde hem nauwelijks een blik waardig toen ze naar de slaapkamer liep. 'Waar is Lori?'

'Ze is bij mijn zus.'

'Je hebt het recht niet om...'

Hij stak zijn hand op om haar te stoppen. 'Ik wil je een aantal
dingen vertellen en je wilt niet dat zij die afluistert.'

Ze liep naar de gootsteen waar de smerige, natte rugzak stond. 'Ik
zei toch, laat maar zitten.' Ze opende de rugzak en haalde de inhoud
tevoorschijn. De doorweekte kleren gooide ze in de gootsteen, maar
toen ze een dik, leren boek tevoorschijn haalde, vertraagden haar
bewegingen. Ze bladerde erdoorheen om te kijken hoeveel schade
het water had veroorzaakt.

'Nadat jij en je moeder waren vertrokken, klom ik elke dag in onze
boom om te wachten tot je terugkwam.'

Ze smeet het boek op tafel alsof het er niet toe deed, maar hij had
al gezien dat ze geraakt was. 'Wat wil je daarmee zeggen?'

'Je werd terug verwacht. Malinda had gewild dat jij zou worden
opgevoed door Levina. Daarom was ze hier die week -- om daar
toestemming voor te krijgen.'

De gespannen lijnen in haar gezicht losten op en elk spoor van
emotie verdween. 'Ze zou mij nooit wegsturen.'

'Dat wilde ze ook niet. Ik was op een late avond wat klusjes aan
het opknappen voor Levina en ik hoorde door een open raam je
moeder huilen alsof haar hart gebroken was. Het plan was dat ze
je mee zou nemen en voorbereiden op wat er moest gebeuren.'

'Dat is belachelijk.' Ze griste het boek van de tafel. 'Ik heb genoeg
gehoord.'

Hij stond op en blokkeerde de uitgang. 'Cara, luister naar me.

De kerkleiders hadden besloten dat ze geen plaats hadden voor je moeder. Ze was lid geworden van de kerkgemeenschap, maar toen er een man voorbijkwam die geen Amish was, vertrok ze. Toen ze met jou terugkwam, was ze met die man getrouwd. Ze wilden haar niet aanmoedigen hem te verlaten, maar ze wilden jou opnemen omdat je een kind was, en zij wilde je opgeven.'

'Mijn moeder zou me nooit aan vrienden weggeven om me op te voeden. Ze verstopte me soms voor mijn vader, maar...'

'Levina en Emma Riehl waren geen vrienden. Ze zijn familie. Riehl is de meisjesnaam van je moeder. En Levina was je overgrootmoeder.'

Ze stond aan de grond genageld.

Hij raakte haar arm aan en ze rukte zich los.

'De oude vrouw?'

'Zij was de oma van jouw moeder. Ze is een aantal jaar terug overleden.'

'Maar... heb ik hier familie?'

Hij knikte.

'Waarom heb je me dat niet verteld?'

'Welke slechte gevoelens jouw moeder ook heeft losgemaakt in Dry Lake, de meeste daarvan zijn nog niet vergeten.'

'Je bedoelt dat mensen weten wie ik ben en ze willen niets met me te maken hebben?' In haar ogen stonden pijn en ongeloof te lezen.

'Eerst wist niemand wie je was. Toen ze hoorden over een vrouw die in mijn huis verbleef, wisten de meesten het ook nog niet. En nu, ook om andere redenen, hebben ze tijd nodig om te wennen.'

'Te wennen?' Ze probeerde haar pijn voor hem te verbergen. 'Zíj hebben tijd nodig, nadat ze míj hebben achtergelaten in een bushokje?'

'Ik weet niet waarom dat gebeurd is. Misschien dacht je vader alleen maar dat Emma zou komen.'

Ze sloeg vol afschuw haar ogen ten hemel. 'Ja, natuurlijk. Het is zijn schuld. Dat kun je wel zien aan de hartelijke manier waarop de mensen me nu welkom heten.' Ze keek hem aan. 'Waarom doen ze zo? Je houdt iets achter.'

'Ze hebben dingen over je gehoord. Geruchten.'

'Vertel me meer.'

'Ze denken dat je een dief bent en een dronkaard. Ik heb nooit iemand verteld dat je dingen van mij hebt weggenomen, maar...'

Haar bruine ogen drongen zich in de zijne en hij kon bijna zien hoe de puzzelstukjes op z'n plek vielen. 'De man die me uit dat huis zag komen moet ervoor gezorgd hebben dat mensen dat zeggen.' Ze sloeg met haar vlakke hand op het aanrecht. 'Ik nam alleen wat ik nodig had. En ik was niet dronken. Uitgeput en onhandig, maar niet...'

'Ik weet het, Cara. Ik weet het. En zij ook, als ze daar de tijd voor krijgen.'

'Dus nu denken ze dat ik nog erger ben dan mijn vader, die het leven van een Amish-meisje heeft kapotgemaakt.'

Hij knikte.

Ze liep om hem heen het huis uit, en sloeg met een klap de hordeur achter zich dicht.

Hij liep achter haar aan en was verbaasd toen hij zag dat ze niet richting het huis van zijn *Daed* liep om Lori op te halen. In plaats daarvan liep ze naar het achterpad richting het maïsveld.

'Cara, wacht.'

Ze draaide zich naar hem om. 'Ik heb al die tijd dingen uit mijn leven met je gedeeld, en jij wist er meer over dan ik. Ga weg, Ephraïm. Ga terug naar je hechte gemeenschap en laat mij alleen.'

Hij liep achter haar aan. Ze stopte niet tot ze bij de fundamenten van Levina's huis was.

Hij liep met haar mee de verhoging op. 'Het spijt me. Als ik dit had kunnen voorkomen, dan had ik het gedaan.'

Haar ogen vulden zich met tranen. 'Al die jaren dat ik niemand had, was makkelijker dan dit.'

'Ik weet dat het moeilijk te begrijpen is, maar om te leven op onze manier, hebben we regels en beperkingen nodig en moeten we de wegen van de wereld vermijden. Onze grenzen veranderen niet op het moment dat iemand meer vrijheid wenst. Iemand gaat akkoord met de levenswijze van de Amish, en sluit zich aan, of gaat weg. Je moeder kwam tot geloof, maar vertrok vervolgens. Ze kwam pas terug toen ze jou wilde beschermen.'

'Het had dus niet uitgemaakt wat ik deed. Ze waren sowieso bevooroordeeld om wat zij had gedaan.'

'Niet helemaal. De problemen die je moeder heeft veroorzaakt, vormen een gedeelte van het verhaal. De halve waarheden die de ronde doen, veroorzaken veel schade. En jij draagt een aura van de wereld om je heen, en dat maakt je verdacht. Wij hebben in hetzelfde huis geslapen. Toen de kerkleiders langskwamen, stonden Lori en jij te dansen. Toch, als je de gemeenschap een beetje tijd geeft, dan worden ze tot een andere mening gebracht. Hun houding naar jou is al aan het veranderen.'

'Waarom denk je dat?'

'De bisschop heeft een plek voor jou gevonden om te wonen. Het is niet ver van Dry Lake. En de huur is al gedekt voor drie maanden.'

'Ze betalen me om weg te gaan?'

Zo had hij het nog niet gezien. 'Cara, ik weet zeker dat ze het zo niet bedoeld hebben.'

'Is dat wat je vriendin je kwam vertellen, dat de gemeenschap een plan heeft om me uit Dry Lake weg te krijgen?'

'Nee, het echte nieuws was dat mijn *Daed* in het ziekenhuis is opgenomen en ik moet naar hem toe.'

'Wat? Het spijt me. Ik ga meteen Lori halen en dan blijven we vannacht in het huis van Garrett.'

'Nee, dat bedoelde ik niet. Zijn toestand is stabiel, dus het is geen spoedgeval.'

'Waarom heb je dat niet eerder verteld?'

Hij wreef over zijn nek en realiseerde zich dat hij van de regen in de drup belandde. 'Ik heb een keus gemaakt, Cara.'

'Waar heb je het over?'

'Ik ben onder de ban.'

'Dat begrijp ik niet.'

'Ik ben uitgesloten van de gemeenschap. Men mag niet met mij praten en ik mag niet met Amish mensen praten of met ze samenwerken – zelfs niet met familie.'

'Op vakantie, hè?' mompelde ze terwijl ze naar de verre zijde van de fundering liep. Even later rechtte ze haar rug enigszins. 'Kan ik iets doen om dit weer voor je recht te zetten, of is het voldoende dat ik hier vertrek?'

'Ik wil niet dat je weggaat, zeker niet op deze manier.'

'Tja, en ik wilde niet in de pleegzorg opgroeien, maar zo is het leven, Frim.'

Het gebruik van zijn koosnaam zei hem dat haar boosheid was verdwenen. Gelatenheid had de overhand gekregen en ze maakte zich klaar om de zaken recht te zetten en te vertrekken.

Hij liep naar de rand van de fundering en ging zitten. 'Ik ben ongeveer vijf jaar na de dood van mijn moeder naar New York gegaan. Op zoek naar jou. Ik dacht oprecht dat ik een kans had om je te vinden.'

Ze kwam naast hem zitten. 'Het spijt me dat ik je een leugenaar noemde. Je bent vriendelijker tegen me geweest dan iemand had kunnen verwachten.'

'Ik ben blij dat we elkaar móésten leren kennen. Ik zal nooit meer op dezelfde manier naar het leven kijken nu ik jou heb ontmoet. Maar ik ben een Amish, en mijn familie heeft me nodig. In het bijzonder vanwege de gezondheid van mijn *Daed*. Ik voorzie in het onderhoud van de familie.'

'En jouw God zou het niet op een andere manier willen, klopt dat?'

De moed zonk hem in de schoenen. *'Die Sache, as uns zammebinne, duhne sich nie net losmache, awwer die Sache as uns ausenannermache schtehne immer fescht.'*

'Zo is dat.' Een glimlachje speelde op haar lippen omdat hij die zin al verschillende keren tegen haar had uitgesproken. 'Ga je me ooit nog vertellen wat het betekent?'

Hij keek haar in de ogen en wenste dat hij meer tijd had. 'De zaken die ons samenbinden zullen nooit losser worden, maar de zaken die ons scheiden, zullen altijd blijven standhouden.'

Ze legde haar hand op de zijne en hij voelde de warmte en eenzaamheid van haar afstralen. 'En wat ons niet scheidt, laat ons toe om vrienden te zijn... in elk geval voorlopig.'

Hij hield haar hand vast. 'We zullen in gang zetten wat er moet gebeuren. Neem de tijd om Lori te laten wennen aan de nieuwe plek en om een baan te vinden.'

Cara staarde naar de horizon, ze zag er vredig uit, ondanks de storm die in haar woedde. Hij dwong haar niet tot een antwoord. Er was voor nu voldoende gezegd. Ze bleven zitten tot het daglicht plaats maakte voor het donker, en een paar sterren zichtbaar werden.

❧

DERTIG

Voordat ze uit bed stapte, trok Cara het warme lichaam van Lori dichter tegen zich aan en kuste ze haar op het achterhoofd.

Ze gleed in haar spijkerbroek en hield Ephraïms shirt aan. Het deed pijn om te beseffen dat ze familie in Dry Lake had die niet met haar wilde praten. Maar ze kon niet ontkennen dat Ephraïm veel had gedaan om haar situatie te verbeteren. Het leven van Lori was verbeterd en zou ook altijd beter zijn, door de weg die hij had vrijgemaakt voor hen. Dat alleen al was voldoende om de snijdende teleurstelling in haar binnenste te sussen.

Terwijl het lichter werd, liep ze op haar tenen de slaapkamer uit. De gedachte kwam op om Emma Riehl te ontmoeten. Misschien als ze begreep waarom haar vader haar had achtergelaten bij het busstation om op Emma te wachten, en waarom ze er niet geweest was, misschien dat ze het dan kon laten rusten.

De warmte straalde van het kookfornuis. De percolator met koffie en water stond naast de gootsteen, klaar om op het fornuis gezet te worden. Blijkbaar was Ephraïm al binnen geweest en had hij het vuur aangemaakt en de percolator voor haar klaargezet. In zijn eentje, zonder de gemeenschap die aan hem trok, was Ephraïm een man apart. Hij was integer.

En er was nog iets anders.

Hij had een stukje van haar hart gewonnen. Ze begreep niet waarom dat gebeurd was. Misschien omdat hij oprecht een aardige kerel was, of misschien omdat ze zich met hem verbonden voelde omdat hij haar moeder gekend had. Wat de reden ook was, haar hart had niet het juiste moment uitgekozen. Gelukkig had hij maar een splintertje van haar hart. Als ze hier weg was dan kreeg ze dat wel weer terug. Ze bewoog zich zo stil mogelijk en zette de kan op het fornuis. Eigenlijk had ze wel zwaardere dreunen te verduren gekregen in haar leven dan de ontdekking dat haar familie niets met haar te maken wilde hebben: ze was haar moeder verloren, opgegroeid in de pleegzorg, achtervolgd door een stalker en getrouwd met een man van wie ze niet hield. De nieuwe klap had haar aan het wankelen gebracht, maar niet voor lang. Ze zou opnieuw beginnen en iets vinden waar ze echt goed in was. Misschien moest ze haar eigen schildersbedrijf beginnen.

De Bijbel lag open op tafel. De twee mannen met wie ze zich het meest verwant had gevoeld, hadden een geloof dat gegrond was in dat boek. Een greintje hoop dat ze kracht kon putten uit die bladzijden, trokken haar ernaartoe.

Ze ging zitten en legde het boek voor zich neer. De woorden waren nauwelijks zichtbaar in het schemerige licht van de ochtend. Ze stak de kerosinelamp aan en bladerde wat heen en weer, af en toe stopte ze als haar oog op een passage viel. Het prachtige proza en de beeldspraak waren fascinerend, zelfs zonder dat ze in de herkomst ervan geloofde. Terwijl ze de dunne delicate pagina's omsloeg, herinnerde ze zich hoeveel haar moeder van dit boek hield. Ze had in Cara's dagboek verzen genoteerd naast liefdevolle gedachten en korte levenslessen van een moeder naar een kind.

Dochter. Haar oog viel op het woord, maar ze was er al voorbij. Ze bladerde terug en begon elke pagina vluchtig door te lezen.

Dochter. Het woord kwam op haar af uit het boek. Ze legde haar vinger eronder en las een paar woorden terug.

'Ik zal u tot een Vader zijn, en u zult Mij tot zonen en dochters zijn.' Het verlangen om een geliefde dochter te zijn kwam zo hard binnen dat haar adem stokte.

Als dat waar kon zijn.

❦

Ephraïm zat op de schommelbank bij de schuilplaats in zijn tuin. De bezorgdheid om de gezondheid van zijn *Daed* kwam van alle kanten op hem af, maar het was niet voldoende om zijn gedachten weg te houden bij Cara.

Het topje van de zon gluurde over de rand van de horizon en bracht heldere lichtstralen mee. Het groene veld glinsterde van de dauw. Paarden en koeien graasden op de nabijgelegen velden. De mist steeg op uit de vallei en van het dak van de werkplaats. Alles zag er veelbelovend uit – het mooiste wat deze aarde te bieden had. Het najagen van geluk. Een vredig leven. En vrijheid.

Maar het enige wat hij voelde waren leegte en verplichtingen.

Afgelopen nacht had hij nauwelijks geslapen. Zijn hele lichaam verlangde naar zaken waarvan hij het bestaan niet kende voor hij Cara ontmoet had. Ze had sluimerende delen van zijn ziel gewekt, net zoals ze dat gedaan had als kind. Het bestaan vóór haar was oppervlakkig en alleen maar bevredigend omdat hij niet beter wist. Nu wist hij wel beter. Voor een gedeelte zou hij willen nog onwetend te zijn. Maar een ander deel verlangde naar een antwoord.

Was hij verliefd op haar aan het worden? Dat deed er niet toe. Het kon niet. Hij probeerde aan iets anders te denken.

Omdat het stil was in huis, vroeg hij zich af of Cara en Lori misschien nog sliepen. Nadat Cara Lori had opgehaald bij zijn zus, had hij ijs gemaakt, zoals beloofd. Daarna was hij naar de werkplaats gegaan. Cara had waarschijnlijk ook niet veel geslapen. Of misschien ook wel. Ze was in elk geval beter gewend aan ontreddering en verdriet dan hij. Voelde ze zich verdrietig vanwege hem? Of was hij de enige die zich zo in verwarring gebracht voelde door hun vriendschap?

Hij wist dat ze vanmorgen naar Garrett moest om het werk af te maken, maar hij aarzelde om haar te wekken. Hij liep naar de waslijn in de tuin van zijn *Daed*, waar hij een soort goot had gemaakt van een laken dat tussen de twee lijnen gespannen was. Hij had de schoongewassen kwasten en rollers erin gelegd. Het moest rond middernacht zijn geweest dat hij zich herinnerde dat hij de schildermaterialen nog moest wassen. Hij pakte de gereedschappen en deed ze in de emmer die hij hiervoor had schoongemaakt. De deur naar het huis van zijn *Daed* zwaaide open en hij keek op. Anna Mary zag er net zo vermoeid uit als hij zich voelde. Nu Becca in het ziekenhuis was bij *Daed*, was Anna Mary waarschijnlijk gebleven om Deborah te helpen met de jongsten. Ze liep zonder aarzelen op hem af, blijkbaar zeker dat het privilege dat ze gekregen had van de bisschop nog steeds gold.

Haar voeten waren nat van de dauw toen ze tot stilstand kwam. 'Mahlon en Grey hebben allebei aangeboden vandaag Cara te helpen. De bisschop heeft toestemming gegeven, mits een van de oudsten op elk moment langs kan komen als ze dat willen. Ik heb gezegd dat het geen probleem zou zijn. Een van de mannen is hier binnen een uur om ze erheen te rijden.'

'Waarom moet dat met zoveel vertoon? Cara gaat ze heus niet verleiden, alsjeblieft zeg.'

'Daar gaat het niet om. De bisschop is het hoofd en wij gehoorzamen zijn woord. Ben je de gebruiken van jouw volk zo snel vergeten?'

Geërgerd over haar toontje, een manier die ze voor de uitsluiting nooit gebruikt zou hebben, deed hij de laatste twee kwasten in de emmer.

'Robbie is hier rond dezelfde tijd om je naar het ziekenhuis te rijden. Ik wil graag met je mee.'

'Ik weet zeker dat Deborah jouw hulp hier kan gebruiken. Bovendien wil ik alleen met *Daed* praten.'

Ze kwam dichterbij en legde haar hand op zijn borst. 'Luister, dit is voor ons allebei moeilijk, maar ik moet weten of je geeft om ons – dat als dit voorbij is, dat jij je op dezelfde manier met mij verbindt, zoals je dat ook met die vrouw en haar kind hebt gedaan.'

Als een lenteregen daalde het besef op hem neer en hij begreep wat zijn hart hem probeerde duidelijk te maken. Hij legde zijn hand op

de hare en trok haar van zich los. 'Het spijt me, dat kan ik niet doen.'
Hij betwijfelde of hij het ooit had kunnen doen zonder zich te schikken. Maar nu hij begreep wat het betekende om zich te verbinden met iemands ziel, en om te voelen dat iemands aanwezigheid zijn kijk op de dag veranderde, nu moest hij Anna Mary laten gaan.

'Wat bedoel je te zeggen?'

'Je mag de mensen zeggen dat je de relatie beëindigd hebt. Dat je me zat bent. Dat je je schaamt voor me. Ze zullen met je meeleven. Waarschijnlijk zeggen ze dat je juist gehandeld hebt.'

Haar gezicht werd rood en ze barstte in tranen uit. 'Maar waarom?'

'Daar wil je niet echt een antwoord op. En als dat je helpt, daar wil ik zelf ook geen antwoord op.'

Haar gezicht vertrok van de verwarring. 'Misschien ben je geïrriteerd door alle spanning. Of boos over wat er gebeurt, en krijg ik dat over me heen.'

'Heb ik me ooit op jou afgereageerd?'

Ze gebruikte haar schort om haar tranen te drogen. 'Dan ben je me uitleg verschuldigd.'

Begreep ze het echt niet? Hij nam zijn hoed af en begon er zenuwachtig aan te frunniken. Toen begreep hij het. Ze had zo'n lage dunk van Cara dat ze zich niet kon voorstellen dat Ephraïm gevoelens voor haar zou hebben. 'Ik ben niet verliefd op jou.'

'Maar...'

'Het spijt me.'

Ze greep de emmer van de grond en slingerde die door de tuin. 'Het is niet te geloven. Je zou me moeten smeken om in je leven te blijven.'

'Daar ben ik het mee eens. Maar dat doe ik niet.' Hij hoorde Lori babbelen en keek die kant op. Aan de andere kant van het veld stond Cara, ze koesterde zich in het zonlicht als een verschijning van alles wat verboden was. En het enige wat hij wilde was meer van haar. Ze was maar een Engelse met kort haar, in wereldse kleren en met een vrije moraal. Het ontbrak haar aan alles om een Amish te worden. Toch verlangde hij ernaar om tijd met haar door te brengen. Anna Mary kneep in zijn arm. 'Kijk me aan.'

Toen hij keek zag hij de pijn die hij veroorzaakt had. Hij vond het afschuwelijk, maar kon er niets aan veranderen.

'Zij?' Haar stem was vol ongeloof. 'Zij heeft je verleid, of niet?'

'Nee. Ze heeft er geen idee van hoe ik me voel. Ik weet zelf niet eens hoe ik me voel. En wellicht sterf ik als eenzame vrijgezel. Maar dat verandert niets aan jou en mij.'

Ze balde haar vuisten en stormde weg over het erf.

Hij voelde zich tegelijk schuldig en opgelucht. Welke ontdekkingen hij ook nog zou doen in zijn hart, hij zou Anna Mary er in elk geval niet mee bedriegen.

⚘

EENENDERTIG

Cara stond bij het aanrecht in de keuken terwijl Joe Garrett een cheque uitschreef. Met zijn handen dekte hij het zicht af, waardoor ze het bedrag niet kon zien. Ze hoorde Lori in de kamer ernaast met het dochtertje van Garrett kletsen.

Meneer Garrett stopte met schrijven en hield de betaalcheque in zijn hand. 'Je hebt fantastisch werk geleverd. Nog geen krasje op vloeren of meubels en de kasten niet alleen geverfd, maar ook opgeruimd. Alle kamers zijn prachtig geschilderd. En nergens een spatje verf te zien. Dit had ik niet verwacht. In een week? Dan moet je heel wat overuren gemaakt hebben.'

'Ik ben blij dat u tevreden bent.'

Hij gaf haar de cheque. 'Ik denk dat dit aangeeft hoezeer we onder de indruk zijn.'

Ze wierp een blik op het bedrag en verslikte zich bijna. Vijfhonderd dollar meer dan afgesproken. Het enige waar ze zelf op gehoopt had was dat de Garretts voldoende tevreden waren om haar uit te betalen.

Heather Garrett gebaarde om zich heen. 'Ik vind het geweldig. Absoluut geweldig.' Ze nam het chequeboekje van haar man over. 'Ik dacht dat ik eeuwig bezig zou zijn met alles opruimen.'

Cara's hart bonsde van blijdschap. Ze had geld. Echt geld om iets te beginnen. Ze was zo opgewonden dat ze wel had willen dansen. In plaats daarvan vouwde ze het papiertje op en liet het in haar broekzak glijden. 'In de garage staat een doos met spullen die overbodig leken toen ik de kasten opruimde.'

'Die ga ik later deze week uitzoeken.'

Cara liep de trap op om Mahlon en Grey te helpen met afronden. Ze waren druk bezig de meubels terug te zetten op hun plek. Ondanks dat ze een vreemdeling was en een Engelse op de koop toe, volgden ze zonder klagen haar aanwijzingen op. Tot haar verbazing mocht ze haar medewerkers. Ze waren helemaal niet zoals ze gedacht had dat ze zouden zijn: bekrompen, bevooroordeeld en moeilijk. Met de cheque op zak, waarvan haar deel zeker een maandloon was, zag ze weer hoop aan de horizon. 'Ik ben ontzettend blij met wat jullie vandaag allemaal gedaan hebben.' Ze trok een strook afplakband van de vloer.

Grey rechtte zijn rug en liet de spieren in zijn nek knakken. 'Graag gedaan. De kwasten, rollers en de meeste afdekkleden zijn schoon en op de wagen geladen.'

Cara wierp een prop tape in de prullenbak. 'We moeten de rest van de materialen nog uit de kelder halen en daarna alle kamers doorlopen om te controleren of we alles gehad hebben, en dan zijn we klaar om te gaan.'

Op een andere plek in de kamer trok Mahlon een stuk afplakband los en zei: 'Misschien kun je Deborah helpen met schilderen als ik voor ons een plekje heb gevonden.'

'Ik dacht dat ik taboe was.'

Een beetje ongemakkelijk plaatste Grey een lamp op een dressoir. 'Ik zeg het je maar direct. Je hebt een paar enorme blunders begaan. Ik weet zeker dat veel Engelsen dat ook zo zouden zien, toch?'

Hoewel ze het vreselijk vond om toe te geven, had hij gelijk.

'Zie je, onder de Amish worden bepaalde grenzen niet overschreden. Nooit. Maar als je vertrekt uit Ephraïms huis en laat zien dat je betrouwbaar bent, dan verandert men vanzelf van mening – als je dat tenminste interesseert.'

Ze trok het laatste stukje tape los en rolde het op. Daar was het weer, opnieuw werd ze ermee geconfronteerd dat ze Ephraïms huis uit moest. 'Behalve wat Ephraïm ervan denkt, kan het me niets schelen wat de rest ervan vindt.'

Grey zette een andere lamp op het nachtkastje en deed de stekker in het stopcontact. 'Of dat nu goed is of niet, hij heeft zaken verborgen voor de kerk en de gemeenschap wat jou betreft. Al jaren geleden is hij tot geloof gekomen, en het gaat tegen onze gebruiken in, dat hij zijn leven deelt met een vrouw die niet Amish is, dus zal het je nooit zijn toegestaan om veel tijd met Ephraïm door te brengen.'

Ze stelde Grey's oprechtheid op prijs. Het stak haar een beetje, maar zijn toon en gezichtsuitdrukking lieten zien dat hij haar wilde helpen om het te begrijpen. Ze verlangde ernaar om de gezichten van haar familieleden te zien, al was het alleen maar om te weten hoe ze eruitzagen. Dat verlangen nam toe, en het idee om op bezoek te gaan bij de Riehls werd steeds aantrekkelijker.

Mahlon gooide een prop tape in de prullenbak. 'Ephraïm kan doen wat hij wil, als hij tenminste bereid is om iedereen de rug toe te keren en voor zijn leven uitgesloten te worden.'

Wat? Ze had het gevoel dat de kamer kleiner werd en zocht steun bij het dressoir. Dat was er met haar moeder gebeurd, of niet? En niet alleen had haar moeder de prijs betaald, ze had er zelf ook onder geleden. En nu betaalde ook Lori de prijs. 'Dus vriendschap met mij kan voortdurend voor conflicten zorgen? Dat wil ik niet.'

Moest ze weglopen en nooit meer terugkeren? 'Is er geen tussenweg?'

Grey hing de gordijnen op aan de roede. 'Misschien. Als jij je eenvoudig kleedt, oplet met wat je zegt en je terughoudend gedraagt, zodat het duidelijk is dat je onze moraal respecteert.'

'Dat is een fikse opgave.'

'Voor ons ook.' Hij zette de gordijnroede vast op zijn plek. 'Maar God geeft ons kracht. En de kerkleiders stellen goede voorbeelden en wijzen ons op onze verantwoordelijkheid. Onze gebruiken zorgen voor bulten, blauwe plekken en misverstanden die soms behoorlijk hoog oplopen. Maar als de rust weerkeert, heeft iedereen geleerd van de fouten.'

Ze kon zich niet voorstellen wat voor soort leiderschap nodig was om een hele Amish gemeenschap honderden jaren verbonden te houden. Het inzicht dat Grey zojuist met haar gedeeld had, verzachtte de pijn van de houding die de mensen hadden aangenomen. Maar het was zoals Ephraïm gezegd had: de zaken die hen verbonden zouden niet losser worden, maar de dingen die hen scheidden, zouden altijd blijven standhouden. Plotseling wilde ze, vanwege Ephraïm, zo snel mogelijk weg uit zijn leven, zodat hij dat wat ze kapot had gemaakt, kon repareren. Ze moest weg, en wel zo snel mogelijk.

Maar eerst wilde ze Emma Riehl in de ogen kijken om te vragen wat er gebeurd was.

&

Ephraïm zat naast het ziekenhuisbed. Het merendeel van de dag had zijn *Daed* liggen slapen. Zijn ademhaling was snel en oppervlakkig, zijn benen, enkels en voeten waren gezwollen en zijn vingernagels hadden een blauwachtige glans. Het tempo waarmee de hartaandoening zich ontwikkelde, leek toe te nemen en ondanks wat de Schriften zeiden over het vertrouwen in God, was Ephraïm bezorgd. De middagzon weerkaatste op de muren. Vanmorgen had de dokter zijn ronde moeten onderbreken vanwege een spoedgeval, dus hij was nog niet langsgekomen. Dat was niet erg, bedacht Ephraïm, want toen zijn *Daed* wakker was had hij laten weten dat hij het niet op prijs stelde als Ephraïm met de dokter praatte. Hij bleef herhalen dat zijn zoon hem niet als een kind hoefde te behandelen. Maar er stak meer achter zijn bezwaren, dat wist Ephraïm zeker. Nu Becca eindelijk weg was om ergens wat te gaan lunchen, was hij van plan om te ontdekken wat dat was.

'*Daed*.' Hij raakte zijn arm aan. 'We moeten praten.' Hij liet hem even rustig wakker worden en gaf hem toen een glas geschaafd ijs. 'Ik heb dorst en alles wat ze je hier geven is geschaafd ijs? Wat een slecht hotel.'

Hij hoopte dat zijn vaders humor een goed teken was.

'*Daed*, ik moet erbij zijn als de dokter met u komt praten. Ik wil weten wat hij te zeggen heeft.'

'Daar hebben we het al over gehad. Het gaat prima. Er valt niets te weten.'

'Laat de dokter dat dan aan mij uitleggen.'

'Ben je me komen bezoeken of vermoeien?'

'*Dead*, kunnen we hier nu niets aan doen? Uw hartconditie gaat achteruit waardoor u keer op keer in het ziekenhuis belandt. Wat houdt u achter? Ik denk dat u me de waarheid verschuldigd bent.'

'Verschuldigd aan jou?' Zijn vader staarde hem aan.

'Ja.'

'Jij bent degene die mij iets schuldig is. Dat meisje in je huis laten slapen. Ik ben onteerd voor het oog van de hele wereld.'

De opschudding die hij vanbinnen voelde, spoelde elk gevoel van vrede weg die hij de afgelopen jaren onder zijn mensen ervaren had. Als zijn vader een flauw vermoeden had over hoe Ephraïm zich voelde, dan kon hij rechtstreeks naar de Intensive Care. 'Het spijt me van de spanning die deze situatie voor u oplevert. Maar op dit moment wil ik het graag over uw gezondheid hebben. Over niets anders.'

Zijn vader zette het glas op het bedtafeltje. 'Ik hou er niet van om als een kind behandeld te worden.'

'Ik ook niet. Maar u behandelt me toch zo. Kunnen we elkaar niet iets meer als zakenpartners zien? We hoeven het niet altijd met elkaar eens te zijn, maar we kunnen van elkaar houden en elkaar respecteren als gelijken.'

Zijn vader pulkte aan het tape waar het infuus in zijn arm zat. 'De medicijnen die ervoor zorgen dat mijn hart blijft pompen werken niet zoals ze zouden moeten. We hebben verschillende dingen geprobeerd, maar de symptomen worden erger. Er kan niets gedaan worden.'

'Ik heb een paar weken geleden met een zuster gesproken en volgens haar is er de mogelijkheid van een implanteerbare defibrillator.'

Daeds ogen werden wazig. 'Niet acceptabel. Daar is een bloedtransfusie voor nodig en ik weiger mijn bloed te vermengen met dat van een zondaar. Dan ga ik liever dood.'

Moe van alle regels, beperkingen en eigenaardigheden in de familie, begon Ephraïms frustratie een hoogtepunt te bereiken. 'We móéten alle medische mogelijkheden openhouden.'

'Je vraagt mij om m'n overtuigingen te negeren. Al die jaren dat je aan mijn zijde hebt gewerkt en nog altijd begrijp je mij niet? Waar is het respect gebleven voor alles wat ik voor je heb gedaan? Ik heb de zaak opgebouwd en die praktisch aan je cadeau gedaan.'

'Toen u mij vroeg om thuis te komen vanwege uw ziekte, ben ik gekomen en heb ik de zorg voor de familie op me genomen. U hoeft dus niet te doen alsof u de werkplaats aan mij hebt gegeven. Ik heb twee keer zo hard gewerkt als ik had moeten doen, zodat ik u en uw familie meer dan de helft van de opbrengst kon geven. Goed, nu wil ik de medische mogelijkheden bespreken en dan samen een beslissing nemen.'

'Ik laat me niet inslapen zodat ze mijn borst kunnen openscheuren. Die dokters zijn God niet. Mijn leven ligt in Zijn handen.'

Knarsetandend probeerde hij zijn kalmte te bewaren. 'Hij is niet Degene geweest op Wie u hebt gesteund om u te onderhouden. Die last heb ik gedragen. Dus als er mogelijkheden zijn om de symptomen weg te halen, dan moeten we die overwegen. Laat uw ziekte niet zwaarder zijn dan nodig.'

Zijn vader staarde uit het raam en Ephraïm keek toe hoe de secondewijzer twee keer rondging op de klok. 'Het was niet nodig dat je *draus in da Welt* ging. Als God mijn gezondheid wilde gebruiken om jou terug naar huis te krijgen, dan ga ik daarover geen discussies aan.'

Ephraïm sprong overeind. Tientallen bezwaren schoten door zijn hoofd. 'U was er slecht aan toe en ik moest thuiskomen. Maar u kunt niets van mij afdwingen, ook al had u weinig keus. Ik kan er niet voor instaan – niet meer.'

'Niet meer?'

Ephraïm keek uit het raam en zag eindeloze kilometers van een wereld waartoe hij niet behoorde. 'Ik gaf u mijn leven, *Daed*. Te lichtvaardig. Te gemakkelijk. Ik weet niet waarom, behalve dan omdat ik van u houd en ik datgene wat u wilde meer respecteerde dan wat ik wilde. Destijds leek het vanzelfsprekend om te worden wat u wilde dat ik werd. Maar u hebt het te ver laten komen. En ik heb dat toegestaan.'

Zijn vader staarde hem verbijsterd aan door de wending die het gesprek nam. 'Je wilt je vrijheid om achter die vrouw aan te jagen, is het niet?'

Helder zonlicht verlichtte de aarde, maar Ephraïms gedachten en gevoelens benevelden hem als dikke mist. 'Ik wil graag dat u stopt met het beheersen van mijn leven. U hebt keuzes gemaakt waarvan ik de last draag. U koos voor een vrouw die meer dan tien jaar jonger is dan u. U koos ervoor met haar te blijven slapen zelfs nadat u te ziek was om de kinderen die u al had te onderhouden. Ze nam zelf twee kinderen mee in het huwelijk, en u kreeg er nog eens drie nadat u ziek werd. Ik had me dit al veel eerder moeten bedenken, maar is het niet verkeerd, dat ik moet betalen voor uw keuzes?'

De spieren in de nek van zijn vader spanden zich aan. De minuten kropen voorbij, en de ogen van zijn vader werden weer wazig. 'Bedoel je te zeggen dat je het geloof verlaat?'

'Nee. Ik zeg dat als er een mogelijkheid voor u is om te herstellen door bepaalde dingen te proberen, dan moet u dat doen.'

'Als ik een operatie toesta, dan moet ik papieren ondertekenen waarin ik een bloedtransfusie accepteer als dat nodig blijkt.' Zijn ogen vulden zich met tranen. 'Bovendien wil een gedeelte van mij jouw moeder graag weerzien.'

De gedachten van zijn *Daed* begonnen zich te ontvouwen en Ephraïm begreep dat er meer dan een reden was waarom hij de medische mogelijkheden niet wilde onderzoeken. Een verwarde kluwen redenen zelfs. '*Daed*, het was afschuwelijk om *Mamm* te verliezen. Het was meer dan we konden dragen.'

'Ik mis haar nog steeds.'

'Ik ook. Een van de eerste dingen die ik me herinner nadat u met Becca was getrouwd, is dat ze bij het aanrecht stond af te wassen. Doordat ze dezelfde haardracht had en een Amish kostuum, leek ze enorm op *Mamm*. Ze maakte goede maaltijden voor ons klaar, net zoals *Mamm* had gedaan. Ze maakte mijn lunch klaar, net als *Mamm*. Ze zat zelfs op de bank de kleintjes voor te lezen, en ze te liefkozen, en ze stopte ze in op dezelfde manier als *Mamm*. Er was niet een activiteit van *Mamm* die Becca niet kon doen. Maar ze was *Mamm* niet. En onze harten wisten dat.'

'Ik weet zeker dat Becca het zou begrijpen. Zij had ook pijn om het verlies van haar echtgenoot.'

'Ik weet het.' Hij zat naast zijn vader en legde zijn hand op zijn arm. 'U hebt een plaats in ons gezin die ik niet kan invullen. Als het moet, kan ik de nodige beslissingen nemen en geld verdienen om de rekeningen te betalen. Maar we hebben u allemaal nodig. U moet daarvoor vechten. Als het niet voor uzelf is, dan voor uw jongste kinderen die u zich niet eens zullen herinneren als u nu opgeeft. Voor Deborah die u meer liefheeft dan u beseft. En voor mij. Ik heb er genoeg van om te proberen u te zijn, maar ben meer dan klaar om weer uw zoon te worden.'

Iemand klopte op de deur en kwam binnen. 'Hoe voel je je vandaag, Abner?' Hij knikte naar Ephraïm. 'Ik ben dokter Kent.'

Ephraïm stond op en stelde zich voor. 'Ik heb met mijn vader gepraat en ik zou graag willen dat u de mogelijkheden aan ons beiden uitlegt.'

De man keek naar *Daed*. Toen die knikte, ging de dokter zitten. 'Uiteraard. Ik zal u wat basiskennis bijbrengen en dan kan ik u uitleg geven. Om te beginnen heeft uw vader geen hartziekte. Jaren geleden is er een virus in het orgaan beland die fysieke schade veroorzaakte. Hij gebruikt al lange tijd medicijnen en dat heeft een periode gewerkt. Maar het afgelopen jaar is de effectiviteit

verminderd en krijgt hij vaker een hartritmestoornis. Zijn schild-
klier is beschadigd en dat kost hem veel energie. Het is niet langer
voldoende om alleen op zijn dieet te letten. Zijn hartritme is moeilijker te controleren, net als het vasthouden van vloeistoffen in zijn
lichaam. Hij is er niet slecht genoeg aan toe om in aanmerking te
komen voor een harttransplantatie. En ik hoop dat het zover ook
niet komt omdat de wachtlijst langer is dan de meesten kunnen
overleven. Maar we hebben goede ervaring met de implanteerbare
defibrillator. Het zal zijn hartslag laten dalen als dat nodig is. Mijns
inziens is het implantaat de beste behandeling voor Abner, maar
het is niet zonder complicaties.'
'Heeft hij daar een bloedtransfusie voor nodig?'
'Dat is onwaarschijnlijk. Maar ik opereer niet zonder dat er bloed
van de bloedbank klaarstaat in de operatiekamer.' Hij keek van
Daed naar Ephraïm en terug. 'Is dat een probleem?'
Ephraïm knikte. 'Het is een behoorlijk groot obstakel voor mijn
Daed.'
'Waarom?'
Ephraïm wachtte tot zijn *Daed* iets zou zeggen, maar die zweeg.
'Hij voelt zich niet op zijn gemak bij het idee dat het bloed van
een vreemde wordt opgenomen in zijn lichaam.'
'Abner, ik had er geen idee van dat dit meespeelde. Zolang het
bloedtype maar overeenkomt mag je vrienden en familieleden
bloed laten geven.'
Zijn vader bleef een moment onbeweeglijk liggen. Toen keek hij
Ephraïm aan. 'Dat wist ik niet.'
Ephraïm voelde de irritatie in zich opkomen. Hij had jarenlang on-
recht verdragen en dat leek zich nu om te zetten in diepgewortelde
boosheid. Zijn vader zou zich wat minder snel moeten verzetten
tegen het onbekende, en wat sneller alle mogelijke vragen moeten
stellen.
'Ephraïm, ben je ervan overtuigd dat ik dit moet doen?'
Ephraïm kon onmogelijk zeker weten of het beter zou gaan met

zijn vader na de ingreep, of zelfs dat hij eventuele complicaties zou overleven. 'Ik neem de verantwoordelijkheid niet op me om voor u te beslissen.'

Zijn vader schudde zijn hoofd. 'Ik zat verkeerd. Ik kan pas beginnen om het goed te maken met je als ik probeer om mijn kracht terug te krijgen.' Hij keek naar de dokter. 'Ik doe het.'

❧

TWEEËNDERTIG

Cara stond voor Ephraïms fornuis en roerde in een runderstoof-potje dat ze op een laag vuurtje gekookt had bij de Garretts en daarna hierheen gebracht.

'Ben je er zeker van?' Ephraïms ogen stonden zo bezorgd dat ze wegkeek.

'Ik moet weten waarom mijn vader zei dat Emma me kwam halen, en waarom ze er niet was.'

'Cara.' Hij fluisterde haar naam maar ze weigerde hem aan te kijken. Hij kwam naast haar staan. 'Als je vragen gaat stellen, hoor je waarschijnlijk dingen over je moeder die je misschien liever niet had geweten.'

'Luister, dat had ik ook al bedacht.' Ze zwaaide naar hem met de houten lepel. 'Misschien was ze geen goed mens toen ze hier vertrok, maar ze was een goede moeder voor mij. Het bewijs daarvan heb ik in mijn hoofd en nog meer in het dagboek. Ze heeft dingen opgeschreven over God en de Heilige Schrift.' Haar hart sloeg op hol als ze dacht aan al die geheimen waarvan haar moeder had gehoopt dat ze die nooit te weten zou komen.

Ephraïm deed de kast open. 'Ik was dat tot op dit moment vergeten, maar ik herinner me nu dat ik haar hoorde praten tijdens jullie bezoek. Ze zei iets over vertrouwen op God. O, en over goed voor jou zorgen als je terugkwam.'

De tranen prikten in haar ogen. 'Jammer dat je je dat niet herin-nerde voordat ik je een dikke lip bezorgde.'

Hij pakte drie glazen van een plank. 'Ik rij je ernaartoe als je wilt en wacht op je langs de weg.'

'Ik kan lopen, bedankt. Laatste nieuws: ik heb de straten van New York overleefd, alleen en met een stalker. Ik ben geen zwakkeling, Ephraïm.'

Hij gaf haar drie kommen aan. 'Dat kan een blinde nog zien. Ik wil gewoon niet in m'n eentje zitten wachten en me afvragen hoe het is gegaan. Hoe kan ik weten of het gesprek is afgelopen om zeven, negen of twaalf uur?'

Ze haalde een soeplepel uit een lade. Blijkbaar wilde hij niet dat ze daarna alleen terug zou moeten lopen. Hij gaf om haar... misschien meer dan alleen als vriend. Een huivering gleed door haar lichaam. Er was teveel verschil tussen hen om intiemer te worden dan ze waren. En welke relatievorm ze ook hadden, het moest stoppen. Of tenminste afstandelijker worden.

Ze schepte een bord vol stoofpotje. 'Morgen vertrek ik.'

'Wat? Waarom?'

'Ik heb nu wat geld om iets op te starten. En jij moet zo snel mogelijk weer ingesloten worden in je familie, de gemeenschap en je vriendengroep.'

'Daar hebben we het al over gehad.'

'Het is tijd, Ephraïm. Dat weten we allebei. En ik ga niet naar het appartement dat jouw mensen voor mij hebben uitgezocht.'

'Maar daar is al voor betaald.'

'Ik laat me niet betalen om te vertrekken. En als jij er niet was geweest, dan zou ik ze dat vertellen in niet mis te verstane woorden.'

'Waar ga je heen?'

'Tsjonge, je stelt een boel vragen.'

'De maatschappelijk werkster, vergeet je haar niet?'

'Als ik iets heb gevonden, bel ik haar.' Ze slikte en probeerde te verbergen hoezeer ze leed. 'We hebben ons doel gehaald. Ik heb nu geld en kan op eigen benen staan.'

'Met duizend dollar kom je niet ver.'

'Ik vind wel een andere baan.'

'Hoe?'

Ze liet de kom met een klap op het aanrecht neerkomen. 'Wat wil je van me?'

'Tijd. Je hebt net ontdekt dat je hier familie hebt en meteen ben je klaar om te vluchten. Ik ben nog niet bereid om je te laten gaan. En bovendien heeft Lori...'

'Ephraïm,' fluisterde ze, 'de dingen die ons scheiden, zullen altijd blijven standhouden.'

Hij klemde zijn kaken op elkaar en keek op haar neer.

'Laten we gaan eten. Dan kun je me daarna naar Emma Riehls huis brengen.'

Ze had geen hap door haar keel gekregen, en niet lang daarna zaten ze alle drie in het rijtuig. Van het gekwebbel tussen Lori en Ephraïm hoorde ze niets. De zon zakte achter de bergen en de duisternis schoof over de aarde – dieppaars ging over in donkerblauw, en daarna leek de lucht zwart te worden.

Ephraïm wees. 'Daar, links van je.'

Er brandde een kampvuur in de tuin. Twintig of dertig mensen zaten overal in tuinstoelen. Kinderen speelden tikkertje en tieners speelden volleybal naast de schuur.

'De Amerikaanse droom is uitgekomen.' De bitterheid in haar toon verbaasde haar, maar Ephraïm gaf geen krimp.

'De halve gemeenschap is hier. We hoeven dit niet nu te doen.'

'Ja, ik wel.'

Hij trok aan de teugels om de wagen langzamer te laten rijden. 'Misschien moet je voor de verandering eens proberen om koppig te zijn, Cara.'

'Sarcasme past je niet, Frim. Dat kun je beter overlaten aan specialisten zoals ik.'

Voordat ze volledig tot stilstand waren gekomen, liep een breedgeschouderde man met een baard bij de menigte vandaan, hun kant op. In het donker kon ze het niet goed onderscheiden, maar hij leek grijze haren te hebben langs de randen van zijn hoed.

'Dat is Levi Riehl. Hij is de echtgenoot van Emma en de oudste broer van je moeder. Hij vindt het misschien niet prettig dat ik hier ben.'

'Mooi, dan ben ik in elk geval niet de enige die wilde dat je was thuisgebleven. Ik kom dadelijk terug.' Ze klom van de wagen en vroeg zich af of ze er niet beter aan had gedaan om Deborah's jurk aan te trekken in plaats van haar spijkerbroek. Maar het leek ook weer verkeerd om een Amish jurk te dragen, alsof ze deel was van iets waar ze geen deel van was. Bovendien had ze een hekel aan het kledingstuk. Het maakte haar dik, oud en truttig.

De man keek naar Ephraïm en zwaaide. Hij begon al terug te lopen naar het huis toen hij haar ineens zag. Hij stond meteen stil. 'Jij bent Cara.'

Ze knikte.

Hij keek onderzoekend naar haar gezicht. 'Je hebt de gelaatstrekken van je moeder, zelfs onder de nachtelijke hemel.'

'Ik herinner me niet echt hoe ze eruitzag. Maar ik herinner me andere dingen.'

Haar handen, haar stem... haar liefde.

Hij stond daar zonder een woord uit te brengen en ze dacht dat ze zou stikken. 'We hadden er geen idee van dat ze was overleden, tot pas tien jaar na haar dood. Het spijt me hoe zwaar het voor je geweest moet zijn om zonder haar op te groeien.'

'U wist het niet?' Ze probeerde dat detail te verwerken. 'Emma... zij is uw vrouw, toch?'

'Ja.'

'Mijn vader zei dat ze me zou komen halen.'

Levi keek naar de grond. 'We hadden er geen idee van waar je was.' Hij schudde zijn hoofd. 'Hadden we geweten dat je moeder was overleden en hoe we je konden bereiken, dan hadden we dat gedaan.'

Het joelen van kinderen klonk op vanuit de tuin en wervelde om haar heen. Had ze hier kunnen opgroeien? Sinds die onafzienbaar lange dag in het Port Authority busstation in New York, zoveel jaar geleden, had ze elke dag pijn en eenzaamheid meegedragen. Het verdriet van al die jaren perste zich samen en ze kon nauwelijks ademen of denken.

Hij keek om. 'Ik moet teruggaan.'

Ze stond te trillen op haar benen en haar hoofd tolde.

'Levi?' Een vrouw kwam aanlopen uit de richting van het kampvuur. Toen ze Cara zag, stokte haar adem. *'Ach, es iss waahr.'*

Levi ging naast haar staan en fluisterde iets in haar oor.

'Genoeg.' De vrouw stapte bij hem vandaan. Ze kwam vlak voor Cara staan en raakte haar wang aan alsof ze wilde controleren of ze echt was. 'O, lieve kind.' Ze barstte in huilen uit. 'God, vergeef me.'

'Je hebt niets verkeerd gedaan, Emma.' Levi sloeg een arm om de schouder van zijn vrouw om haar te ondersteunen. *'Kumm.'*

Hoofdschuddend veegde Emma de tranen van haar wangen. *'Nix Meh. Schtobbe.'*

Wat ze ook gezegd had, ze leek te wachten tot Levi antwoordde. Na een eindeloze pauze, knikte Levi. 'We hebben het erover gehad om je op te zoeken, maar het is zo ingewikkeld nu Ephraïm uitgesloten is vanwege... vanwege jouw aanwezigheid daar.' Hij haalde zijn schouders op. 'Ik kan tientallen redenen aanvoeren, maar nu ik hier sta, lijkt er niet een afdoende.'

Emma kwam dichterbij staan. 'Je vader heeft twintig jaar geleden gebeld op onze gezamenlijke telefoon. Hij sprak onduidelijk en ging tekeer over Malinda die wilde dat je opgevoed zou worden door Amish. Hij bleef mompelen dat ik je moest komen halen. Ik probeerde met hem te overleggen en zei dat hij teveel vroeg. Dat Levina je zou opvoeden. De afspraak was dat Malinda je zou terugbrengen naar Dry Lake, nadrukkelijk niet dat we je zouden komen halen. Levina was al te oud en te weinig vertrouwd om met de bus te reizen. Ik was zwanger van een tweeling en lag het merendeel van de tijd op bed om uit te rusten. Levi werkte overuren om de eindjes aan elkaar te knopen. En de woorden van je *Daed* klonken als die van een... een...'

'Een dronkaard,' maakte Cara de zin voor haar af.

'Hij heeft nooit verteld dat Malinda was gestorven. Hij zei alleen dat hij ons nummer had gevonden in haar persoonlijke telefoonboek en dat we haar moesten komen halen. Uiteindelijk ben ik akkoord gegaan en heb ik het adres opgeschreven vanwaar en wanneer we je konden vinden. In de dagen daarna dacht ik er nog eens over na en nam ik het gesprek steeds minder serieus. Hij was dronken en ik dacht dat als Malinda je hier zou willen, dat ze je wel zou komen brengen.'

'Dus heb je het gewoon laten zitten.'

Tranen verstikten haar stem toen ze probeerde te praten en ze keek naar Levi.

Hij wreef over haar rug. 'Een paar dagen later hebben we geprobeerd hem per telefoon te bereiken, maar de lijn was afgesloten. Ik heb de informatieservice gebeld om een ander nummer van Trevor of Malinda Atwater te krijgen.'

Met haar ogen vol tranen hapte Emma naar adem. 'We dachten dat Malinda van gedachte was veranderd en je niet wilde weggeven, maar dat je vader wilde dat je verdween.' Ze wreef in haar handen en leek net zo zenuwachtig als Cara zich voelde. 'We dachten dat ze leefde. Ik wist dat ze je niet wilde weggeven.'

'We hebben niets meer van hem gehoord tot tien jaar later, toen hij een pakje stuurde, aan jou geadresseerd,' zei Levi. 'Toen realiseerden we ons dat Malinda misschien was gestorven, en dat hij dacht dat je hier woonde.'

'Maar... Ephraïm wist helemaal niet dat mijn moeder was overleden.'

'We deelden onze vermoedens met maar een paar mensen – voornamelijk met je ooms. We wisten niet zeker of ze gestorven was en... het nieuws zou alleen maar opnieuw schuldgevoel en conflict hebben veroorzaakt in ons district.'

Emma kwam dichterbij staan. 'Als we hadden geweten dat Malinda gestorven was toen je vader hierheen belde...'

Cara's knieën begaven het, maar ze viel niet op de grond. Iemand hield haar overeind. Ephraïm? Wanneer was hij van de wagen gekomen? Zou hij hierdoor nog meer problemen krijgen? Haar gedachten gedroegen zich als een Polaroidcamera – zo hier en daar registreerde ze een geïsoleerde scène.

Kinderen hielden marshmallows aan stokken boven het vuur. Moeders deelden koekjes uit en chocoladerepen, terwijl ze zorgden dat de kinderen niet te dicht bij het vuur kwamen.

Het volgende dat Cara zich herinnerde was dat ze op de wagen zat. De warmte van Ephraïms hand leek haar enige verbinding met de realiteit. Het geklepper van de hoeven werd gedempt door de nacht. Lori zei iets tegen haar, maar haar stem klonk ver weg en ze kon de woorden niet onderscheiden.

Langzaam begonnen zich een paar stabiele gedachten te vormen. 'Mijn vader had niet genoeg tijd om mij in veilige handen achter te laten. Wat voor een soort man doet zoiets?'

Ephraïm zei niets.

'Waarom zou mijn moeder met zo iemand trouwen?'

Hij sloeg af naar zijn oprit. Er stond een wagen langs de weg met een man die naar hen staarde.

Ze verwachtte dat Ephraïm het paard eromheen zou leiden, maar hij zat stil naar de man te kijken. Ze herkende hem. Het was Rueben Lantz, degene die haar al een week in de gaten hield. Ze ging rechtop zitten. 'Wat? Heeft u me soms iets te vertellen?'

Hij antwoordde niet, zelfs niet met een knikje van zijn hoofd.

Ze rukte de teugels uit Ephraïms handen en spoorde het paard aan. Hij stootte naar voren en kwam gevaarlijk dicht bij het rijtuig van de man. Beide paarden hinnikten en steigerden schichtig. Ephraïm trok de teugels uit haar handen en leidde de dieren uit elkaar. Rueben reed weg en Ephraïm bleef rijden tot het paard in de schuur stond.

Ze stapte uit met het gevoel dat haar hart vertrapt was door tientallen paarden, en liep naar het hek.

Ephraïm hielp Lori omlaag.

'Ik wil alleen zijn,' beet ze hem toe.

'Nog niet.'

Ze kwam vlakbij hem staan en fluisterde: 'Alsjeblieft. Neem Lori mee naar binnen voordat ze ziet hoe haar moeder voor haar ogen gestoord wordt.'

Hij knikte en nam haar dochter mee het huis in.

Het silhouet van de glooiende heuvels en de massieve bomen, de zilveren gloed van de vijver, de geluiden van de nacht – dat alles dreef de spot met haar. Dit hadden haar jeugdherinneringen kunnen zijn. Maar in plaats daarvan was haar leven gevuld met beton en asfalt, net zo onbuigzaam als de mensen met wie ze was opgegroeid – mensen van wie ze de namen niet eens meer wist, behalve dan van de familie van Mike Snell.

Het verdriet dat haar overspoelde leek haar het gezonde verstand te ontnemen en ze begon te lopen. Ze liep door het maïsveld en kwam al snel bij de bomen. De herinneringen overspoelden haar overvloedig. Ze wilde ze tegenhouden. Ze wilde dat ze hier nooit naartoe was gegaan.

Een paard en wagen stopte langs de weg. 'Hallo.' De warme, vriendelijke stem deed haar denken aan haar moeder. De tranen begonnen te stromen. De vrouw dreef de wagen tot naast de bomen. 'Ik was bij het huis van de Riehls. Ik zag je vertrekken en hoopte dat ik je kon vinden.'

Cara droogde haar tranen. 'Wat je ook wilt zeggen, doe het niet. Ik kan het niet verdragen nog meer te horen.'

De vrouw klom van de wagen. 'Ik ben Ada. Ik bad al voor je voordat je geboren was en ben dat blijven doen.'

'En wat een fantastisch werk heeft God verricht,' zei Cara.

Ze legde haar hand onder Cara's kin. 'Je bent hier teruggekomen tegen alle verwachtingen in. Je hebt een aantal vastberaden supporters in deze gemeenschap die de zaken recht willen zetten. Ik zou zeggen dat Hij juist heel druk is geweest. Er zijn nogal wat

obstakels geweest die Hij uit de weg moest ruimen, nietwaar?'
Cara wilde uithalen naar de zogenaamde steun vanuit de gemeen-schap. Ze wilde zich omdraaien en weglopen. Maar de zachtheid van Ada's stem en de tederheid in haar aanraking hielden haar tegen, en ze viel de vrouw huilend in de armen.

DRIEËNDERTIG

Cara ontwaakte met ruwe textiel tegen haar huid, een deken over zich heen en een hard kussen onder haar hoofd. De geur van koffie vulde de lucht, en ze herinnerde zich afgelopen nacht met Ada te zijn teruggelopen naar Ephraïms huis.

Het felle zonlicht maakte het moeilijk om haar ogen te openen. Ze spreidde haar vingers uit op de stof en richtte zich op, zich realiserend dat ze zich op Ephraïms bank bevond. De benauwende warmte zei haar dat het minstens halverwege de ochtend was. Uit de keuken klonken zachte stemmen. Ze liep ernaartoe.

Ada zat op een stoel bij de tafel en Ephraïm leunde tegen het aanrecht naast de gootsteen. Op de keukentafel stond een pakketje in de vorm van een schoenendoos, ingepakt in bruin papier en geel plakband.

Hij keek uit het raam. 'Ze wil absoluut niet verhuizen naar het huis waar de mannen voor hebben betaald.'

'Neem je het haar kwalijk?'

'Nee, maar het beetje geld dat ze heeft is niet genoeg.'

'Ik wil wel met haar praten, misschien dat ze akkoord is met...'

'Cara.' Ephraïm bood haar een stoel aan.

Ze wreef over haar slapen en wenste wanhopig een pijnstiller. 'Waar is Lori?'

Hij wees door het raam. 'Zij houdt met Voorspoed en haar poppen een picknick.

'Heb ik iets gemist? Ik dacht dat je uitgesloten was?'

'Dat is hij ook,' kwam Ada tussendoor. 'Ik heb met de bisschop gepraat en gezegd dat ik een kans wilde krijgen om Ephraïm te overtuigen met redelijkheid.' Ze glimlachte. 'Dat bleek een goede smoes. Bovendien wilde ik niet dat je hier vannacht alleen zou moeten blijven, en ik wilde ook niet dat Ephraïm nog dieper in de problemen zou raken met de kerkleiders, dus ben ik blijven slapen.'

Cara nam plaats. 'Ik voel me beroerd.'

Ephraïm zette een mok koffie voor haar neer. 'Dit helpt.'

'Heb je ook pijnstillers?'

Hij haalde een potje ibuprofen uit een lade. 'Cara, Ada heeft iets waarover ze met je wil praten.'

Ze schudde haar hoofd. 'Ik blijf niet in Dry Lake, wat ze ook zegt. Ik vertrek vandaag. Ik ga douchen en mijn pijnlijke hoofd opfrissen. Als ik had geweten dat huilen een mens zo'n hoofdpijn bezorgt, had ik het nooit gedaan. Heeft een hoop goed gedaan ook. Alles is nog precies hetzelfde, alleen mijn hoofd doet pijn.'

Ada duwde het pakketje zachtjes naar Cara. 'Levi Riehl heeft dit vanmorgen bezorgd.'

De doos leek goed te zijn bewaard, maar het gele plakband gaf het een ouderwetse uitstraling. Er stond geen adres van een afzender op. Alleen een naam. Trevor Atwater – haar vader. Ze draaide de doos om, zodat ze de vervaagde datumstempel kon zien. Het was een paar dagen voor haar verjaardag verzonden. Ze werd toen achttien. Ze duwde het van zich af en stond op. 'Idioot. Hij laat me staan op een busstation en neemt aan dat ik tien jaar later hier woon. Ik ga douchen.'

Ze liep weg.

'Je hebt familie,' riep Ephraïm haar na.

Ze draaide zich om en keek hem aan. 'Ik heb mijn hele leven familie gehad. Daar hebben we nogal wat aan. Het maakte geen verschil toen het nodig was. En geen van hen wil me hier nu. Open je ogen, Ephraïm. Ik beteken zo weinig voor deze mensen dat Emma Riehl nooit iemand heeft gevraagd om na te gaan hoe het met me was. Ze heeft niet gebeld naar de politie, naar de sociale dienst of naar de plek waar mijn moeder werkte. Ze wilden de waarheid niet weten over waar ik was en hoe ik was. Ik heb er spijt van om te weten wat ik nu weet. Ik wilde dat ik hier nooit was gekomen.'

Cara stormde de badkamer in en sloeg met de deur. Ze draaide de douchekraan open. Ondanks dat ze uitgeput was, stroomden de tranen over haar gezicht. Emma en Levi gaven minder om haar dan Simeon om de zwerfpuppy's. Het leek onmogelijk om dat feit te accepteren, maar de pijn zou vanzelf wegtrekken. Ze bleef onder de douche staan tot het water koud werd. Ze droogde zich af en trok de enige schone kleren aan die ze nog had – de jurk van Deborah. Toen ze naar buiten kwam, stond Ada bij het fornuis pannenkoeken op een bord te stapelen.

De aanblik maakte haar pijngevoelens alleen maar erger. Als haar vader contact had gelegd met Ada in plaats van met Emma, was alles anders geweest.

Cara liep naar de tafel.

'Ephraïm en Lori zijn gaan wandelen naar de kreek. Volgens Lori gingen ze Voorspoed leren om een betere hond te zijn dan z'n moeder, zodat hij geen mensen in het water zou duwen.' Ada grinnikte. 'Ik ben benieuwd wie het proefkonijn voor dat project mag spelen.' Ze zette het bord met pannenkoeken op de tafel, duidelijk met de bedoeling ze haar aan te bieden.

'Ik heb geen honger. Maar bedankt.' Ze pakte het pakketje op, liep naar de vuilnisbak en gooide het erin.

'Ik ben een paar jaar jonger dan je moeder. Tijdens een zomer hadden we werk gekregen in een maïsveld. Ontpluimen. Weet je wat dat is?'

Cara schudde haar hoofd.

'De pollen producerende pluim boven aan de maïsstengel wordt met de hand verwijderd en op de grond gelegd. Het is erg zwaar werk, maar het betaalt goed. We begonnen voor zonsopkomst, namen een korte lunchpauze en werkten door tot het avondeten. Meneer Bierd ging anders om met zijn arbeiders dan de meeste boeren. Hij wees iedere arbeider een stuk veld toe dat af moest – naar leeftijd en lengte. Als je je eigen stuk niet af had voor het eind van de week, kreeg je de helft van het geld en hoefde je nooit meer terug te komen. De dag voor we betaald zouden worden, ontdekte je moeder dat ik achterliep. Ze vroeg een paar anderen om te blijven helpen, maar ze waren te moe. Zij bleef bij me en we werkten bijna tot de ochtend. Dat is het soort mens dat je moeder was, Cara. Steeds opnieuw.' Ada liep naar de prullenbak en haalde het pakketje eruit. 'Wees niet bang om te kijken.'

Het verlangen om weg te rennen was nooit sterker geweest dan op dit moment, maar Cara nam het pakketje en dwong zichzelf het open te maken. Bovenop lag een enveloppe. Ze trok er een kaart uit. In een moeizaam en grillig handschrift werd haar een fijne achttiende verjaardag gewenst.

Mijn mooie dochter, je verdient het om op te groeien bij iemand zo fantastisch als je moeder. Ik had bedacht dat als ik je naar haar broer zou sturen, dat dit daar het dichtst bij kwam. Ik ben geen goede vader geweest, of echtgenoot, of zelfs mens. Daar heeft iedereen van wie ik houd voor moeten lijden. Ik overwin op dit moment mijn verslaving. Ik schaam me diep als ik bedenk hoe vaak je moeder haar best heeft gedaan om me te helpen van mijn verslaving af te komen.
Ik stuur je een paar voorwerpen en een brief waarin het verhaal tussen je moeder en mij wordt uitgelegd. Ik heb het niet milder gemaakt. Op sommige momenten zou je wellicht wensen dat ik wat minder ongezouten was, meer zoals ouders zouden moeten zijn. Maar we begonnen niet als ouders. We begonnen als twee roekeloze negentienjarigen.
Als je in je hart de ruimte vindt om me te ontmoeten, ik verblijf een week lang in de Rustic Inn op de West King Street in Shippensburg, vanaf de dag van je verjaardag.
Hartelijk gefeliciteerd,
Papa

Ze doorzocht de doos en vond foto's van haar en haar moeder op verschillende leeftijden van haar baby- en kindertijd. Tot Cara's achtste. Dieper in de doos vond ze knuffelbeesten, een Bijbel, haar geboortecertificaat en het trouwbewijs van haar ouders. Helemaal onderop lag een stapel brieven, met Cara's naam op elke enveloppe. Ze legde ze op de tafel naast zich.

Het laatste voorwerp was een groen notitieboek met een spiraalband. Op de voorkant stonden de woorden 'Het boek van Cara' geschreven. Rechts onderaan stond de naam van haar vader.

Niet zeker of ze het ongezouten verhaal wilde weten, legde ze het boek op de tafel.

'Mag ik?' Ada klopte op het geboortecertificaat.

Cara haalde haar schouders op. 'Natuurlijk.'

Ada vouwde het document open. 'Dit slaat nergens op.' Ze wees naar haar geboortedatum.

'Waarom niet?'

Ada schudde haar hoofd en opende het trouwbewijs. 'Er klopt iets niet. Hier staat dat je ouders vijftien maanden voor jouw geboorte getrouwd zijn.'

'Ik zie het probleem niet.'

'Dat betekent dat ze niet zwanger was toen ze hier wegging. Of als ze dat wel was, dan ben jij niet dat kind.'

'Dus? Ze was niet zwanger toen ze met mijn vader trouwde. Als je ooit de fragmenten zou hebben gelezen die mijn moeder in mijn dagboek schreef, dingen over het eren van God en altijd het goede proberen te doen, dan zou dat je niet verbazen.'

'Je moeder was verloofd met een Amish man. Hij zei dat ze ervandoor was gegaan met een Engelse, omdat ze zijn kind verwachtte.'

'Gezien de ontvangst die me hier wachtte, had ik al iets dergelijks verwacht. Ze moeten het verkeerd hebben gezien... of misschien is mama nadien veranderd.'

'De geruchten zijn in tegenspraak met de opeenvolging van gebeurtenissen. Zoveel is wel duidelijk.' Ze las opnieuw de data, alsof ze de feiten dubbel wilde controleren. 'Ze was zo snel vertrokken. Voor zover ik weet is ze in de tussentijd nooit teruggekomen en heeft ze ook niets van zich laten horen, tot het moment dat ze tien jaar later met jou terugkeerde.' Ada zwaaide met de papieren naar haar.

'Misschien ben ik niet het kind van wie ze zwanger was toen ze hier vertrok.'

Ze klopte op het boek. 'Ik wed dat de antwoorden hierin staan.'

Cara schoof het opzij. 'Later.'

Ada liet haar hand onder die van Cara glijden zodat hun palmen op elkaar lagen. 'Weet je wat ik denk?'

Cara antwoordde niet.

'Ik denk dat je wat tijd nodig hebt om rustig na te denken. Jij wilt weg uit Dry Lake. Ephraïm denkt dat je moet blijven. Ik denk dat we een oplossing moeten vinden.' Ze wreef over haar nek. 'Mijn zoon, Mahlon, zou op zoek moeten zijn naar een huis voor mij en hem om in te wonen. Maar hij heeft nog niet echt zijn best gedaan. Ik denk dat hij het op prijs zou stellen als ik niet bij hem zou wonen. Dus in plaats van hem een mep voor zijn hoofd te geven, besloot ik op zoek te gaan naar een plekje waar ik alleen kan wonen.'

'Ik dacht dat Amish niet geloofden in geweld.'

'Ach lieverd, niemand *gelooft* in geweld. Sommigen denken dat de uitkomst geweld rechtvaardigt. Amish niet. Ik maakte maar een grapje. Zelfs Amish maken grapjes namelijk.'

'Ik geloof dat ik niet zoveel weet van de Amish, of wel?'

'Nee, en zij weten niet zoveel van jou.' Ze legde haar hand op Cara's rug. 'Dat verandert misschien mettertijd. Ik heb morgenmiddag een afspraak om bij een plek te gaan kijken. Er is me verteld dat er veel geschilderd en opgeknapt moet worden, maar er zijn voldoende slaapkamers, badkamers en een grote keuken. Volgens de makelaar is het in nogal verouderde staat, maar de eigenaar heeft er wel oren naar om werk te ruilen voor huur, en daar kom jij binnen. Volgens Mahlon ben je behoorlijk goed met schilderen. Misschien kun je daar wonen en werken met mij samen.'

'Ik... ik...' Wriemelend aan de randjes van de brieven, zocht Cara naar de meest respectvolle manier om te weigeren.

Ada keek haar aan alsof ze haar gedachten las. 'Denk er gewoon maar even over na, goed?'

'U bent zo gul. Maar komt u daardoor niet in de problemen? Ik bedoel, Ephraïm werd verbannen vanwege zijn omgang met mij. Wat zou er gebeuren als ik bij u intrek?'

Ada haalde diep adem. 'Ik zal er niet over liegen. Het kan een punt worden, ook al ben ik geen alleenstaande mannelijke Amish. Je hebt de reputatie dat je werelds bent en de bisschop zal erg terughoudend zijn. Maar daar kom ik wel uit, denk ik.'

'Ik heb nu geld, en ik denk echt dat ik weg moet gaan. Ik heb al voldoende problemen veroorzaakt in het leven van iedereen.'

Ze klopte op het notitieboek. 'Je zou dat moeten lezen. Je vader heeft de tijd genomen om het te schrijven en het ligt hier al tien jaar in Dry Lake. Het lijkt me dat het erom smeekt gelezen te worden.'

Ze stond op. 'Ik moet gaan, en jij hebt bedenktijd nodig.' Ze liep naar de deur en stopte. 'Mag ik jouw geboortecertificaat en het trouwbewijs van je ouders meenemen?'

'Waarvoor?'

'Ik heb een idee.' Ze was er niet zeker van of ze nog meer kon zeggen. Cara stak ze naar haar toe. 'Natuurlijk. Waarom niet?'

De hordeur klapte dicht toen Ada vertrok. Cara pakte de spiraalband op en keek ernaar. Ze wilde het eigenlijk niet lezen. Niet op korte termijn. Het verlangen om Dry Lake te verlaten was zo sterk dat ze het gevoel had dat ze uit haar stoel getrokken werd.

Maar meer nog dan alle andere gevoelens was daar het verlangen om haar ouders te zien, al was het maar door de ogen van een man die bekende dat hij worstelde met verslaving. Verscheurd door nieuwsgierigheid en verontwaardiging, sloeg ze de dunne kartonnen kaft open.

Ik ontmoette je moeder toen ze negentien jaar oud was. Ze was de aantrekkelijkste vrouw die ik ooit had gezien. Ze had bruine ogen en blond haar, dat in het midden gescheiden was en achter in een knotje was vastgemaakt onder een wit gebedskapje. Ik was volgens haar standaard een Engelse, en ze was verliefd op een andere man. Ze was loyaler en eerlijker dan ieder ander die ik ooit ontmoet heb, maar ze was niet perfect. Geen van ons tweeën was dat. Haar hart was gebroken en ze was wanhopig om weg te komen uit Dry Lake, dus ik nam haar mee daarvandaan. Ze had spijt van haar beslissing, en dat begreep ik, maar tegen die tijd waren we getrouwd, en geen van ons tweeën kon onze keuzes ongedaan maken. Ik hoop – en soms durf ik er zelfs om te bidden – dat Dry Lake voor jou dezelfde wonderlijke plaats om op te groeien mag zijn als zij zich herinnerde uit haar jeugd.

De woorden ontsloten een vat met de gevoelens van een heel leven, en ze deed het boek dicht. Toen ze tijdens haar tienerjaren soms verlangde om iets anders te voelen dan alleen koude en warmte, dacht ze niet aan deze golf van emoties. De verwarring dreef haar alle kanten op en probeerde haar verschillende dingen te laten geloven. Bang dat ze verstikt zou raken door alle emoties, ging ze de slaapkamer in en stopte ze de spullen van Lori en haar in de rugzak. De moederlijke stem van Ada drong haar herinnering binnen, en heel even had Cara een gevoel dat ze toch wilde blijven.

Toen ze naar buiten ging, hoorde ze Ephraïm en Lori praten in de zitplaats. Ze liep naar de doorgang in de heg. 'Ik ben klaar.' Zijn ogen ontmoetten de hare en veroorzaakten een nieuwe lading gekwelde gevoelens. Hij was een goede vriend geweest, ondanks de problemen die hij had gekregen door haar aanwezigheid. 'Wil jij me brengen of moet ik een chauffeur laten komen?'

Hij stond langzaam op en leek teleurgesteld in haar beslissing. 'Ik breng je.'

'Waar gaan we heen, mama?'

Terwijl Ephraïm naar de schuur ging, kwam Cara op de schommelbank zitten. Ze klopte op het lege plekje naast zich. Lori nestelde zich tegen haar aan.

'Gaan we weer naar de Garretts?'

'Vertel me over je wandeling.'

Lori deelde enthousiast mee wat Ephraïm aan Voorspoed had geleerd. 'Frim en ik gaan volgende week voor alle pups een nieuw huis zoeken.'

'Lori, lieverd, het is fantastisch dat we hier mochten blijven, maar Ephraïm wil zijn huis terug, en wij moeten een plekje voor onszelf vinden. We hebben nu geld, dus dan kunnen we een eigen plekje vinden, goed?'

Lori sprong overeind. Ze had haar vuisten gebald. Verdriet en woede tekenden haar hele lichaam. 'Nee.'

Met de rugzak over haar schouder, tilde Cara het onbuigzame lichaam van haar dochter op en droeg haar buiten de omheinde zitplaats. Ephraïm bracht het rijtuig tot stilstand. Lori kromde gillend haar rug, waardoor Cara haar bijna liet vallen voor ze haar op de grond zette.

'Stap in de wagen, Lori.'

Ze rende naar Ephraïm en greep zijn hand. 'Nee!'

Cara weigerde Ephraïm in de ogen te kijken. Ze zeiden hetzelfde als wat Lori riep – dat Cara verkeerd zat. 'Zeg niet nog een keertje nee tegen mij.'

'Ik ga niet. Dat was het. Ik heb het woord nee niet gezegd.'

Cara was vergeten hoe brutaal haar dochter kon zijn. Lori klemde Ephraïms hand steviger vast. 'Ik heb Frim en een hond en ik ga niet weg!'

'Een... twee...'

Lori begon in paniek te huilen, bang dat haar moeder tot tien zou tellen. Cara had geen idee wat er zou gebeuren als ze tot zover zou komen. Lori was nooit langer dan tot de vier ongehoorzaam geweest.

'Stop.' Ze hield haar kleine handje omhoog en klemde met de andere nog steeds Ephraïm vast. 'Er zit niemand achter ons aan en ik ga niet.'

Cara's wereld kantelde. Haar dochter wist dat ze op de vlucht waren voor Mike? Ze keek naar Ephraïm voor ze op haar knieën zakte. 'Goed dan. Ik luister naar je.' Ze streek het haar van haar dochter achter haar oren. 'Wie denk je dat er achter ons aanzit, Loralief?' 'De politie. De mevrouw die hier geweest is, mevrouw Forrester, zei dat ze niet meer naar ons op zoek waren.'

Cara's hart sloeg een paar slagen over. Lori wist het toch niet van de stalker.

Cara keek Ephraïm aan, op zoek naar een antwoord dat hij niet had. Hij legde zijn handen op Lori's hoofd. 'Breng Voorspoed naar binnen en geef hem een bak water, goed? Ik moet met je moeder praten.'

'U kunt maar beter naar hem luisteren,' zei Lori terwijl ze met haar vinger schudde. 'Anders praat ik nooit meer met u.'

De hordeur sloeg met een klap dicht en Ephraïm hielp Cara omhoog. 'Ze is nog niet klaar om te gaan.'

'Ze redt het wel. En hier kunnen we niet blijven. Ik maak de zaken er alleen maar erger op voor jou. Jij kan niet werken. Je kunt zelfs je familie of Anna Mary niet zien. Je zou mij op de wagen moeten zetten en aan Lori vertellen dat dit het beste is om te doen. Jou gelooft ze.'

'Ik lieg niet tegen haar zodat jij je beter voelt.'

'Lieg dan in haar belang!'

'Je gedraagt je koppig.'

'Jij bent net zo erg door erop te staan dat ik blijf terwijl we allebei weten dat ik weg moet.'

'Ik heb velden geploegd met ezels die beter samenwerkten dan jij.'

Boos van de frustratie en het verdriet, keek Cara naar Ephraïm op. Als hij ook maar een idee had van hoe bedrogen ze zich voelde door haar bloedverwanten, dan zou hij haar helpen hier weg te gaan voordat ze tegen hen zou uitvallen en hem daarmee nog meer problemen bezorgen.

Het beeld van Ephraïm die samen met haar als kind boompje klom, zweefde door haar gedachten. 'Ik kan de kolkende emoties in mijn binnenste niet uitstaan. Het is alsof iemand een dam heeft geopend en ik vastzit in de poel onder aan de waterval.'

'Dat hoef ik me niet voor te stellen. Dat voel ik.' Hij nam haar hand en legde die op zijn borst. 'Het is sterk genoeg om een os in tweeën te scheuren, en ik wil niet dat je alleen staat tegenover zoveel geweld.'

Haar ogen brandden van de dreigende tranen, maar ze duwde ze weg en trok haar hand los. 'Wat je ook van mij wilt, ik kan het je niet geven.'

'We hebben het er niet over wat iemand hier wil. Dat is zo lang geleden dat niemand het kan herstellen. Je hebt hulp nodig om weer op eigen benen te staan. Emotioneel en financieel. Je hebt mijn woord dat ik niet meer zal vragen dan alleen dat.'

Ze sloot haar ogen en luisterde naar de geluiden van de lente: wind, vogels, het verre geluid van loeiende koeien. Ze wenste dat ze wist hoe ze moest bidden, en haalde diep adem.

Ephraïm legde zijn hand op haar schouder. 'Denk eens aan het verschil dat dit maakt voor Lori.'

Niet in staat zijn argumenten te weerstaan, knikte ze. 'Oké. Voor even dan. Maar niet hier in jouw huis.'

'Ada is vastbesloten om ergens iets te huren. Het idee dat jij bij haar komt wonen, staat haar bijzonder aan.'

'Ik help haar om zich te vestigen en schilder alle kamers die ze wil. Maar als het schilderwerk klaar is, dan is het tijd om een plek te vinden hier ver vandaan.'

'In de tussentijd doe ik mijn best om Lori te helpen dat te accepteren en zich aan te passen.' Zijn ogen vertelden dat hij het meende. 'Ik weet zeker dat ze niet boos op je is als we het goed aanpakken.'

Haar drang om te huilen leek te verdwijnen, en ze kon het niet helpen dat ze naar hem lachte. 'Je gebruikt Lori om je zin te krijgen. Je speelt vals.'

'Ja, en ik win ook nog.'

Maar erg lang hield ze de glimlach niet vast. Ze was er zeker van dat het niet lang zou duren voordat ze er spijt van kreeg akkoord te zijn gegaan met dit plan.

⁂

VIERENDERTIG

A da deed de oven open en haalde er een taart uit. Allerlei dringende vragen speelden door haar hoofd, en ze had geen antwoorden. Nog niet.

Ze zette de taart op een bord om af te koelen en draaide de oven uit. Voor vandaag was ze klaar met bakken en zoals gebruikelijk was elke vierkante centimeter van de keuken, de tafels, de stoelen en het aanrecht, bedekt met bakspullen. De bakkerskoerier zou snel langskomen, maar Ada had teveel te doen om daarop te wachten. Ze schreef op een briefje dat de koerier zichzelf maar binnen moest laten en plakte dat op haar voordeur. Zo hadden ze het al een paar keer eerder opgelost in de loop van de jaren.

Met de bestellingen van maandag klaar, kleedde ze zich om in een schone jurk en schort en kon ze eropuit. Het was half vier tegen de tijd dat ze haar paard had ingespannen en wegreed. Een chauffeur inhuren wilde ze niet. Ze had tijd nodig om na te denken, en de kalme voortgang en het ritmische geluid van de paard en wagen, hielpen altijd.

Mahlon had al zo lang beslissingen voor haar genomen, dat haar verlangen om daar een punt achter te zetten, haar gedachten op hol bracht. Als ze van zichzelf kon begrijpen waarom ze bepaalde beslissingen had genomen in het verleden, dan kon ze misschien ook beslissingen nemen voor de toekomst. Maar verward of niet, ze moest doorgaan met het helpen van Cara. En ze wist dat als ze Cara's pijn wilde verlichten, dat het begon bij de kerkleiders en Cara's ooms. Dus toen ze gisteren bij Cara vertrok, was ze naar de bisschop gereden. Ze had met hem gepraat over het vinden van een huis voor zichzelf en voorgesteld dat Cara bij haar in kon trekken. Hij luisterde geduldig naar haar, maar vertelde vervolgens dat haar plan geen goed idee was, wat dus nee betekende.

Het zou onmogelijk zijn voor Ada om lid te worden bij het district Hope Crossing, als ze geen gerespecteerd kerklid was in het district Dry Lake, dus kon ze zijn standpunt niet negeren. Na bijna een uur met hem gesproken te hebben, waarbij ze er ook op wees dat de reacties van de mensen op Cara meer op geruchten gebaseerd waren dan op feiten, liet ze hem de documenten zien die Cara haar geleend had. Hij zei niet veel, maar besloot dezelfde avond een districtsbijeenkomst te houden. Binnen een paar uur zou iedereen zich verzamelen op de boerderij van Levi Riehl.

Maar Cara was slechts een van de lasten die op haar drukte.

Ada trok kalm aan de teugels en de wagen kwam tot stilstand bij een T-splitsing. De weg links leidde rechtstreeks Dry Lake uit. Als ze rechts zou afslaan, kon ze onderweg bij Israel Kauffman stoppen, voordat ze naar Hope Crossing reed.

Ze kon niet blijven leven op de manier waarvan Mahlon dacht dat die goed voor haar was, maar wat als ze een ander soort vrouw was dan hij dacht, wie was ze dan?

Over anderhalf uur had ze een afspraak met de makelaar. En hier zat ze dan, en ze voelde zich bijna net zo verward als de dag dat haar echtgenoot was omgekomen. De vrouw van Israel was die dag ook gestorven. Had hij ooit nog wel eens hetzelfde verloren gevoel als destijds?

Hij waarschijnlijk niet. Opgegroeide kinderen en zelfs een paar kleinkinderen omringden hem aan alle kanten. Hij gaf vrijelijk toe dat hij daaraan een sterke steun had, die bovendien het grootste deel van de dag een glimlach op zijn gezicht toverde. Zijn middelste dochter, Lena, was zijn grootste hulp, niet alleen omdat ze de klusjes opknapte en zo goed was voor haar jongere broertjes en zusjes, maar omdat ze voortdurend straalde van vrolijkheid en humor.

Lena en Deborah waren nichtjes, en behalve de Amish traities, hadden ze een heel ander soort opvoeding genoten. Toch hadden ze er allebei plezier in om mensen op te vrolijken. Deborah's gevoel voor humor was subtiel vergeleken met Lena's onbesuisde benadering als ze probeerde mensen te laten bulderen van het lachen. Ada herinnerde zich een avond bij haar thuis, toen Deborah, Mahlon en Lena bordspelletjes deden. Hoewel het helemaal niet bij Mahlon paste, hadden Lena's grapjes hem de hele avond aan het lachen gebracht.

De bezorgdheid om Mahlon knaagde aan haar. Hij bleef op zoek naar iets. Vrede? Stabiliteit? Iets dat hem ervan zou weerhouden om te buigen als het koren voor de wind. Wat het ook was, Ada moest haar eigen zoektocht beginnen.

Ze had zichzelf nooit als een sterke vrouw gezien, eentje die wist wat ze wilde en daarvoor ging. Wat haar echtgenoot wilde, dat had zij ook gewild – zelfs als het ging om de smaak ijs die ze uitkoos bij de plaatselijke zuivelwinkel. Na zijn dood had haar persoonlijkheid het gemakkelijk gemaakt voor Mahlon om haar elke gewenste richting in te sturen.

Wat had ervoor gezorgd dat ze iemand was die nooit haar eigen gedachten, verlangens of dromen vertrouwde? Waarom was ze zo bang geweest om fouten te maken dat ze anderen de fouten voor haar liet maken?

Ze wist het niet, maar nu had ze een nieuwe kans om haar hart te volgen, helemaal waar het Cara betrof. Het was tijd om op haar gevoel te vertrouwen en een manier te vinden om haar hart te volgen. Als ze elk Amish huis in heel Dry Lake zou bezoeken en aan iedereen zijn mening vroeg over wat ze zou moeten doen, dan zouden sommigen het ene zeggen en sommigen het andere. Maar wat dacht zij zelf?

Eindelijk toegevend aan haar eigen verlangens, spoorde ze het paard aan met de teugels. Het was tijd om met Israel te praten. Als voormalige aannemer wist hij wat van de structuur van huizen en wellicht ook wat ervoor nodig was om haar zaak uit te bouwen.

Hij kon uitstekend advies geven zonder dat hij iemand probeerde de ene of de andere kant op te duwen. Zo was Israel – hij noemde de feiten en liet het aan de ander over om een beslissing te nemen. Toen ze over zijn oprit reed, zag ze hem en enkele van zijn kinderen op de veranda zitten, een ontspannen bezoek op deze warme maandag, voor het avondeten. Ze wist dat zijn familie gewend was vroeg te eten, zodat hij daarna verder kon met zijn meubelmakerij. Hij stond op uit zijn stoel en liep naar haar toe, terwijl hij haar gezicht bedachtzaam opnam.

'Ada.' Hij knikte. 'Dit is voor het eerst.'

'Je mag wensen dat het ook de laatste keer is.'

Hij trok een wenkbrauw op en keek haar geamuseerd aan. 'Dat betwijfel ik. Wat is er aan de hand?'

'Ik weet dat het verschrikkelijk brutaal van me is, maar ik loop over wat dingen te piekeren, en ik heb de mening van een man... nee, ik heb jouw mening nodig.'

'Uiteraard. Ik dacht dat je langskwam om je ervan te vergewissen dat ik had gehoord van de vergadering vanavond. Wil je binnenkomen?'

Ze schudde haar hoofd. 'Ik ben op weg naar Hope Crossing om naar een huis te kijken. Ik vroeg me af of je met me mee zou willen.'

'Denk je erover om te verhuizen naar Hope Crossing? Dat is best een eind hiervandaan.'

'Ongeveer een uur met paard en wagen.'

'Je wilt zo ver weg een huis zoeken?'

'Ik ben van plan om te doen wat ik een jaar of tien geleden al had moeten doen, namelijk een plek vinden waar ik mijn bakkerij kan opzetten. Het is beter om op je drieënveertigste te beginnen dan helemaal niet.'

Hij glimlachte en zette een stap bij de wagen vandaan. 'Lena, ik ga met Ada mee. Ik ben over zo'n drie uur terug.'

'Het eten is klaar over twintig minuten.' Lena kwam overeind. 'Willen Ada en jij niet eerst met ons eten?'

Ada wriemelde met de teugels. 'Ik heb een afspraak met de makelaar over negentig minuten.'

Hij keek om naar het huis. 'We moeten echt gaan, Lena.'

'Kan ik een paar broodjes voor jullie klaarmaken voor onderweg?'

Hij keek op naar Ada. 'Heb je ook maar een klein beetje honger?' Hoewel ze de hele dag aan het bakken was geweest, had ze zelf bijna niets gegeten. Ze voelde zich nu al sterker omdat ze begonnen was met het maken van haar eigen keuzes. 'Ja, ik geloof het wel.'

'Goed. Wacht hier.' Ada bleef op de wagen zitten terwijl Israel naar binnen ging. Het duurde niet lang voordat hij terugkwam met een mand in de ene hand en een gereedschapskist in de andere. Toen hij de spullen in de wagen zette en er zelf op klom, zag ze dat hij zijn alledaagse kloffie had verwisseld voor gewassen en gestreken kleren. Ze was in de verleiding om hem de teugels te geven, maar hield ze toch strak vast. Nu moest ze haar eigen wagen besturen, zelfs als ze fouten maakte en niet zo soepel reed als de persoon naast haar zou doen. Aan de andere kant, misschien kon ze het zelfs beter. Toen ze dacht aan wat Cara allemaal had doorgemaakt – worstelend om Lori te houden en zich niets aantrekkend van mensen die haar verkeerd beoordeelden, terwijl ze toch in veel opzichten een zachtmoedig hart had gehouden – deed dat iets vanbinnen met Ada.

Israel leunde met zijn arm op de rugleuning van de bank. 'Dus Mahlon ziet het wel zitten om naar Hope Crossing te verhuizen?' Ada klakte met de teugels boven de rug van het paard om op snelheid te komen voor de volgende heuvel. 'Ik heb het niet aan hem gevraagd. Dit doe ik in mijn eentje. En hoewel ik nog niet eens precies weet wat ik met dít bedoel, wil ik dat Cara Moore, de dochter van Malinda Riehl, er deel van wordt. Als ik mijn plan klaarheb, dan ga ik nog een keer met de bisschop praten om toestemming om Cara bij me te laten wonen.'

Terwijl hij een paar vragen stelde over Cara en zij antwoord gaf, haalde hij wat broodjes uit de mand en gaf er een aan haar. Het gesprek verliep moeiteloos, hoewel Israel zich een beetje nerveus gedroeg. Zo was hij nog nooit eerder geweest. Misschien had ze hem het rijtuig moeten laten leiden.

Toen ze eenmaal in Hope Crossing waren, gaf Israel de weg aan vanaf de kaart tot ze aankwamen bij het meest verdrietige huis dat ze ooit had gezien. Het stond op een groot hoekperceel, met straten en stoepen aan twee kanten en een maïsveld aan de andere kant. Ze kon niet zien wat er achter het huis was. Het huis was groot, dat moest gezegd worden. Twee verdiepingen ongeschilderd houtwerk, scheve, zwarte luiken en een half omgevallen paal die de omliggende veranda overeind hield.

'Je zei dat het meisje kon schilderen?'

Ada knikte. 'Met een kwast en een roller, niet met een toverstokje.'

Ze stapten uit het rijtuig. Israel pakte zijn gereedschapskist en ze liepen naar de voorveranda. Het kostte haar nauwelijks tijd om de verborgen sleutel te vinden waar de makelaar over had verteld. 'De ramen en deuren zijn recent overgeschilderd, denk je niet?'

Israel knikte. 'Ja, daar lijkt het op.'

Toen ze de deur opende, zag ze overal kranten en dozen liggen. Bij een half beschilderde muur stond een ladder. 'Iemand is begonnen met de renovatie.'

'Ja. En ik denk dat ze het slechter hebben achtergelaten dan voor ze begonnen.'

Ze beklommen langzaam de houten trap, die in het midden nog gedeeltelijk bedekt was met een oude loper. Op de overloop kwamen ze bij vier slaapkamers, twee badkamers – allemaal voorzien van het afschuwelijkste behang dat ze ooit had gezien.

Ada liet haar vingers langs een afgebroken plint gaan. 'Kijk, ze hebben geprobeerd om over het behang heen te schilderen.'

'Ik kan ze geen ongelijk geven.'

Ada lachte. 'De makelaar zei al dat het slecht was, maar dit had ik niet verwacht.'

Israel pakte een zaklantaarn en nog een paar andere vreemd uitziende gereedschappen en stapte een van de badkamers binnen. 'De badkuip zit vol met rommel.' Hij liep naar de kraan. 'En er is geen water.'

Nadat hij wat had zitten rommelen onder de wastafel van beide badkamers, pakte hij zijn gereedschapskist en ze liepen de trap weer af. Toen ze de houten zwaaideur naar de keuken opende, kreeg ze kippenvel. 'Ik... ik heb jaren geleden over deze keuken gedroomd.' Ze keek in de gootsteen en zag dat de leidingen ontbraken.

'Weet je zeker dat het geen nachtmerrie was?'

Ada opende een deur en ontdekte een grote inloop voorraadkast.

'Die is groter dan mijn hele keuken.'

'Ada.' Hij wees door het glas in de achterdeur naar buiten.

Ze liep naar hem toe en kreeg zicht op een soort vuilnisstortplaats. 'De schuur aan het eind van de tuin en het weiland daarachter horen ook bij het huis.'

'Ik weet zeker dat deze plek ooit aan een Amish familie heeft toebehoord.'

'Dat zei de makelaar ook. Maar dat was lang geleden.' Ze liep naar het midden van de keuken en kreeg hoop, ondanks de realiteit van haar omgeving.

Israel opende de achterdeur. 'Ik wil een kijkje nemen onder het huis. Ik ben zo terug.'

Terwijl ze op haar gemak door het huis wandelde, voelde ze tegen alle logica in het gevoel van verwachting groeien. Israel kwam terug naar binnen. 'Het is in slechte staat zoals het eruitziet, maar de fundering is goed.'

'Dit is wat ik wil.'

'Het is veel werk. Je hebt als eerste loodgieters nodig. Ik heb een Engelse buurman die loodgieter is.'

'De makelaar zei dat de eigenaar betaalt voor de loodgieter. En ze zei dat ze alle kosten voor materiaal van de huur afhalen en het merendeel van de arbeidskosten. Het enige wat we hoeven doen, is de bonnetjes inleveren en hen eens in de zoveel tijd laten zien dat het werk ook echt gebeurt. Bovendien hebben we de mogelijkheid om het huis te kopen voor een vaste prijs, ongeacht hoeveel we opknappen.'

Hij plaatste de gereedschapskist op de zwaar gehavende houten vloer. 'Of je het weet of niet, ik heb je iets moois zien maken van moeilijkere situaties dan deze, Ada Stoltzfus.'

'Mij?' Ze keek op om te zien of hij een grapje maakte, maar hij leek serieus. 'Denk je dat echt?'

'Ik weet het zeker. Je werkt vanuit een keuken zo groot als de gangkast, op een gewoon gasfornuisje en een kleine wastafel, en toch lever je al meer dan tien jaar desserts voor de bakkerij in Shippensburg. Stel je eens voor wat je kunt doen in een keuken van dit formaat met een groot fornuis en een dubbele gootsteen.'

'Hallo? Ada, ben je binnen?' riep de makelaar.

'In de keuken.' Ze ging dichterbij Israel staan. 'Je kunt je niet voorstellen hoe graag ik dit wil doen voor mezelf en voor Cara. Maar zelfs als ik een contract teken, zullen ook haar ooms op een andere manier tegen haar aankijken.'

'En omdat zij de reden is dat Ephraïm is uitgesloten, weet ik zeker dat ze niet bij jou mag inwonen zonder goedkeuring van de bisschop. We kunnen maar het beste zorgen dat je op tijd thuis bent voor de vergadering van vanavond.'

'Ik zou graag eerst een aanbetaling willen doen.'

Toen hij knikte, zei z'n blik dat hij zich kostelijk vermaakte. 'Doe dat dan.'

&

Ada had het zweet in haar handen staan toen ze de klapstoeltjes uitvouwde in het huis van Levi Riehl. De warme lucht van begin juni had niets te maken met het zweet dat over haar rug liep, noch met het kloppen van haar hart. Door de open ramen en deuren hoorde ze rijtuigen arriveren en mensen met elkaar kletsen.

Een blik uit het raam vertelde haar dat de meeste mensen hun paarden ingespannen voor de wagen lieten, wat betekende dat niemand verwachtte hier lang te zijn. Toen ze zelf aankwam, had haar paard net zo uitgeput geleken als zij was, dus had ze hem in het weiland van Riehl losgelaten.

Ze was onderweg hiernaartoe langs huis gereden om Mahlon te vertellen van haar plannen, maar hij was er niet. Ondanks dat ze zich ongedurig en vermoeid voelde, bleef ze bidden. Ze moest ervoor zorgen dat de ooms van Cara – Levi, David en Leroy Riehl – de zaken aan het eind van de avond beoordeelden zoals zij. Levi leek niet op zijn gemak toen hij naar de andere kant van de kamer liep om de laatste stoelen neer te zetten. Hij keek een paar keer haar kant op, alsof hij iets wilde vragen, maar in plaats daarvan schoof hij de rijen met stoelen recht.

De bisschop was van plan geruchten en de waarheid van elkaar te onderscheiden, en daarna een beslissing te nemen. Maar hij had haar gezegd dat de zaak daarmee was afgedaan, ongeacht zijn besluit. Geen nieuwe verzoeken. Geen pogingen meer om hem van gedachten te doen veranderen. Ada had ermee ingestemd. En nu voelde ze zich ellendig en nerveus.

Levi liep naar haar toe en leek net zo weinig op zijn gemak als bij een vreemdeling. 'Hoe is het met Cara?'

'Ik heb haar de doos gegeven die jij en Emma gebracht hadden. Ze is vooral geschokt, boos en verdrietig.'

Hij knikte. 'Emma is ook behoorlijk geschokt. Dat ze Cara moest ontmoeten was hartverscheurend voor haar.'

'Ik denk...'

'*Mamm*,' onderbrak Mahlon, terwijl hij toesnelde door de aanzwellende menigte. 'Wat bent u aan het doen?' fluisterde hij.

'Wat bedoel je?'

Hij hield de papieren op die ze ondertekend had voor het huis in Hope Crossing. 'Deze vond ik op de keukentafel.'

'Kunnen we het daar later over hebben?'

'Hebt u een huis voor ons uitgekozen?' Zijn toon was grimmig, maar zijn woorden waren nauwelijks hoorbaar.

'Nee, natuurlijk niet. Je weet dat ik zoiets nooit zou doen.'

Ze zag in zijn ogen een ondefinieerbare emotie die ergens iets weg had van... hoop.

'Wat bent u dan aan het doen?'

'Jij en Deborah moeten verder gaan met jullie eigen plannen. Dat moet ik ook doen. Ik verhuis naar een plek waar ik mijn bakkersproducten kan verkopen aan lokale restaurants en misschien aan een of twee andere bakkerijen.'

Terwijl Mahlon haar aanstaarde, kwamen David en Leroy, de andere ooms van Cara, binnenwandelen in gesprek met Rueben Lantz. Ze had gehoopt dat Rueben, Malinda's voormalige verloofde, hier niet aanwezig zou zijn. Het zou zoveel moeilijker voor haar worden om te zeggen wat ze moest zeggen, met hem in de kamer. Het was niet haar bedoeling om het conflict op te stoken, maar als dat was wat er gebeuren moest... ze bad om moed.

'Waarom doet u dit zonder met mij te overleggen?'

'Het was mijn bedoeling het je te vertellen, maar op dit moment gebeuren er veel dingen tegelijk. Luister, het enige wat het betekent is dat jij en Deborah plannen kunnen maken zonder dat je er rekening mee hoeft te houden dat ik bij jullie intrek. Vind je dat echt heel erg?'

Mahlon keek haar onderzoekend aan en leek tegelijk onzeker, aangenaam verrast en verschrikt. Ze had al deze emoties vaker gezien bij haar kind, maar nog nooit tegelijk in een verwarrende opeenvolging.

'Ik denk dat ik me niet realiseerde dat u zoveel onafhankelijkheid in u had... Met alle respect, denkt u echt dat u dit kunt?'

'Dat denk ik. Het is wat ik jaren geleden al wilde doen, maar jij wilde in Dry Lake blijven. Nu ben je een man, klaar om een vrouw te nemen, en ik wil dit graag doen met jouw zegen.'

Hij glimlachte. 'Mijn zegen?'

Ze knikte.

Hij keek langs haar heen en ze draaide zich om en zag Deborah aan de andere kant van de kamer staan. 'Ik had alleen gewild dat u me al jaren geleden had verteld hoe belangrijk dit voor u was, *Mamm*. Als u dat had gedaan, dan waren alle dingen nu anders geweest.'

'Welke dingen?'

Hij sloeg zijn ogen neer en staarde naar de grond. 'Het maakt niet uit.'

Maar ze had het gevoel dat het heel veel uitmaakte. 'Mahlon?'

Opnieuw naar Deborah kijkend, schudde hij zijn hoofd. 'Hoe kan ik verliefd zijn en tegelijk zo rusteloos om wat er komt, of om wat er had kunnen zijn?'

'Ada.' David sprak haar aan van een paar meter afstand en onderbrak haar gesprek met Mahlon. 'Je bent toch niet gekomen zonder je beroemde kokostaart mee te nemen?' Hij schudde de hand van de bisschop terwijl hij haar plaagde.

Zijn brede grijns en gemakkelijke omgangsvormen wezen niet op het temperament dat soms de overhand kreeg bij hem. Leroy stond naast hem en knikte naar Ada. Hij was de meest stille van de Riehls en waarschijnlijk degene die het meeste verdriet had gehad toen Malinda vertrok.

'Waar ik voor gekomen ben is iets ernstiger dan dat.'

Een paar gesprekken in haar omgeving stokten.

'Gaat dit over Cara?' vroeg David.

Ada knikte en Mahlon raakte haar arm aan om te laten weten dat hij naar Deborah ging.

De drie echtgenotes van de mannen kwamen binnen: Anne, Susie en Ruebens vrouw Leah. Ze waren gezellig aan het babbelen, waardoor Ada nog even niets hoefde te zeggen. Ze liep naar een stoel en stak haar hand in de verborgen zak van haar schort om te voelen of de documenten er nog steeds zaten. Ze wilde ze vanavond nog terugbrengen naar Cara.

Mahlons ogen waren op haar gevestigd, alsof hij iets probeerde te begrijpen.

Zijn reactie op het nieuws bracht haar in verwarring. Aan de andere kant waren zijn reacties op dagelijkse gebeurtenissen vaak ook moeilijk te doorzien, en ze hoopte dat Deborah beter in staat was hem te begrijpen dan zij ooit geweest was.

Terwijl er meer volk binnenstroomde, klapte Levi een keer in zijn handen. 'Oké, iedereen die wat water of limonade wil drinken, neem gerust wat en ga daarna zitten. Dat maakt het makkelijker voor de mensen die achter u aankomen.'

Het volume van het vriendelijke geroezemoes nam af terwijl de mensen een stoel opzochten. De meesten zagen Cara als een onruststoker die het best gemeden kon worden. De geruchten over haar onacceptabele gedrag lagen vers in het geheugen. Slechts enkelen wisten waarom Ephraïm zijn huis had gedeeld met Cara. Ze wisten ook niet veel over haar, behalve dan dat ze Malinda's dochter was en een dakloze dievegge, met een dochter en zonder echtgenoot. O, en dat ze ervoor gezorgd had dat Ephraïm uitgesloten werd. Maar niets daarvan zei iets over wie Cara echt was. Als Ada hen ervan kon overtuigen om haar een kans te geven, dan kon er misschien voor iedereen genezing plaatsvinden. De Howards hadden een goed woordje voor Cara kunnen doen, maar Engelsen waren nooit onderdeel van een Amish vergadering – niet van dit soort tenminste.

Emma haastte zich naar binnen en droogde haar handen aan haar schort. 'Levi, die kleinkinderen van ons hebben de tuinslang gevonden en nu geven ze elkaar water om te kijken of ze zichzelf kunnen laten groeien.' Ze droogde haar voorhoofd. 'Ik heb ze doorgestuurd naar hun moeders.'

Iedereen grinnikte toen Emma ging zitten.

Ada bad in stilte dat de Riehls alle obstakels tussen hen en Cara opzij hadden gezet.

De bisschop liep naar voren. 'Rueben en ik hebben voor Cara een huis gevonden in Carlisle. Dankzij de giften van iedereen hier hebben we de huur van drie maanden betaald. Cara heeft ervoor gekozen om het aanbod af te slaan.'

Geroezemoes vulde de ruimte.

'Wat gebeurt er met het geld?' vroeg een man.

'We hebben vooraf geregeld dat we ons geld terugkrijgen, dus dat is geen probleem. Het is belangrijker om te weten waarom Cara het heeft afgeslagen. Volgens Ada heeft Cara het gevoel dat we haar betalen om te vertrekken. In eerste instantie klonk dat belachelijk, maar nadat ik erover heb nagedacht, besef ik dat er enige waarheid in schuilt. Het is mogelijk dat we op Cara hebben gereageerd vanuit misverstanden of vooroordelen. En veel daarvan is gebaseerd op geruchten en op wie haar moeder was.'

Levi stond op. 'Ephraïm heeft het meeste contact met haar gehad. Misschien zou hij hier moeten zijn.'

De bisschop nam plaats. 'Wat hij gedaan heeft is ontoelaatbaar, en hij blijft onder de ban. Ada, zou jij iedereen iets over Cara willen vertellen en over de reden waarom ze naar Dry Lake is gekomen?'

Ada stond op. Haar stem trilde toen ze uitlegde hoe Cara was opgegroeid, waarom ze naar hun stadje was gekomen en dat ze van plan was weer te vertrekken. 'Buiten Dry Lake heeft ze geen familie. Zijn wij niet op een of andere manier verantwoordelijk voor wat er met haar is gebeurd? Dankzij enkele verstrooide herinneringen aan haar kindertijd, wist ze de weg terug te vinden. Laten we haar een tweede keer door onze handen glippen?'

De bisschop kwam overeind. 'Om de geruchten te scheiden van de feiten, wil ik graag de mensen horen die met Cara gesproken hebben of haar zelf iets hebben zien doen. Wat Abner zei dat hij heeft gezien, zetten we dus terzijde.'

Verschillende mensen namen de gelegenheid waar om informatie over Cara te delen. Ze vertelden over drugsgebruik, roken met Amish tieners, en over koeien en paarden die ze uit weilanden had laten ontsnappen. De bisschop nam de tijd om bij elk gerucht een ooggetuige te vinden, en iedereen ontdekte al snel dat niemand Cara deze dingen echt had zien doen.

Toen Anna Mary binnenkwam en achterin plaatsnam, was Ada bang voor de schade die zij kon veroorzaken.

'Deborah miste een jurk,' zei een jonge man. 'Ik weet dat, omdat ze vroeg of ik hem wilde dragen.'

'Dat heb ik inderdaad gevraagd,' zei Deborah. 'Als jij hem had, wilde ik graag zien hoe het je stond.'

Ada grinnikte met iedereen mee. Als er iemand was die humor en rust in de kamer kon brengen, dan was het haar toekomstige schoondochter.

Deborah vouwde haar armen. 'Degene die de jurk heeft meegenomen, liet de volgende avond geld achter.'

Ada vermoedde dat Deborah intussen wist dat Cara haar jurk had meegenomen, maar ze was niet het type dat de zaken zou verergeren door dergelijke informatie te delen in de vergadering.

Levi vertelde over het gesprek dat hij de avond daarvoor met Cara had gehad. Daarna voegde hij toe: 'Ze was heel anders dan ik uit de geruchten gehoord had. Ik zou haar graag willen helpen, maar ik ga niet in tegen de wil van de bisschop.'

Een man stond op. 'We hebben hulp aangeboden, en ze heeft ons afgewezen.'

Toen hij ging zitten, zei een vrouw: 'Ik woonde niet in Dry Lake in de tijd van haar moeder, maar ik zag Cara bij de veiling. Ik hou niet van de manier waarop ze zich kleedt, en het is gemakkelijk de geruchten over haar te geloven. We kunnen het ons niet permitteren iemand zoals zij welkom te heten.'

Ze probeerde er minder boos uit te zien dan ze zich voelde, en Ada woog haar woorden en toon zorgvuldig af. 'Heb je haar in de ogen gekeken en met haar gesproken? Ik wel. Ze is niet iemand om bang voor te zijn. We zouden zelfs wat van haar kunnen leren.'

'Ephraïm heeft in haar ogen gekeken,' zei een man achter in de kamer, 'en nu is hij uitgesloten.'

Er klonk gemompel in de groep en Ada voelde dat ze terrein verloor. 'Ik heb me afgevraagd of het misschien Gods wil was dat ze hier niet is terechtgekomen als kind,' zei David Riehl boven de menigte uit.

'David.' Emma hapte naar lucht. 'Ze is je nichtje, en de omstandigheden waaronder ze werd achtergelaten was niet haar fout. Het was die van mij en Levi en zelfs die van jou. We hebben er allemaal over gepraat wat we moesten doen, en we hebben roekeloze fouten gemaakt, zonder te proberen om uit te vinden wat er echt aan de hand was.'

'Dat is omdat ze de dochter van Malinda is,' zei een andere man, 'en iedereen in deze kamer die ouder is dan veertig weet wat dat betekent.'

De kamer vulde zich met onenigheid, en Ada vreesde dat de avond zou eindigen zonder dat er iets was besloten. Cara zou Dry Lake verlaten en daarmee was het afgelopen.

Anna Mary stond op en iedereen viel stil. 'Ik heb meer redenen om haar te wantrouwen dan iemand van jullie. En ze heeft ervoor gezorgd dat ik mezelf duizenden dingen afgevraagd heb. Maar ik heb een vraag voor jullie allemaal.' Ze veegde een traan weg. 'Is Ephraïm de enige man die voor haar opkomt?'

Ada keek naar de gezichten van de mensen en zag dat de houding veranderde. Ruebens gezicht werd lijkbleek toen hij naar zijn dochter keek.

Trillend en met betraande ogen nam Anna Mary plaats.

Ada gaf een knikje. 'Dank je, Anna Mary. Afgelopen avond hebben Levi en Emma een doos bij Cara gebracht. Die was afkomstig van haar vader en hierheen gestuurd voor haar achttiende verjaardag.'

Rueben begon te hoesten alsof hij zich ergens in verslikte. 'Maar... ik... ik dacht dat jullie die weggegooid hadden zonder de inhoud te bekijken?'

'We hebben hem niet geopend, maar zagen geen reden om het weg te gooien,' ze Levi. 'Ada, wat zat erin?'

'Brieven, dagboeken, Malinda's Bijbel, en een paar documenten, namelijk haar trouwbewijs en Cara's geboortecertifi...'

'Wacht.' Rueben stond op en onderbrak haar. Hij speelde met de hoed in zijn hand. Leah, zijn vrouw, trok aan zijn arm en gebaarde dat hij moest gaan zitten. Hij schudde zijn hoofd. 'Voordat dit

verder gaat, moet ik met Malinda's familie en de bisschop praten...
alleen.'

De bisschop schraapte zijn keel. 'Ik denk dat Rueben gelijk heeft.
We hebben alles wat we konden in de grote groep opgehelderd.
Hartelijk bedankt voor jullie komst. Misschien dat dit ons er allemaal aan herinnert dat geruchten problemen veroorzaken en
meestal gebaseerd zijn op leugens. Samen met Malinda's broers en
hun echtgenotes, wil ik Rueben, Leah en Ada vragen om te blijven,
alstublieft.'

Binnen enkele minuten had iedereen de ruimte verlaten, behalve
de mensen die de bisschop had genoemd.

De bisschop nam plaats aan de keukentafel. De rest volgde zijn
voorbeeld.

Hij haalde diep adem en boog zijn hoofd in stil gebed. Toen hij
zijn ogen opende, zei hij: 'Voordat we verder gaan, is er iets wat je
wilt delen, Rueben?'

Hij staarde naar de tafel. Kinderstemmen dreven van buitenaf de
ruimte in, maar geen van de volwassenen sprak een woord.

Rueben wreef een paar keer over zijn voorhoofd voor hij eindelijk
sprak. 'Malinda's vertrek ging niet precies zoals de geruchten het
laten voorkomen.'

'Hoe ging het dan wel precies?' Levi's stem had een scherpe on-
dertoon.

Het kostte Rueben moeite om uit zijn woorden te komen. 'Je zus
heeft het niet met mij uitgemaakt. En ze was niet zwanger toen ze
hier vertrok.'

Levi sprong overeind. 'Wat? Jij hebt ons verteld dat ze al met Trevor
ging toen jullie nog verloofd waren en dat ze er met hem vandoor
ging nadat ze de verloving had verbroken.'

Zwaar ademend staarde Rueben naar de grond. 'Dat heb ik eigenlijk
nooit gezegd. Dat is wat jullie dachten.'

Emma keek naar Ruebens vrouw. 'Wist jij hiervan?'

De aangeslagen blik op Leah's gezicht vertelde dat ze het wist, al produceerde ze niet meer dan een half knikje.

David keek Rueben dreigend aan. 'Jij legt dit nu uit.' Hij tikte met zijn wijsvinger op tafel om elk woord te benadrukken.

'Goed dan... ik werkte toen een uur hiervandaan. Daar ontmoette ik Leah. Ik was daar het grootste gedeelte van de zomer. Toen ik een paar weekenden niet thuiskwam, huurde Malinda Trevor in om haar hierheen te brengen. Ze... zag me Leah kussen. We maakten ruzie en ze vertrok met Trevor. Ze smeekte me om niets tegen iemand te zeggen.'

'Kwam dat even goed uit.' David sloeg op de tafel.

'Het klinkt alsof ze bij haar vertrek nog enige trots intact wilde laten,' zei Leroy.

Emma verfrommelde haar schort in haar vuisten en liet weer los, steeds opnieuw. 'Ze was negentien en al haar dromen lagen in stukken. Ze had zich altijd afgewezen gevoeld door haar *Daed* omdat die haar aan Levina had gegeven voor de opvoeding. Ze moet wanhopig zijn geweest om opnieuw door een man te worden afgewezen.'

David haalde zijn schouders op. 'Ik denk nog steeds dat *Daed* het beste heeft gedaan toen *Mamm* stierf bij haar geboorte. Hij kon niet voor een pasgeborene en voor ons zorgen en tegelijk zijn baan behouden.'

De pijn in Levi's ogen werd dieper en hij legde zijn hoofd in zijn handen. 'We hadden haar niet al die jaren moeten toevertrouwen aan de zorg van *Grossmammi* Levina. Maar ons huis leek nooit een goede plek voor een meisje om in op te groeien – allemaal jongens en geen moeder?'

'Malinda maakte haar eigen keuzes,' zei David.

Verschillenden begonnen nu door elkaar heen te praten.

De bisschop hief zijn hand op en maande iedereen tot stilte. 'Laten we niet vergeten dat Malinda tot geloof is gekomen, en dat ze daarna wegliep. Ze brak met haar geloften, ongeacht de reden. Toch klinkt het alsof de schok en het verdriet de reden waren voor haar beslissingen, niet rebellie.'

Levi stond op en begon te ijsberen. 'We hebben bijna dertig jaar gedacht dat ze van het geloof af was, en dat ze als landloper rond-zwierf. Ik heb vragen aan je gesteld, Rueben, omdat ik nooit iets van die bandeloosheid in haar had gezien, zelfs niet in de tijd van haar *rumschpringe*. En jij hebt me laten geloven dat we haar gewoon niet goed kenden.'

'Die beslissing nam je zelf. Jij hebt me verteld dat ze niet lang na haar vertrek belde en zei dat ze zich teveel schaamde om thuis te komen, maar dat Trevor haar wilde trouwen. De volgende en laatste keer dat je van haar hoorde, was dat ze schreef dat ze een klein meisje had.'

Levi wees naar hem. 'Spreken of zwijgen, het lijkt erop dat je al die jaren tegen ons hebt gelogen.'

'Ik probeerde niet te liegen.'

'Je probeerde ook niet de waarheid te vertellen,' zei Leroy.

Rueben gebaarde met zijn handen. 'Luister, ik ontmoette Leah die zomer, en we... we vielen voor elkaar. We wilden het haar vertellen, maar zij ontdekte het eerder. Degene van jullie die Malinda kenden, weten hoe overgevoelig ze was.'

'Overgevoelig?' riep een van haar tantes. 'Ik herinner me dat Malinda toestemming had gevraagd om zich door een van *Daeds* medewerkers naar Ohio te laten rijden om jou te gaan zien. De trouwerij was drie weken later. Trevor was de chauffeur en hij bracht haar naar jou toe, of niet?'

Rueben knikte.

Emma snikte. 'Ze is niet teruggekeerd na die rit. We namen aan dat ze gepland had om er met Trevor vandoor te gaan, en dat ze het bezoek aan jou als excuus gebruikte. En dat heb je ons laten geloven. Dat weet je best.'

'Het was gemeen van je om haar niet te vertellen hoe je erover dacht vóórdat je met iemand anders kuste.' Leroy keek Rueben beschuldigend aan. 'Jij en Leah hebben nog een jaar gewacht om te trouwen. Was dat om jezelf in een beter daglicht te stellen? Nu we weten wie je bent, kennen we allemaal het antwoord daarop. Je gaat hier niet zitten vertellen dat onze zus overgevoelig is, nadat je ons dertig jaar hebt laten geloven dat ze hier zwanger vandaan ging.'

'Ze had niet op die manier hoeven weggaan,' zei Rueben. 'En ze hoefde niet weg te blijven of met Trevor te trouwen. Zelfs toen ze jaren later terugkwam om voor Cara een veilige plek te vinden, heb ik geprobeerd om haar over te halen iedereen te vertellen wat er gebeurd is. Ik wilde de zaken ophelderen.'

'Heb je alleen met haar gepraat toen ze met Cara terugkwam naar Dry Lake? Zonder mij of iemand anders?' De toon van Leah zei genoeg. Ze vertrouwde het hart van haar man niet als het op Malinda aan kwam. Ada vroeg zich af of Rueben werkelijk verliefd was geweest op Leah, of dat hij zich verplicht voelde met haar te trouwen, nadat Malinda hem en Leah betrapt had. Misschien had Rueben vooral een jaar gewacht met trouwen om zijn verdriet te verwerken.

Rueben antwoordde zijn vrouw niet, maar Ada vermoedde dat hij dat wel zou doen...

'Toen Malinda terugkeerde met Cara, wilde ze niets rechtzetten. Ze zei dat het niets zou veranderen aan het feit dat haar vader en broers haar niet terug wilden in Dry Lake en dat alles wat ik zou zeggen alleen maar problemen zou veroorzaken voor mij en Leah.' Levi draaide zich om naar zijn vrouw. 'Ze dacht dat we haar niet wilden, zelfs al zouden we de waarheid kennen?'

David sloeg met zijn hand op de tafel. 'We kunnen niet zomaar aannemen dat ze de zaken niet recht wilde zetten en dat wat Rueben over Malinda zegt waar is. Hij heeft alleen met haar gepraat, en we zullen nooit weten wat er wel of niet gezegd is, of wel?'

Leah stond op en vouwde haar armen. Haar gezicht was rood van schaamte en schuldgevoel. 'Toen ze naar Dry Lake kwam met Cara hadden jullie net zoveel kans om met haar te praten als Rueben. Maar jullie kozen ervoor dat niet te doen. Jullie allemaal. Je hoeft hem niet overal de schuld van te geven.'

Ada haalde de documenten tevoorschijn uit de verborgen zak van haar kleding. 'Als we alle mensen vinden die iets te verwijten valt, lost dat nog steeds niets op van de problemen aangaande Cara.' Ze vouwde de papieren open. 'Trevor en Malinda trouwden enkele maanden nadat ze hier vertrokken. Cara werd vijftien maanden later geboren. Als het waar is dat Malinda zich altijd afgewezen heeft gevoeld en jullie willen daar verandering in brengen, dan vraag ik jullie om te beginnen met haar volwassen dochter. En reken het Ephraïm niet aan wat hij gedaan heeft.'

De bisschop bekeek opnieuw de documenten, alsof hij wilde verifiëren wat hij eerder had gelezen. 'De ban voor Ephraïm wordt niet opgeheven. We kunnen niet negeren dat een vrijgezelle man een vrouw in zijn huis laat overnachten. Maar we moeten doen wat we kunnen om dingen recht te zetten tegenover Cara en iets van de pijn weg te nemen die we hebben veroorzaakt.'

Ada vouwde haar handen. 'Ik denk niet dat het juiste antwoord op dit moment is dat iedereen haar meteen gaat ontmoeten. Ze is niet iemand die de beweegredenen van mensen zomaar vertrouwt. Ze zal willen weten waarom jullie haar nu wel willen zien, en een paar dagen geleden niet. Als ze ontdekt dat we bij elkaar zijn gekomen om een beslissing te nemen over wat we moeten doen – en dat zij het hoofdonderwerp was van de districtsvergadering, dan breken we nooit door haar verdediging heen.'

'Dat klinkt alsof ze net zo koppig is als haar moeder,' zei Leroy.

De broers grinnikten, en de spanning in de ruimte verminderde.

'Ada, jij kent haar beter dan iemand hier,' zei Emma. 'Als ze ons niet vertrouwt en niet met ons wil praten, hoe doorbreken we dat dan?'

'Brieven, om te beginnen. Maar meer dan dat zou ik toestemming willen voor haar om bij mij in te trekken. Ik heb een huis gevonden in Hope Crossing.'

De vragen kwamen meteen van alle kanten tegelijk.

De bisschop stak zijn hand op. 'Je hebt mijn toestemming, Ada.'

VIJFENDERTIG

De geluiden van de nacht – voornamelijk krekels en kikkers – weerklonken uur na uur. De kerosinelamp naast haar bed sputterde en Cara's ogen vielen bijna dicht terwijl ze de brieven las die haar moeder had geschreven aan haar vader. De andere correspondentie lag opgestapeld op de nachtkastjes – een van haar moeder aan haar, een van haar vader aan Cara en een van haar vader naar haar moeder. Ze bekeek ze keer op keer en probeerde de delen van haar leven die ze gemist had aan elkaar te rijgen tot een geheel. Door het geopende raam droeg de zomerwind de zoete geur van bloemen naar binnen. Het zilveren schijnsel van de maan overgoot haar bedsprei.

De verschillen tussen hier en de Bronx waren onmiskenbaar, en ze begreep waarom haar bezoek hier als kind in de uithoeken van haar geheugen gegrift stonden. Vergeleken met de voortdurende sirenes, de luidruchtige buren en de gesloten ramen van haar appartement in New York, was dit een vakantieoord – behalve dan dat de mensen net als in New York ook hier problemen hadden. Weliswaar niet dezelfde als ze gewend was, maar toch waren het problemen. Zij had ze, en klaarblijkelijk haar vader en moeder ook. Toch had ze meer verwacht van mensen die de wereld vermeden.

Ze las vluchtig een brief door die ze al een paar keer eerder had gelezen. Het leek erop dat haar moeder met haar vader getrouwd was zonder dat ze wist dat hij alcoholist was. Veel van de brieven waren van haar moeder aan haar vader terwijl hij in een afkickcentrum zat. Maar de problemen van haar vader waren niet de enige die haar moeder met zich meedroeg. Haar ouders waren gekwetste mensen die bij elkaar waren gekomen in de hoop verlichting te vinden voor hun pijn. In sommige opzichten leek hun relatie te werken... voor een tijdje.

Maar het lezen van al deze notities, brieven en dagboeken voelde vooral alsof ze de laatste zinnen van een gesprek hoorde – het was verwarrend en ze wilde dat ze meer zou begrijpen. Maar op dit moment had ze er genoeg van om het verleden van haar ouders uit te pluizen.

Ze was klaar om Dry Lake te verlaten en probeerde haar rusteloosheid te onderdrukken. Er waren drie dagen voorbij sinds ze ermee akkoord was gegaan om bij Ada in te trekken in Hope Crossing. Ada was bezig om een gunstige huurovereenkomst te regelen met de eigenaren en Ephraïms vader had een operatie ondergaan, en al die tijd zat Cara hier vast. Ephraïm was niet veel in de buurt geweest sinds zondag, en Lori vroeg voortdurend naar hem.

Een langgerekt koerend geluid dreef door de nachtelijke lucht haar kamer binnen. Welke vogel dat geluid ook maakte, het was beslist haar lievelingsgeluid – zacht en kalm als het vallen van de avond op het platteland. Ze stopte de brieven terug in de doos en trok haar spijkerbroek aan. Bij het voeteneinde van het bed sprong Voorspoed overeind en begon te kwispelen. Ze pakte hem op en liep naar buiten. Het leek erop dat de puppy een goeie insluiper was, en dat was belangrijke informatie voor Ephraïm omdat de hond niet langer onder Lori's waakzame blik zou zijn als ze verhuisd waren. Nadat ze de hond op het gras had gezet, bestudeerde ze de omgeving.

De stille schoonheid van Dry Lake contrasteerde met haar innerlijke verwarring. Ze vroeg zich af of alle Amish gemeenschappen zo besloten waren, of dat het alleen voor haar gesloten leek om wie haar moeder was geweest en wie ze dachten dat Cara was. De fluistering van haar naam dreef door de nacht. Ze draaide zich om en zag Ephraïm bij de ingang van zijn omheinde schuilplaats. Ze liep naar hem toe. 'Hoe is het met je vader?'

'Het gaat goed. Hij wordt morgen uit het ziekenhuis ontslagen.

Dat is trouwens vandaag dus. Wat doe jij zo laat nog op?'

'Ik was de brieven aan het lezen die mijn moeder aan mijn vader schreef toen hij in een afkickcentrum zat.' Ze keek over het veld naar de vijver. 'Ik wil hier zo graag weg en toch heeft deze plek iets. Ik kan begrijpen waarom mijn moeder het hier miste. Waar woonde zij als kind?'

'Bij Levina, maar de rest van de familie woonde in het huis naast Levi en Emma Riehl. Leroy Riehl en zijn vrouw wonen daar nu. Je grootmoeder stierf toen jouw moeder geboren werd, en Levina, haar grootmoeder, bracht je moeder groot. Vijftig jaar geleden hadden we geen kraamhulp in of bij Dry Lake, en de ziekenhuizen waren erg ver weg. Ik hoorde jouw grootvader ooit met een paar andere mannen praten. Hij zei dat je grootmoeder een kleine vrouw was die veel moeite had gehad bij elke geboorte, en dat ze de nacht waarin Malinda werd geboren niet had overleefd. De kinderen van Levina waren allemaal al opgegroeid en Malinda was van harte welkom in haar huis. Ik heb altijd begrepen dat het slecht liep tussen jouw moeder en haar vader – alsof ze het hem verweet dat hij haar aan iemand anders had afgegeven, en haar nooit gevraagd had om naar huis te komen toen ze geen baby meer was. Ze verhuisde pas naar het huis van haar vader toen Levina gezondheidsproblemen kreeg en niet langer voor haar kon zorgen. Tegen die tijd was je moeder zestien of zeventien jaar oud.'

'En de vader van mijn moeder?'

'Jouw grootvader stierf in hetzelfde auto-ongeluk als mijn moeder, Mahlons vader, en Becca's echtgenoot, en verschillende anderen uit onze gemeenschap. Drie busladingen vol Amish werden door ingehuurde chauffeurs naar een trouwerij in Ohio gebracht. Hun chauffeur reed te hard en lette onvoldoende op de weg. Ze botsten boven op een betonnen snelwegsplitsing.'

'Ephraïm, wat erg!'

Hij staarde naar de nachtelijke hemel. 'Het was een enorm verlies en ik denk dat het een van de redenen is waarom deze gemeenschap zich zo defensief opstelt tegenover buitenstaanders. Niemand van de volwassenen in de gemeenschap vertrouwde de chauffeur van de bus die verongelukte, maar iedereen negeerde z'n onderbuikgevoel en betaalde daarvoor een hoge prijs. Tegenwoordig zijn ze overdreven voorzichtig als het gaat om buitenstaanders.'

Daar kon ze wel iets van begrijpen. Het vertrouwen beschamen kostte slechts een moment, terwijl vertrouwen winnen een heel leven of nog meer kost. 'Misschien voelde mijn moeder zich verlaten door haar vader en had dat veel te maken met de reden waarom ze er met de Engelse vandoor ging.'

'Misschien.'

Cara liep naar de schommelbank. 'Het lijkt allemaal een grote leugen.'

'Wat allemaal?'

'Hoe schilderachtig het leven eruit kan zien. Je krijgt een korte impressie van iets wat er aantrekkelijk en fantastisch uitziet, zoals het ongewone leven van de Amish. Maar uiteindelijk is het allemaal een leugen.'

Hij kwam naast haar zitten. 'Zondagavond stonden jij en Lori bij de hoge bomen naast de vijver, terwijl de zon onderging. Als iemand daar toen een foto van had gemaakt, dan zou het de harten verwarmen van iedereen die het zag. Maar niemand ziet je gevecht om voedsel, een schuilplaats en veiligheid. Toch neemt dat niets weg van de waarheid die je in een flits ziet. Liefde is echt en de moeite waard om voor te vechten. Dat is geen leugen, Cara.'

'Misschien heb je gelijk.' Ze wreef over haar nek. 'Ik ben er zo moe van om overal over na te denken.'

Hij stak zijn hand in zijn broekzak en haalde iets tevoorschijn. Met een glimlach liet hij een sleutel voor haar heen en weer slingeren. 'Misschien dat dit helpt. Verf en gereedschappen zijn al bezorgd. Een van de badkamers werkt nu. De gootsteen wordt morgen gerepareerd. Een gasfornuis en een koelkast worden op z'n laatst begin volgende week gebracht.'

Ze hield haar hand op onder de sleutel, en hij liet hem vallen. Ze klemde de sleutel in haar vuist. 'Je had gelijk, weet je dat.'

'Nou, zoals mijn *Daadi* altijd zei...'

'Je wie?'

'Mijn grootvader.'

'Oké.'

'Hij zei dat zelfs een blinde eekhoorn zo af en toe een nootje vindt.'

Ze lachte. 'Je bent een vreemde, Ephraïm. Wie maakt er nu grappen voor zonsopkomst?'

Hij onderdrukte een lach en er verschenen dunne lijntjes rond de rand van zijn mond. 'Je zei dat ik ergens gelijk in had.'

'Ik had deze verandering nodig, een plek waar ik kan wonen terwijl ik leer om te gaan met alles wat ik geleerd heb. Maar wat betekent mijn vertrek voor jou?'

'Dat ik mijn bed terugkrijg.'

Ze gaf hem een por met haar elleboog. 'Hoe lang totdat je niet meer uitgesloten bent?'

'De bisschop heeft er geen tijdstip aan verbonden.'

'Maar ik ben straks weg.'

'Het is een tuchtmaatregel voor wat je verkeerd gedaan hebt, vergelijkbaar met huisarrest voor een tiener, of het ontnemen van bepaalde privileges. Alleen anders dan wanneer je problemen hebt met je ouders, vindt niemand van je vrienden dit stoer.'

'Weet je wat ik denk?'

'Wil ik dat weten?'

Ze snoof en wees met haar vinger naar hem. 'Ik denk dat als God echt bestaat, Hij ervoor zou zorgen dat de bisschop zijn excuus aanbood.'

Ephraïm begon te lachen en leek niet meer te kunnen stoppen.

'Wat?'

'Je wilt alleen in Hem geloven als Hij ervoor zorgt dat de bisschop iets opbiecht wat hij helemaal niet verkeerd heeft gedaan?'

'Niet verkeerd? We hebben helemaal niets gedaan wat ook maar een beetje tegen die Bijbel van jou ingaat.' Zodra ze het gezegd had, verloor ze haar vertrouwen. 'Of wel?'

'Nou, tja, op een bepaalde manier. Godvruchtigheid vraagt van ons dat we afzijdig blijven van de schijn van kwaad, en jij overnacht in mijn huis, nou, snap je. Er is niets verkeerd aan om ergens verantwoordelijk voor gehouden te worden, Cara.'

'Het is belachelijk. Er is zo veel kwaad in de wereld, maar jij wordt uitgesloten omdat je de indruk wekt dat je iets verkeerd doet? Waarin zit het bewijs van Gods liefde?'

'Jij houdt van je dochter, maar je kan niets vasthouden wat daar het bewijs van is. Liefde is een voortdurende daad naar haar toe. Gods liefde is een voortdurende daad naar ons toe. Maar we bevinden ons in het midden van een oorlog. Een gedeelte van het leven bestaat uit het kiezen van het juiste gevecht, om het geloof te behouden. Als er geen kwaad was geweest dat tegenover ons stond, dan zouden we niet hoeven vechten voor ons geloof, toch?'

Het idee dat ze werd aangevallen, voelde als spelden die in haar geprikt werden, tegelijk voelde ze kippenvel en verwarring. 'Ik mag jou. En ik denk dat je mij mag. Dus laten we onze vriendschap vooropstellen en het niet meer hebben over God, oké?'

Hij stond op. 'Geloof je in de natuur?'

'Nou ja, natuurlijk.'

'Kom dan kijken naar de glorie daarvan door de telescoop.'

Toen ze haar hoofd schudde, stak hij zijn hand uit. 'Ik ga onze vriendschap niet riskeren om je van God te overtuigen. Dat is Zijn taak. Ik wil je alleen een van de spectaculaire dingen in de lucht laten zien.'

Cara legde haar hand in de zijne. In een paar stappen waren ze bij de telescoop.

Ze keek door de lens. 'Ik zie niets anders dan mijn eigen wimpers.'

Ephraïm deed een paar aanpassingen. 'Hier, probeer het nog maar een keer. Maar je moet niet knipperen voordat je je oog voor het kijkvenster plaatst.'

Cara probeerde het opnieuw. Hij stond vlak achter haar en liet zien hoe ze de zoeker en de scherpte kon instellen. Ze vroeg zich af hoe vaak hij dit gedaan had met Anna Mary. Voelde ze zich toen ook zoals zij zich op dit moment voelde?

'Cara?'

Ze knipperde. 'Sorry, wat zei je?'

'Plaats je oog voor de ring en stel die bij totdat je iets ziet.'

'Oké.'

Ze kon nauwelijks nadenken met hem zo dichtbij – de zachtheid van zijn stem als hij sprak, de warmte die van zijn huid straalde, de kalmte van zijn bewegingen. Maar opeens kreeg ze een voorstelling die zo adembenemend was dat ze haar ogen niet kon geloven. Een strook sterren hing in de lucht met op de achtergrond gouden en zilveren stof. Ze had altijd te horen gekregen dat er meer sterren in de lucht waren dan we kunnen zien met ons blote oog. Maar plotseling leek het alsof alle problemen die ze ooit onder ogen had gezien, in een ander perspectief werden geplaatst – alsof het maar een stofje was op de tijdsbalk van de aarde.

ZESENDERTIG

Deborah keek Mahlon onderzoekend aan terwijl hij de paard en wagen naar Hope Crossing mende. Het duurde bijna een uur om daar te komen, dus was hij eerder uit de werkplaats geglipt in de hoop dat ze heen en terug konden rijden voor het donker. Ze wilden allebei graag de plek zien waar Ada naartoe verhuisde komende zaterdag.

Het enige geluid was dat van de paardenhoeven en het gekraak van het rijtuig. Deborah merkte dat Mahlon steeds zwijgzamer was geworden sinds de dag van Ephraïms uitsluiting. Hij leek steeds minder met haar te delen. Het was hem zelfs niet opgevallen dat ze uit huis was gekomen met iets achter haar rug en dat ze een pakketje onder de zitting van de rijtuig verstopte. Misschien had hij gewoon iets nodig waar hij om kon lachen. Zij in elk geval wel. Helemaal nadat ze afgelopen avond langs Anna Mary was geweest en erachter was gekomen dat zij en Ephraïm uit elkaar waren.

Een avondje uit voor het weekend begon, zou haar en Mahlon waarschijnlijk goed doen. Hij moest van zijn stuk gebracht zijn doordat zijn moeder een beslissing had genomen over het huis, zonder zijn toestemming. Nu haar vader terug was uit het ziekenhuis, vond ze het vooral moeilijk om te accepteren dat Ephraïm en Anna Mary niet meer bij elkaar waren. De uitsluiting zou op zeker moment opgeheven worden, maar Ephraïm had nog nooit zijn gedachten veranderd als hij het had uitgemaakt met een meisje. Ze hield vast aan de hoop dat het dit keer anders zou gaan.

Ada had iets verteld van wat er gebeurd was tijdens de vergadering van afgelopen maandag, nadat de bisschop de meesten van hen had weggestuurd. Ze zei er niet al teveel over, maar ze vertelde Deborah alles over het huis in Hope Crossing en dat Cara bij haar introk. Omdat ze ondertussen wist van de problemen die Cara had overwonnen om in Dry Lake terecht te komen, kon Deborah niet wensen dat ze nooit was gekomen, maar ze was toch blij dat ze binnen twee dagen uit de buurt van haar broer was.

Ze haalde diep adem en probeerde zich te ontspannen. Ze raakte Mahlons wang aan en hoopte hem uit zijn gedachten te halen. 'Waar zit je?'

'Ik denk aan alle veranderingen in Dry Lake. Het lijkt wel alsof iedereen er ineens voor kiest om z'n hart te volgen.'

'Iedereen probeert te doen wat het beste is. Zelfs je moeder.'

'Misschien.'

'Nu dan, wat zit je het meeste dwars?'

'Ik bleef omdat ik het idee had dat ze het niet alleen af kon. En nu...'

'Bleef?'

Hij zei niets.

'Bleef je in haar huis, of bleef je Amish?'

Hij schudde zijn hoofd en zuchtte. 'Ik bleef bij haar.'

'Het heeft je geen kwaad gedaan om die paar jaar thuis te leven, of wel?'

'Nee.' Hij haalde zijn schouders op. 'Vraag je je wel eens af of Ephraïm na dit alles nog Amish blijft?'

'Vaak genoeg. Ik denk dat het de voornaamste reden is waarom ik niet zo van streek ben over het feit dat je moeder naar Hope Crossing verhuist. Ze haalt Cara weg uit zijn huis en uit het zicht. Het spijt me heel erg dat Ada zo ver weg van onze gemeenschap gaat wonen, maar misschien dat hij en Anna Mary hun problemen kunnen oplossen als Cara eenmaal vertrokken is.'

'Ik had geen idee dat *Mamm* zoveel onafhankelijkheid in zich had. Ik had alleen gewild dat ik het een jaar geleden wist.' Hij tikte licht met de teugels tegen de rug van het paard.

'Nou ja, nu ben je vrij. Je kunt op zoek naar een huis voor ons alleen. Ik ben erg opgewonden, maar tegelijk ook zenuwachtig. Kun je binnen tien dagen wel iets voor ons vinden?'

'Vertrouw me nou maar. Ik regel het.' Mahlon keek op de aanwijzingen die hij in zijn hand hield en bracht het rijtuig tot stilstand voor een oud huis.

'Is dit het?' vroeg Deborah.

Hij keek naar het adres op het papier en daarna op de brievenbus. 'Ja.'

Ze staarden zwijgend naar het huis. Het leek wel een spookhuis. Beslist het slechtste huis van Hope Crossing. Mahlon draaide de oprit op.

Deborah nam de omgeving in zich op. Het huis stond op een hoek, met een maïsveld aan de ene kant en huizen in de buurt, maar niet te dichtbij. 'Het heeft een leuk schuurtje, een weiland voor haar paard en een grote achtertuin.'

'Ja, een achtertuin die zo vol staat met rommel en gevallen takken dat ze het nergens voor kan gebruiken.'

'Dat kan veranderen met een beetje werk.'

Ze stapten beiden uit. Deborah pakte zijn hand terwijl ze over de stoep langs de zijkant van het huis liepen richting de voorkant en de omliggende veranda op.

De grijze verf van de twee meter brede veranda moest verwijderd en opnieuw aangebracht worden. De witte planken van het huis droegen zo weinig verf dat ze nauwelijks schoongemaakt hoefden te worden. Alleen een paar nieuwe lagen verf zou voldoende zijn.

'Geen wonder dat je moeder zich deze plek kon veroorloven.'

'Ze zegt dat er geld van de huur wordt ingehouden voor al het werk dat ze aan het huis doet.'

'Ik neem aan dat als Cara hier gaat schilderen, je moeder en zij een tijdje kosteloos kunnen wonen.'

'Dat zou je denken.'

Deborah stak de sleutel in het slot en draaide hem open. 'De deur is prachtig. De ouderwetse brievenbus, het bewerkte glas, de doffe koperen knoppen. Het is perfect.'

'Perfect voor wat?'

'Voor het vervullen van je moeders droom. Dit oude huis heeft zoveel mogelijkheden.'

Ze liepen over de blank gelakte vloeren. Behang krulde van de wanden, overal stonden oude dozen vol rommel, en verspreid op de grond lagen kranten. Toen kwamen ze in de keuken.

Deborah keek onderzoekend rond. 'Het is zeker groot genoeg voor haar om te bakken.'

Mahlon keek in de gootsteen. 'Dit huis is niet meer dan een omhulsel; zelfs de leidingen ontbreken.'

'Volgens Ada komt de loodgieter morgen terug, en de eigenaars dekken de kosten daarvan.'

Ze liepen door de rest van het huis.

Mahlon schudde zijn hoofd. 'Ik kan me niet voorstellen dat ze dit wil. Er moet zoveel aan gebeuren.'

'Kosten alle dromen niet veel werk?'

Hij haalde half zijn schouders op. 'De meeste dromen moeten genegeerd worden.'

Een ongemakkelijk gevoel bekroop haar. 'Genegeerd?'

'Laat maar.' Hij gebaarde naar de voordeur. 'Ik heb genoeg gezien. Ben je klaar om te gaan?'

'Ik vind dit een fantastische plek, Mahlon. Zie je niet dat het precies is wat ze altijd heeft gewild? Jij wilde in Dry Lake blijven toen je opgroeide, en dat deed ze. Maar nu is ze er klaar voor om iets voor zichzelf te proberen.'

'Te gek. Zij laat haar dromen uitkomen terwijl ik vastzit aan het werk van Ephraïm.'

'Mahlon.' Deborah stopte. 'Ben je boos op je moeder?'

Hij schudde zijn hoofd. 'Ik heb gewoon overal genoeg van. Jij niet?'

'Genoeg van wat?'

Hij deed de voordeur achter haar dicht. 'Ik wilde graag een week weg, maar Ephraïm heeft me nodig, *Mamm* verdwijnt naar een vervallen huis, en... ik...'

'Jij wat?'

Nadat hij de deur had afgesloten, stopte hij de sleutel in zijn zak.

'Het maakt niet uit.'

'Het maakt niet uit? Het lijkt wel alsof je me iets wilt vertellen zonder het te hoeven zeggen.' Terwijl ze de verandatrap afdaalden, trok Deborah aan zijn handen. 'Ik wil niet in een ruzie belanden omdat je in een slechte bui bent, maar als je hints blijft geven, en blijft zeggen dat het er niet toe doet...'

'Oké,' onderbrak hij, terwijl hij zijn armen om haar heen sloeg. 'Je hebt gelijk.' Hij kuste haar voorhoofd. 'Ik moet gewoon een paar dagen weg, maar dat zou ik niet op jou moeten afreageren.' Hij kuste haar nogmaals. 'Het spijt me, Deb.'

Ze klom op de wagen en hoopte dat haar cadeau hem wat op zou vrolijken. Ze trok het onder de zitting vandaan. 'Ik heb voor jou een bijzonder cadeau besteld bij de kledingwinkel. Het is vandaag binnengekomen.'

Hij glimlachte. 'Hoe heb je dat voor me verborgen weten te houden?'

'Je bent niet altijd bij me. Ik heb je nauwelijks gezien de afgelopen weken.'

Hij pakte het van haar aan. 'Dat had je niet hoeven doen.'

'Binnenkort voorzie jij me van een huis. Ik denk dat ik iets voor je heb gekocht dat daar in past.'

Hij scheurde het papier open en zei niets toen het uurwerk tevoorschijn kwam. Het was de prachtigste klok die ze ooit had gezien, precies dezelfde als hij haar een jaar geleden had aangewezen met de woorden dat hij ooit zo een hoopte te hebben.

'Hij speelt elk uur een muziekje.'

'Hij is prachtig, Deb,' fluisterde hij terwijl hij het karton verwijderde dat eromheen zat.

'Als je dat schakelaartje omzet, kunnen we alle melodieën horen. Het zijn er twaalf.'

Hij zette het knopje op 'aan'. De blikkerige muziek leek hem te raken, en hij verstarde. 'Die melodie...'

'Ik ken het niet, jij wel?'

Hij knikte. 'Ik hoor het overal waar ik de laatste tijd kom. In elke winkel. Zelfs bij klanten thuis en in mijn slaap.'

'Wat is de tekst van dit liedje?'

'Het is gebaseerd op het Woord: voor alles is een tijd. Alleen zegt het liedje: tijd om te veranderen.'

'Het is een leuk melodietje, toch?'

Hij haalde zijn schouders op. 'Behalve dat het soms lijkt alsof God me iets probeert te vertellen. Hoe kunnen we een ander liedje aanzetten?'

'Dan moet je er nog een keer op drukken.'

Hij deed het. Maar hetzelfde liedje begon opnieuw.

'Dat is vreemd.' Ze duwde opnieuw op het knopje. 'Het werkte nog toen ik hem inpakte.'

Hetzelfde liedje speelde telkens opnieuw als ze op het knopje drukte. Deborah voelde de kriebels over haar rug lopen.

Mahlon gaf het uurwerk aan haar. 'Laten we het nu maar even uitzetten, oké?'

'Natuurlijk.' Ze zette het schakelaartje op uit, maar de muziek stopte niet.

Hij probeerde dezelfde schakelaar, maar het liedje speelde alleen maar sneller. 'Probeer de batterijen eruit te halen.'

Ze draaide de klok om, haalde het plaatje van de batterijen eruit en stopte toen. 'Wat gebeurt er als het door blijft spelen?' Ze zette een geforceerd lachje op, maar kon niet voorkomen dat haar hart wild bonsde. Toen ze de batterij weghaalde, stopte de muziek.

'We zetten de muziek gewoon niet aan, oké?'

'Maar dat maakt het juist bijzonder. We kunnen liedjes uitkiezen die in de loop van de jaren een betekenis krijgen, en dan maakt het niet uit waar we in ons huis zijn, maar als we het horen, denken we aan onze liefde.'

Mahlons hand trilde toen hij zijn hoed afzette. 'Waar ik ook ben, wat ik ook doe in mijn leven, ik zal jouw liefde nooit vergeten. Nooit.'

Een vreemde sensatie golfde door haar lichaam.

Hij nam haar hand in de zijne en kuste haar vingers. 'Ik hou meer van je dan je ooit zult beseffen.' Hij staarde in haar ogen alsof hij haar dingen wilde vertellen die hij niet onder woorden kon brengen. 'Laten we naar huis gaan. Ik moet morgen werken en jij moet rusten, zodat je *Mamm* kan helpen met inpakken.'

Haar gevoel was meer verontrust dan ooit tevoren en ze schrok toen Mahlon zijn arm om haar heen sloeg.

'Ik denk dat ik een paar dagen vrij neem. Is het wat jou betreft goed als ik dat doe?'

'Maar de werkplaats heeft je nodig. Ze zullen nog verder achterop raken. En je moet een huis vinden en verhuizen.'

Hij wreef over haar rug. 'Ik heb familie in Dry Lake waar ik een paar weken kan intrekken.'

'Dat idee heb je altijd verschrikkelijk gevonden.'

'Omstandigheden veranderen. En de werkplaats raakt toch achterop, wat ik ook doe. Ik wil niet veranderen van de kostwinner voor *Mamm* in de kostwinner voor jouw *Daed* en zijn kinderen. Die verantwoordelijkheid zou niet op mijn bordje gelegd moeten worden.'

'Maar zo werken die dingen met familie. Dat weet je. En je moeder dan? Heb je het haar al verteld?'

'Nee. Ik schrijf haar een brief waarin ik het uitleg. Ze is zo druk met verhuizen, klussen en bouwen aan het bedrijf van 'haar dromen, dat ze er geen twee keer over na zal denken.'

'Waar ga je naartoe?'

Hij haalde zijn schouders op. 'Naar een rustig plekje waar niemand mij kent.' Hij trok haar naar zich toe en kuste haar op het hoofd. 'Je *Daed* wordt weer beter, en jij zal druk bezig zijn om *Mamm* en Becca te helpen. Je zult geen tijd hebben om mij te missen.'

'Nou, ik heb jou anders al een tijdje gemist. En ik zie je graag terugkomen als... jezelf. Goed?'

'Je bent het meest verbazingwekkende meisje dat een man zich kan wensen.'

'Kijk, zo spreekt de man met wie ik wilde trouwen. Goed, wanneer ga je weg?'

'Zaterdag.'

'En wanneer kom je terug?'

'Waarschijnlijk woensdag. Het weekend daarna pakken we de rest van mijn spullen in die nog in het huis staan.'

'Oké. Maar als je er op een dag aan toe bent, laten we dan praten. Ik wil graag weten waarover je hebt nagedacht.'

'Als ik dat weet, ben jij de eerste die het hoort.'

Ze grinnikte. 'Dat is niet onredelijk.'

ZEVENENDERTIG

Ephraïm boog zijn hoofd in stilte en probeerde de gedachte aan Cara uit te bannen tijdens zijn gebed voor de maaltijd.

Toen hij zijn ogen opende, zat Lori naar hem te lachen. 'Ik was als eerste klaar met bidden.'

Ephraïm grinnikte. 'Volgens mij gaat het daar niet om.'

Bij de tafel een halve meter verderop, pakte Ada een stuk versgebakken brood en gaf de mand door aan Cara. Ze stond op van de tafel, liep naar de zijne, en zette de mand naast hem neer.

Ephraïm nam een broodje. '*Denki.*'

'*Gan Gern?*' vroeg Cara.

Hij lachte. '*Gern gschehne.*'

'Ja, mama, *gern gschehne.*' Ze trok een gek gezicht naar haar dochter en liep naar de andere tafel. Lori giechelde.

Hij wierp een aandachtige blik op Ada. Er drukte iets op haar, iets wat geschreven stond in de brief die ze nu al honderd keer had gelezen. Hij wist niet van wie die was, maar ze hield het opgeborgen in haar schort, en hij zag een paar tranen toen ze dacht dat er niemand keek.

Vanaf het moment dat Ada uit zijn huis was vertrokken nadat ze de nacht was gebleven om Cara te helpen, nu bijna twee weken geleden, was het haar niet meer toegestaan om met hem te praten. Toch communiceerden ze vrij gemakkelijk, dankzij haar schrijven aan hem en via Cara. Hij begreep waarom de bisschop hem naast de uitsluiting ook ongewone beperkingen had opgelegd, maar het moeilijkste was eigenlijk een van de gebruikelijke beperkingen: het was hem niet toegestaan met haar aan één tafel te zitten. Cara bedacht een plan waardoor de regel wat leefbaarder werd. Zij en Lori zaten om de beurt of bij hem of bij Ada aan tafel tijdens de maaltijden.

Ada's huis in Hope Crossing was met de paard en wagen een uur rijden vanaf Dry Lake, omdat de rijtuigen geen gebruik mochten maken van de snelweg. Per auto was het slechts tien à vijftien minuten. Dus bracht Robbie hem hier elke ochtend en werd hij weer opgepikt rond tien, elf uur 's avonds.

In de tussentijd werkte hij met Cara aan het opknappen van de woning. Ze praatten en schertsen tot hun uitputtende verrichtingen als een spelletje aanvoelden. Elke ochtend zaten ze op het trapje van de veranda koffie te drinken. En elke avond, als het al te donker was om te werken, en Lori lag te slapen, paste Ada op, en ging hij met Cara een lange wandeling maken. Daar verlangde hij al naar sinds ze klaar waren met het schilderwerk in het huis van Garrett: meer tijd met Cara.

Hij keek naar haar terwijl ze at en genoot ervan hoe snel ze begon te herstellen. De schok en het verdriet door de ontdekking van haar afkomst waren verdwenen, maar haar hart was nog niet veranderd ten opzichte van haar familie. Verschillenden hadden brieven naar haar geschreven, maar ze had er nog niet een geopend. Ze had hun onverschilligheid van destijds geaccepteerd, niet vergeven.

Toen ze zag dat hij naar haar zat te staren, fronste ze. 'Is er iets, meneer?'

Er was inderdaad iets. En hij keek er rechtstreeks naar. Alles in haar fascineerde hem. De manier waarop ze brood at door elke keer een klein stukje af te scheuren. De manier waarop ze probeerde haar haren achter haar oren te steken, nu het wat langer groeide – wat niet lukte omdat het nog steeds te kort was. De manier waarop ze 's ochtends vroeg fluisterde, en 's avonds laat sprak met een diepe, zachte stem. En de duizenden andere bewegingen die ze gedurende de dag maakte. Alles hield hem in de ban.

Toen hij geen antwoord gaf, stak ze haar tong uit en trok ze een gek gezicht. Hij liet niet toe dat de glimlach die hij voelde opkomen, op zijn gezicht te zien was. Hoewel hij niet meer zeker wist wat hij van het leven wilde, hield hij die verwarring voor zichzelf. Anders dan de kerkleiders hoopten, had de uitsluiting hem niet overtuigd dat hij een ander standpunt in moest nemen.

Hij en Lori hadden ondertussen een onderkomen gevonden voor alle puppy's, zonder dat ze bij Amish langs waren geweest. Nadat hij wat geld had uitgegeven om de moederhond te laten vaccineren, hadden ze zelfs voor haar een leuk gezin gevonden.

Hoewel het leven zonder de moderne gemakken in Cara's ogen nogal onzinnig was, bleek ze zeker geïnteresseerd in de achtergrond van hun religie. Elke dag stelde ze vragen over het leven als Amish. En ondanks dat ze zich verzette tegen hun manier van leven, begon ze hun cultuur een beetje beter te begrijpen. Haar inzichten waren opmerkelijk, maar het was vooral wijsheid van het hoofd. Ze leek er niets van te accepteren als een redelijke levenswijze.

Toch was hij ervan overtuigd dat ze het goede gedeelte van de Amish manier van leven nog moest leren kennen, voordat ze vrede en acceptatie kon vinden met haar eigen afkomst. Dus lette hij op zijn woorden en liet hij nooit doorschemeren hoezeer de uitsluiting hem frustreerde. Volgens de regels zou hij eigenlijk niet moeten doen wat hij deed voor Ada, nu ze een nieuwe zaak aan het opbouwen was, maar hij leek weg te komen met het helpen van Cara, die tenslotte hetzelfde huis deelde.

Hij was nu al vier weken uitgesloten en de bisschop had geen einddatum gegeven. Het kon nog vijf maanden of langer duren. Ada's afgelegen huis leek de perfecte oplossing voor het probleem dat hij te weinig werk om handen had. Het was niet de pijnlijke omstandigheid die de bisschop voor ogen had – voor hem niet en voor Cara niet – en Ephraïm bedacht dat hij wel bezoek zou krijgen van de kerkleiders zodra ze zich dat zouden realiseren.

'Hé, Frim.' Lori nam een slokje melk en zette het glas op tafel. 'Mist Voorspoed mij als u hem 's avonds mee naar huis neemt?'

'Ja, zeker weten. Afgelopen avond vertelde hij me er alles over, precies toen ik wilde gaan slapen.'

'Mag hij vanavond hier blijven?'

'Lori...'

'Om eerlijk te zijn,' onderbrak Ephraïm Cara in de hoop dat ze niet onmiddellijk nee zou zeggen, 'wilde ik daar al met je moeder over praten.'

'Echt?' Lori zette grote ogen op.

'Ja, Frim, echt?' Cara trok een wenkbrauw op. 'Voor- of nadat je een drukke alleenstaande moeder in de problemen hebt gebracht?' Hij wist dat elke dag haar veel energie kostte. Ze maakte lange dagen met schilderen en met het helpen van Ada bij het bakken, en nu de zomertemperatuur opliep, leek ze meer last te hebben van het gebrek aan airconditioning of ventilators dan hij of Ada.

'Ik heb een plan.'

'Een plan dat werkt? Of eentje waar wij werken, maar het plan zelf niet?' plaagde Cara.

Zijn ogen trotseerden zijn wil en hij keek naar haar en liet zich bedwelmen door de vrouw die ze was geworden sinds hun eerste ontmoeting. Liefde was vreemd, en hij twijfelde er niet meer aan dat hij haar liefhad. Het maakte niet uit hoeveel hij gaf of hielp, hij wilde meer doen. Hij wist niet wat zij voor hem voelde en of hij meer was dan een goede vriend van wiens gezelschap ze genoot. Maar hij wist wel dat ze buiten Dry Lake veel gelukkiger was en dat ze een stabiele plek had om te wonen en voldoende werk omhanden.

'Wat is het plan?' vroeg Lori met een mondvol versgebakken tarwebrood.

Wist ik het maar.

Hij schraapte zijn keel en keek Lori aan. 'Ik ga de achtertuin opruimen, zodat een volwassene niet elke keer een riem aan Voorspoed hoeft vast te maken om hem ergens anders uit te laten.'

Lori keek tevreden en nam een hap van haar broodje. Cara's gezicht was onleesbaar.

Gistermiddag had ze Lori een standje gegeven omdat ze bijna een kan verf had omgegooid, en hij hoorde in haar stem dat ze bedoelde dat Lori een veilige ruimte nodig had om buiten te spelen.

Met de winkels om de hoek en het drukke verkeer voor de deur, mocht Lori van Cara niet alleen naar buiten. Een van de redenen was dat Voorspoed aan de riem moest blijven, en als hij zich dan lostrok uit Lori's hand, zou ze hem achterna gaan. Maar toen Cara haar vervolgens ook niet liet spelen op de veranda rondom het huis, begon het hem te dagen dat haar voorzichtigheid zo groot was omdat haar eigen moeder was omgekomen bij een aanrijding door een auto. Toen had hij het besluit al genomen om te stoppen met de reparaties binnen, en de rommel in de achtertuin op te ruimen.

'Mag ik helpen?'

'Misschien later, als ik het kapotte glas in de vuilniszak heb gegooid en het hek heb gerepareerd zodat kleine meisjes en puppy's niet zomaar weg kunnen lopen, oké?'

'Oké. Voorspoed en ik spelen dan in mijn kamer, totdat u klaar bent.'

Cara kwam overeind en begon de borden te stapelen. 'Ze denkt vast dat je alles voor het avondeten af hebt.'

Hij stond op. 'Dan kan ik maar beter nu aan de slag gaan.'

Ephraïm trok werkhandschoenen aan en begon vuilniszakken vol te laden met gebroken flessen en rommel. Het was midden juni en de hitte drukte op hem toen hij een half verrotte boomstronk naar de wagen sjouwde. Hij verzamelde alle grote stukken glas die hij kon vinden, maar hij wist dat er scherven verborgen bleven. Het ergste waren de twee hoeken die waren gebruikt om afval op te stapelen. Hij wist nog niet precies hoe hij het aan moest pakken. Toen hij een tweede flinke boomstronk optilde, zag hij twee mannen in paard en wagen op hem af komen. Toen het rijtuig stopte bij het koetshuis, herkende hij hen. Twee kerkleiders: de bisschop en een voorganger. Hij wist dat deze toespraak eraan zat te komen, het verbaasde hem alleen dat het een volle week had geduurd voordat ze dit bezoek aflegden. Hij wist niet of zijn vader zich ervan bewust was hoeveel tijd hij hier doorbracht. Normaal gesproken zou zijn vader, als voorganger, zich ook bij de andere twee kerkleiders voegen voor dit soort bezoeken. Maar de bisschop had in zijn wijsheid waarschijnlijk besloten om zijn vader af te schermen van het nieuws. In de hoop dat hij Cara en Lori kon besparen wat Sol en Alvin hem te zeggen hadden, zigzagde hij tussen het vuilnis en de rommel door tot ze alleen nog gescheiden werden door een afrastering, achter in de tuin.

'Ephraïm.' Sol schudde zijn hand en herinnerde hem daarmee aan het hartelijke broederlijke gezelschap dat Ephraïm te wachten stond zodra hij de juiste stappen zette en de uitsluiting ten einde zou brengen.

Alvin kwam naast de bisschop staan. 'Het spijt ons dat we zo'n afstand moeten afleggen om met een van de onzen in contact te kunnen komen.'

Robbie bracht hem elke avond thuis, maar dat telde nauwelijks.

De bisschop keek hem onderzoekend aan. 'Vanwege de eed die je hebt afgelegd, speel je eigenlijk met verraad. Je hebt beloofd te trouwen binnen onze geloofsgemeenschap en Cara is geen deel van ons.'

'Dat had ze wel kunnen zijn als alles goed was aangepakt.'

'Als ze op haar achtste bij ons was gekomen, dan zou ze tot geloof hebben kúnnen komen. Dat is een groot verschil. Is dat de reden waarom je hier zoveel tijd doorbrengt? Om recht te zetten wat verkeerd is? Ik denk van niet. Je bent hier omdat je ruimte hebt gegeven aan je verlangen om zich in jou te wortelen. En nu heeft het controle over je gekregen.'

Alvin opende het hek en stapte de rommelige tuin binnen. Hij legde zijn handen op Ephraïms schouders. 'De verbanning kan niet opgeheven worden als je op deze manier blijft doorgaan, en je hebt verplichtingen aan je familie.'

'Als dat je argument is, dan is het erg zwak. Ik heb meer dan mijn deel aan familieverplichtingen vervuld. Ik heb acht jaar gewerkt als de kostwinner voor het huis van mijn vader.'

De bisschop kwam ook de tuin inlopen. 'We hebben geprobeerd je wat ruimte te geven, en dachten dat je Ada op weg zou helpen, om daarna terug te keren naar een veiliger omgeving voor je ziel. Maar dat heb je niet gedaan. Iemand is niet Amish omdat zijn ouders het zijn, of ooit waren. Cara is een Engelse. Wil je God, je familie en je zaak verloochenen omwille van deze weg van lust?'

'Mijn aanwezigheid hier heeft met lust niets van doen.' Het had wel veel van doen met verlangen, maar Ephraïm kende zichzelf goed genoeg om te weten wanneer lust hem probeerde te verleiden. De bisschop legde een hand op zijn schouder. 'Alles wat je weghoudt van je wandelen met God en van de principes waarin je gelooft, of geloofde, is lust. Als dit met iemand anders zou gebeuren binnen onze gemeenschap, dan had je het wel gezien voor wat het was. Vertrouw ons, Ephraïm. En maak je los.' Hij sprak zacht. 'Geef ons de ruimte om je te corrigeren. Alsjeblieft, doe het voor de liefde voor alles wat God voor je gedaan heeft, maar draai je rug niet naar Hem toe.'

'Ik heb God mijn rug niet toegekeerd.'

'Nee, dat heb je niet,' zei de bisschop. 'Iemand die zoals jij is opgevoed, draait God niet zomaar even zijn rug toe. Dat gebeurt langzaam, tot jij je op een dag realiseert dat je alle geloof verloren hebt, en dan weet je niet hoe dat komt. Maar ik kan je dit vertellen: het is begonnen op de dag dat je die vrouw zonder toezicht in je huis hebt toegelaten. En het blijft doorgaan zolang je naar Hope Crossing gaat om naast haar te werken.'

'Ze heeft iemand nodig om haar over ons geloof te vertellen, om haar het goede te laten zien van de Amish. Haar moeder wilde dat ze bij ons zou opgroeien. Die kans is haar ontstolen. Ze stelt veel vragen over onze gebruiken. Wilt u mij ervan weerhouden dat met haar te delen?'

'De meeste Engelsen stellen vragen over ons geloof, dat betekent niet dat ze in de verste verte geïnteresseerd zijn om op dezelfde manier te gaan leven. Wat gebeurt er als al haar vragen beantwoord zijn, en ze besluit geen interesse te hebben om volgens de Oude Orde te leven? Wat dan?'

Ephraïm staarde naar de sappig groene heuvels en wenste dat hij een antwoord had. Cara had een paar lievelingsplekjes waar ze 's avonds graag naartoe wandelde. Hij keek naar een daarvan. Ze liepen door het weiland achter Ada's huis, over een voetgangersbrug, de steile helling op naar een afgelegen schuurtje met bijgebouwen. Hij had er geen idee van waarom ze de vervallen constructie zo interessant vond, maar daar liepen ze vaak naartoe. Ze zaten op een omgevallen boom, op uitstekende rotsen en soms op een kleed, en keken naar de nachtelijke hemel. Daar kon hij met Cara praten over de zaken van zichzelf die voor ieder ander verborgen waren. Ze deelde dingen met hem, en dat zorgde er alleen maar voor dat hij haar meer wilde. Het enige wat hij voor haar geheim had gehouden, was dat hij Anna Mary niet langer zag. Uiteraard kon ze dat weten als ze erover nadacht. Maar als hij het zou vertellen, dan veranderde dat hun relatie en dat zou alleen maar meer verwarring bij haar opleveren.

'Ephraïm,' riep de bisschop, 'wat als ze geen Amish wil worden?'

'Ik weet het niet.'

De bisschop keek hem diepbezorgd aan. 'Verlaat je dan het geloof? Maak je dezelfde fout als Malinda Riehl heeft gemaakt? Je hebt een stabiel Amish leven volgens de Oude Orde geleid sinds je vader je negen jaar geleden nodig had. Dat deed je uit liefde, maar liefde is niet altijd in staat om te bereiken wat we graag willen.'

Ephraïm keek de man recht in de ogen, zonder zich te schamen voor wat er in hem omging. Zijn hart behoorde toe aan Cara. Op zijn tweeëndertigste voelde hij eindelijk de band waar hij altijd naar verlangd had. 'Maar soms is het wel voldoende.'

De bisschop haalde diep adem. 'Ephraïm, luister naar me. Zelfs als ze ervoor kiest om tot geloof te komen en alle juiste stappen zet, als haar geloof niet gebaseerd is op de juiste motieven, dan zal ze waarschijnlijk na een tijd weer weggaan.'

'Dat zou ze niet doen.'

'Je geeft om haar. Dat is duidelijk. Zijn die gevoelens wederzijds?' Hij haalde zijn schouders op. 'Ik weet het niet.'

'Als ze haar gevoelens volgt en alles doet wat nodig is om met jou te trouwen, dan blijft ze misschien alleen om die reden. Maar als je haar met rust laat, dan heeft ze een kans om zelf te kiezen. Niet vanwege een leven met jou, maar vanwege ons geloof.'

Ephraïm stak zijn handen in zijn zakken en keek naar de lucht. 'Daar hebt u wellicht gelijk in.'

'Ja.' De bisschop glimlachte. 'Ik heb gelijk. En veel van mijn wijsheid heb ik van jou, in de jaren voordat je *verhuddelt* werd.'

Had de bisschop gelijk? Was hij verward geraakt?

Alvin verplaatste zich. 'We willen je niet verliezen of nog meer straf toevoegen. Maar hoewel het ons verdriet doet dit te moeten zeggen, dit is je laatste waarschuwing. Je krijgt tot maandag om een beslissing te nemen. Je moet bij Cara wegblijven, totdat we verandering bij haar zien. Als zij de beslissing neemt om Amish te worden en onze tradities respecteert, dan verandert dat alles.'

De bisschop nam zijn hoed af en zag er vreedzaam en zelfverzekerd uit. 'Jij kunt niet degene zijn die haar helpt, niet zonder je eigen ziel in gevaar te brengen. Laat Ada dat doen, zij heeft er toestemming voor. Cara is nu weg uit je huis. Als je terugkeert, zoals we je gevraagd hebben, dan herroep ik de extreme maatregelen rondom je uitsluiting binnen een week. Als je gewillig onze wijsheid volgt, dan duurt het niet lang voordat ik de uitsluiting helemaal beëindig. Dan zul je voor je het weet weer een gewaardeerd lid zijn.'

De mannen legden allebei een hand op Ephraïms schouder en bogen voor een stil gebed. 'Wees wijs, Ephraïm. Het gaat om meer dan alleen jouw ziel. Velen van de jongere generatie in Dry Lake stellen nu vragen bij de manieren van onze gemeenschap.'

Het gewicht van de verantwoordelijkheid overweldigde hem en

hij keek naar Ada's huis. Binnen was een vrouw die meer van hem bezat dan hijzelf.

'Wist je dat Mahlon al de hele week weg is?' vroeg de bisschop.

'Wat? Hij had gezegd dat hij zou wachten tot ik weer aan het werk was, voordat hij vrij zou nemen.'

'Hij is afgelopen zaterdag vertrokken en heeft tegen Deborah gezegd dat hij waarschijnlijk woensdag weer terug zou zijn. Vandaag is het weer zaterdag, en ze heeft nog niks van hem gehoord. Ze weet niet eens waar hij is. Hij moet morgen middernacht uit zijn huis zijn vertrokken, maar voor zover we kunnen vaststellen, heeft hij nog geen plannen gemaakt om ergens te gaan wonen.'

Het nieuws trof hem als een aardbeving. Als Mahlon niet terugkeerde, zou dat het hart van zijn zus breken. Kwam de brief die Ada steeds opnieuw las van Mahlon? Hij kon wel een paar redenen bedenken waarom ze niets zou vertellen en hij was er vrij zeker van dat ze alleen iets zou loslaten als ze wist wat haar zoon van plan was.

'Mag ik met mijn zus spreken?'

De bisschop schudde zijn hoofd. 'Het spijt me. Ik heb al voldoende uitzonderingen gemaakt. Ik heb je met je *Daed* laten spreken toen hij in het ziekenhuis lag en verschillende keren met Ada toen Cara had ontdekt dat ze familie had in Dry Lake.'

Ephraïm keek op naar de helderblauwe lucht met hier en daar wat sluierwolken en een gouden zon en hij wist dat er sterren waren op de plek waarnaar hij keek, maar ook dat hij die pas kon zien als de duisternis was gevallen. 'Wat jullie mij eigenlijk willen zeggen, is dat als ik Cara blijf zien, dat ik dan misschien voor altijd moet leven met de consequenties daarvan. Goed, dat is dan misschien een prijs die ik ervoor wil betalen.'

&

ACHTENDERTIG

Cara blies het vlammetje uit van de kerosinelamp op de keuken-tafel, verzamelde verschillende brieven van haar moeder en liep naar de achterdeur van Ada's huis. Ephraïm werkte in het donker aan de gaten in het hek, alsof het morgen te laat zou zijn om ze te repareren. Uren geleden had ze gezien dat er een paar mannen in zwart pak waren gearriveerd per rijtuig en met hem hadden staan praten. Hij was daarna niet meer naar binnen gekomen, ook niet voor het avondeten. Ze liet hem met rust omdat ze wist dat werk voor een man kon doen wat praten voor een vrouw deed.

Robbie was een uur geleden aangekomen, had met Ephraïm ge-sproken en was daarna alleen vertrokken. Wat er ook aan de hand was, ze wilde er het dak boven haar hoofd om verwedden dat haar aanwezigheid zijn leven nog steeds in moeilijkheden bracht. Ze liep de kleine veranda aan de achterkant op. Ephraïm stopte meteen en keek hoe ze naar hem toe kwam.

'Ik wist dat ze voor je zouden komen, die mannen in het zwart. En toch ben je nog hier.'

'Het geloof in God is noodzakelijk. Amish blijven is dat niet.'

Ze wilde hem vragen of hij bereid was om het Amish geloof te verlaten. Als hij ja zou zeggen, dan zou een gedeelte van haar zich in zijn armen willen storten. Maar ze herinnerde zich ook het ver-leden en het verdriet van haar moeder dat uit de brieven sprak en ze onderdrukte haar gevoelens. 'Geloof.' Ze maakte een gebaar naar de lucht. 'Ik heb het geloof dat het nacht wordt, en dat het weer dag wordt, steeds opnieuw.' Ze keek om naar het huis. 'Ik heb het geloof dat er wordt voorzien in een nood, of dat ik de kracht heb om te overleven. De laatste tijd heb ik zelfs geloof in jou. Maar, Ephraïm, ik geloof niet in jouw God, en dat zal ik ook nooit doen.'

Zijn ogen gleden over haar gezicht, maar hij zei niets.

Ze hield de brieven omhoog. 'In mijn moeders eigen handschrift, in de brieven die ze voor mij bedoeld had om te lezen als ik volwassen werd, bekende ze dat ze niet meer dezelfde was nadat ze Dry Lake had verlaten. Ze klampte zich vast aan een nieuw leven om de verkeerde redenen: uit verdriet, verraad, en zelfs omdat mijn vader haar nodig had. Dus bleef ze en trouwde ze met hem. Toen ze zich realiseerde wie ze werkelijk was en wat ze had opgegeven door hem te trouwen, liet haar loyaliteit haar niet los.'

Ze staarde naar de brieven. 'Ga naar huis, Ephraïm. Doe wat je met doen en repareer dat wat kapot is gemaakt. Je hebt Lori en mij veilig door de storm geloodst, en het gaat nu goed met ons. Ik vermoed dat het tussen jou en Anna Mary minder goed gaat.' Ze stak de brieven in haar achterzak. 'Ze houdt van jou, Ephraïm. Gooi dat niet weg vanwege een paar roerige weken met een buitenstaander. Ik weet zeker dat ze er niet blij mee is dat jij zoveel tijd hier bij mij doorbrengt. Maar als je het een kans geeft, zal ze je vergeven. Ga en maak de juiste keuze – niet alleen voor jou, maar ook voor je kinderen en kleinkinderen en alle generaties die er nog komen gaan.'

Krekels tjirpten, en de schoonheid van de nacht omringde hen, maar hij zei niets. Na een paar minuten stilte, gebaarde hij haar mee te wandelen. Ze liepen door het hek in de achtertuin, over de houten voetgangersbrug en omhoog de heuvel op.

Het donkere landschap omringde hen – de contouren van de heuvels, bomen en valleien. Enkele sterren braken door aan de nevelige zomerhemel. Ze liepen naar de omgevallen boom en gingen zitten. 'Mahlon heeft een paar dagen vrij genomen, vanaf afgelopen zaterdag, en hij is niet teruggekeerd.' Hij wees naar de rand van het bos vlakbij, en ze zag drie herten langzaam het open veld ingaan. 'Al vanaf zijn tienertijd weet ik dat hij een diepe rusteloosheid in zich meedraagt – het soort rusteloosheid dat ervoor zorgt dat een man

vertrekt, of er altijd naar laat verlangen dat hij het had gedaan.'
'Wat zal de gemeenschap doen?'
Hij zuchtte. 'Rouwen. En wachten tot ze van hem horen.'
'Je moet er zijn voor Deborah.'
'Ik mag niet eens met haar praten.' Hij stond op. 'Het is allemaal zo frustrerend. Mijn zus is waarschijnlijk diepbedroefd vanwege Mahlons afwezigheid. Als er één vrouw de moeite waard is om voor thuis te komen, is zij het.'
'Kan ik iets doen om te helpen?'
Hij nam zijn hoed af en streek met zijn hand door zijn haar. 'Misschien. Ik weet niet of het werkt, maar misschien kan Deborah met jou praten terwijl ik in de buurt ben.'
'En jij kan door mij heen met haar praten, net zoals we doen met Ada.'
'Ik moet weten of het goed met haar gaat. En ik weet dat ze kracht uit jou zal putten.'
'Uit mij?' schamperde Cara.
Hij glimlachte en zette zijn hoed op. 'Ja, uit jou. Als er iemand is die weet hoe je sterker kan worden van iets wat een man kapot heeft gemaakt, dan ben jij het.'
'Je bent een rare, weet je dat? Wie noemt een dakloze vrouw met een kind nu sterk?'
'Eigendommen maken een mens niet sterk – beslissingen doen dat. Hoewel ik daar nooit zo over heb nagedacht voordat ik jou kende. Terwijl jij midden in de strijd stond, besloot je wie je was en wilde je niet opgeven, en dat deed je ook niet. Deborah moet dat zien.'
'Ik denk niet dat zij hetzelfde in mij ziet als jij, maar ik zal gaan. Wanneer?'
'Ada heeft Robbie ingehuurd om haar rond elf uur 's ochtends op te halen en naar Dry Lake te brengen voor een bezoek – er is deze week geen dienst. Je kunt met haar meerijden. Ga naar het huis van *Daed* en vraag Deborah of ze met je wil praten in de schuilplaats in mijn tuin. Dan zie ik jullie daar.'

329

'Zorgt het niet voor problemen als ik daar weer kom?'

Hij schudde zijn hoofd. 'Als het goed is niet, maar dat maakt me niks uit.'

Het leek alsof Ephraïm vanbinnen meer was veranderd dan zij vanbuiten. Hij was niet dezelfde man als die haar de eerste keer gevraagd had van zijn terrein af te gaan, of degene die twee bustickets naar New York voor haar had gekocht, of degene die haar probeerde te verstoppen voor iedereen die hij kende. Maar zoals hij had gezegd: de dingen die hen scheidden, zouden altijd standhouden. Dat was de reden waarom ze geen andere keus had dan hem naar huis te sturen, naar Anna Mary.

Ze schraapte haar keel en verlangde ernaar om de problemen die ze hem had bezorgd op te lossen. 'Weet Ada het van Mahlon?'

'Dat heeft ze niet gezegd, maar ik denk van wel.'

'Een paar dagen geleden haalde ik post uit de brievenbus. Volgens mij heeft hij haar geschreven, maar ik weet niet wat er in de brief staat. Het leek in elk geval geen goed nieuws. Waarom zou ze er niemand iets over willen vertellen?'

'Wat hij ook heeft geschreven, ik weet zeker dat ze niet iedereen wil alarmeren.'

'Ik kwam hierheen en haalde jouw leven overhoop. Jij koos ervoor om de Amish regels te negeren en uitgesloten te worden. Mahlons moeder besloot om uit Dry Lake te vertrekken en mij mee te nemen. Is het mogelijk dat Mahlons afwezigheid iets met mij te maken heeft?'

'Nee, maar ik snap dat het zo lijkt. Mahlon gedraagt zich al vreemd sinds de dag dat we zoveel leden zijn verloren in het grote auto-ongeluk – zijn *Daed* was er een van. Het werd nog erger toen in New York de Twin Towers instortten. Deborah vertelde dat hij de grond voelde schudden, de rook zag opstijgen en het geschreeuw van de opgesloten mensen kon horen. Zijn moeder was een dag eerder in die gebouwen geweest. Die ervaring veranderde iets in hem.'

'Dat zou met iedereen iets doen.'

330

'Deborah hield al van hem toen ze kind was.' Hij zuchtte. 'Ik heb geen idee wat dit met haar doet.'

Cara stond op. 'Je moet vanavond naar huis gaan, Frim, en je weer gedragen als de Amish man die je bent.'

Hij bleef op de stam zitten en keek naar haar op. 'Ja. Ik weet het.' Toen hij overeind kwam, stonden ze maar een paar centimeter bij elkaar vandaan. En hoewel de Amish tegen elektrische energie zijn, sloegen de vonken tussen hen over.

Bang om te blijven dralen, draaide ze zich om en begon te lopen. Maar ze wilde nog niet terug naar Ada. Vannacht was alles wat hen nog restte, dus liepen ze verder.

Ephraïm wandelde naast haar en zweeg een lange tijd. Uiteindelijk schraapte hij zijn keel. 'Omdat ik niet met Robbie ben meegegaan, zal ik Ada's paard gebruiken om terug te rijden naar Dry Lake. Ik laat de merrie in het weiland grazen en morgen zal Israel Kauffman of Grey haar wel herkennen en begrijpen dat ik haar geleend heb en zorgen dat ze voor morgenavond wordt teruggebracht naar Ada.'

Ze waardeerde zijn poging om over koetjes en kalfjes te praten. 'Hoe weet je dat allemaal.'

'Ik heb een schat aan ervaring met mijn volk.' Zijn halve glimlach leek eerder verdrietig dan blij, maar ze wist dat hij gelijk had. De Amish waren zíjn volk.

∂⌀

Deborah zat op de vloer van Mahlons slaapkamer en was te uitgeput om nog te huilen. Ze drukte zijn shirt tegen haar gezicht en snoof zijn geur op. Behalve de koplampen van de auto's die af en toe voorbijraasden, was de kamer gehuld in duisternis. Ze zei steeds tegen zichzelf dat ze een kerosinelampje moest ontsteken en terug moest gaan naar huis, maar ze bleef uren achtereen zitten en probeerde alles te verwerken en een manier te bedenken om het op te lossen.

Ze verlangde ernaar om van hem te horen om te weten of hij in orde was. Maar als hij niet ergens door was weerhouden, als hij niet een of ander ongeluk had gehad, als hij er zelf voor had gekozen om zo weg te gaan, dan wist ze niet zeker of ze dat wel wilde weten. En toch, nu ze de waarheid niet kende, betekende het dat ze elk moment van de dag in onzekerheid verkeerde. Daar kon ze ook niet mee leven. Dus bad ze tot ze er treurig van werd, maar toch bleef ze bidden.

Israel Kauffman en Jonathan, de neef van Mahlon, waren hier geweest lang voor het donker werd. Ze had zijn dressoir, opbergkist en nachtkastjes geleegd. Zij hadden het bed uit elkaar gehaald en alle zware meubels verhuisd. Ze had hen gevraagd naar huis te gaan en haar zijn grote rommelkast te laten inpakken. De staande klok hadden ze meegenomen, dus ze wist niet hoe laat het was. Maar dat maakte niets uit. Ergens tussen gisteren en morgen.

De kast was leeg en de dozen stonden verspreid door de kamer. Haar gebed was van vorm én doel veranderd in de afgelopen vier dagen – toen hij thuis had moeten komen, maar niet verscheen. Maar haar gevoelens bleven ongewijzigd. Ze was bang, en nog meer dan dat voelde ze zich een dwaas. Wie liet er nu een geliefde gaan zonder te weten waar hij heen ging, of hoe hij te bereiken was? Wie liet er nu iemand in cirkels redeneren, zonder te eisen dat hij wat duidelijker zou worden?

Het licht van een auto scheen op de muur, maar in plaats van door de kamer te bewegen zoals steeds wanneer er een auto voorbijkwam, bleven ze nu op dezelfde plaats. Toen verdwenen ze plotseling. Ze kwam overeind van de vloer en liep naar het raam. Door het donker van de nacht zag ze een auto geparkeerd staan bij de hoek van de weg, enkele tientallen meters van het huis. Er ging een licht aan in de auto en de deur ging open.

Mahlon!

Ze wilde zijn naam uitschreeuwen en erheen rennen om hem te zien, maar noch haar stem, noch haar lichaam gehoorzaamde. Hij liep naar de zijkant van de auto en leunde ertegenaan. Terwijl hij over het veld keek, stak hij een lucifer aan en even later zag ze rook omhoog kringelen. Er stapte een man uit aan de bestuurderskant die op de motorkap van het voertuig ging zitten. Daar bleven ze staan, rokend en pratend alsof er niets aan de hand was – alsof haar pijn en zorg of wat dan ook niet van belang was.

Een ander voertuig kwam hun kant op. Mahlon keek op en gooide zijn sigaret op de grond. Hij liep naar het hek van het weiland, deed open en riep zijn paard. Een vrachtauto met een trailer erachter stopte naast de auto. Terwijl Mahlon zijn paard optuigde, deed zijn vriend de achterklep van de trailer los. Nadat het paard was ingeladen, stak de bestuurder van de vrachtwagen iets uit het raam. Mahlon liep naar de man, pakte het aan en stapte naar achteren voordat de man wegreed.

Hij stond midden op de weg en keek naar het huis waar hij was opgegroeid. Terwijl zij daar stond, te verbijsterd om zich te verroeren, begon het besef tot haar door te dringen als een genadeloze droogte. Ze verlangde naar een man die ze kennelijk niet kende. Hoe hard ze ook haar best deed, ze kon de liefde van haar jeugd niet verbinden met de eenzame vreemdeling die daar op de weg stond. Hij was gelukkig in orde. Maar haar hart brak toch.

De man aan wie ze zichzelf gewillig had geschonken, had geen intenties om naar haar terug te keren. Op de een of andere manier zag ze wat hij haar niet had kunnen vertellen – alsof ze hier moest zijn, en de waarheid met eigen ogen moest zien.

Toen hij instapte in de auto, rende ze de trappen af, de achterdeur door en naar de weg.

Terwijl de auto haar kant op reed, begon ze te zwaaien. 'Mahlon, wacht!'

Mahlon keek haar recht aan, maar de auto reed voorbij.

'Mahlon!' schreeuwde ze zo hard als ze kon.

De remlichten gloeiden fel rood op, en de kleine witte achterlichten gingen aan toen de auto achteruitreed. Hij stopte. Toen Mahlon de deur opende, zag ze Eric in zijn militaire uniform. Mahlon stapte uit en deed de deur dicht, maar Eric reed niet weg.

'Waarom?' Ze stikte bijna in haar tranen.

Hij keek haar onderzoekend aan, zoals hij dat duizenden keren eerder had gedaan, maar zijn gezicht was een mengeling van onzekerheid en hardheid. 'Het spijt me.'

'Spijt?' schreeuwde ze. 'Ik vroeg niet om een excuus. Ik vroeg om een verklaring.'

Hij schudde zijn hoofd en stak een enveloppe uit. 'Ik wilde dit in je brievenbus achterlaten. Het is voor jou en *Mamm*.'

Ze vroeg zich af wat de knoop in haar maag kon doen verdwijnen en graaide de enveloppe uit zijn handen en keek erin.

'Geld?' hijgde ze. 'Je verlaat mij en lost het op door me geld te geven?'

Hij liep naar haar toe, zijn handen strekten zich uit naar haar schouders, maar ze stapte naar achteren. 'Ik kan dit niet doen, Deb.'

'Wat kun je niet doen?'

Hij zei niets, maar ze zag een traan over zijn wangen lopen.

'Heb je iemand anders?'

'Nooit. In geen miljoen jaar. Dat zweer ik je.'

'Waarom dan?'

'Ik ben tot geloof gekomen, maar niet in alle opzichten. Een gedeelte. Splintertjes die sommige dagen bijna onvindbaar waren. Jij bent alles wat me hier hield, maar uiteindelijk weet ik dat ik op deze manier niet kan leven.'

Zijn verklaring was beknopt, en ze zou het moeten begrijpen, maar haar hoofd kon er niets van maken. 'Ik... ik geloofde in jou. Ik heb altijd gedacht dat je echt van me hield. Maar dat is niet zo, of wel? Waarom? Waarom kun je niet van me houden zoals ik van jou?'

'Doe dit jezelf niet aan, Deb.'

'Jij bent degene die dit doet! En je moeder dan? Je bent haar enige kind. Ze heeft alles opgegeven om jou groot te brengen.'

'Dat is de taak van ouders.'

'Je hebt beloofd dat je er altijd voor haar zult zijn, en nu doe je dit?'
'Het komt wel goed met haar. Dat heeft ze al laten zien. En met jou komt het uiteindelijk ook goed. Maar niet met mij – niet als ik blijf.'
Deborah's benen trilden en ze was bang dat ze zou vallen. 'Dit kan niet zo zijn. Dit kan gewoon niet.'
'Neem het geld. Ik stuur meer als ik kan.'
Ze stak de enveloppe naar hem toe. 'Ik heb niets van je nodig, Mahlon Stoltzfus. Helemaal nooit meer!'
Hij sloot zijn ogen en nieuwe tranen rolden over zijn wangen. Toen hij zich omdraaide om in de auto te stappen, smeet ze de enveloppe naar hem toe, en het geld waaide alle kanten op. Ze liet het daar liggen en snelde de weg af, blij dat haar huis de andere kant op lag dan waar zijn voertuig naartoe reed.
'Deb, het spijt me!' schreeuwde Mahlon, maar ze weigerde zich om te draaien.
Door haar tranen heen zag ze niets en ze bleef rennen tot haar benen en longen brandden. Ze dacht dat ze flauw zou vallen, maar weigerde te stoppen.
Het getrappel van paardenhoeven weerklonk voor haar. Duizelig en verward kon ze niet zien wie afstapte van het paard dat ergens voor haar gestopt was. Toen verscheen Ephraïm in haar blikveld. Toen hij bij haar probeerde te komen, duwde ze hem weg. 'Hij was hier, en hij... hij vertrok,' snikte ze. 'Waarom, Ephraïm? Hij houdt niet van me. Waarom houdt hij niet van me?'
Haar broer stapte naar voren. Toen hij zijn armen om haar heen sloeg, was ze te zwak om hem af te weren. Ze smolt in zijn armen en huilde.

&

NEGENENDERTIG

Cara keek naar zichzelf in de spiegel en vroeg zich af of het dragen van de Amish kleding een teken van respect was, of van hypocrisie. Hoewel ze de stijl verschrikkelijk vond, hield ze van de groenblauwe kleur. Het was jammer om het merendeel ervan af te dekken met een zwarte schort, maar Ada vond dat ze vandaag beide moest dragen naar Dry Lake. Het doel van de schort was om de vrouwelijke vormen te verdoezelen. Het probleem was dat ze het geen enkel bezwaar vond om haar figuur te tonen. Ze was klein, maar welgevormd. Het was een deel van wie ze was, dus waarom zou ze het verstoppen?

Mensen waren zo vreemd – niet alleen Amish, maar mensen in het algemeen.

Sommige mannen betaalden enorme hoeveelheden van hun salaris om halfnaakte vrouwen en prostituees te bezoeken, anderen leefden celibatair of hoopten dat God ooit voor de juiste vrouw zou zorgen. Sommige vrouwen deden alles voor plezier of geld, terwijl anderen alle verleidingen weerstonden om trouw te blijven aan mannen die ze niet eens aardig vonden. De meeste mensen bevonden zich daar ergens tussenin. Op dit moment zou ze best willen weten waar ze precies op die denkbeeldige lijn beland was. Was ze meer een blauwgroene-jurken-meisje geworden dan eentje van de korte topjes, blote buiken?

Als er een God was, zou Hij dan wel eens verward zijn door de keuzes die mensen maakten? Of teleurgesteld? Het scheen haar toe dat zelfs door de meest religieuze mensen fouten werden gemaakt die zorgden voor dezelfde verscheurdheid en het verdriet die elke andere zonde veroorzaakte.

Ada verscheen in de deuropening. 'Je ziet er goed uit.'

'Ik voel me als een landloper.'

In Ada's ogen las ze een diep verdriet, maar ze glimlachte toch. 'Zou je liever opvallen voor mannen en vrouwen die alleen hun ogen willen plezieren, of voor degene die voorbij dit leven in het volgende kijken?'

Cara haalde haar schouders op. 'Een spijkerbroek zit gewoon lekker.'

'Ik neem aan dat de flanellen pyjamabroeken van mannen ook lekker zitten, en een clownskostuum ook. Als je die dag in dag uit in het openbaar draagt, dan wil ik je rationalisatie over de strakke kleren die jij draagt misschien geloven.'

Cara sloeg resoluut haar ogen ten hemel. 'Ik leef liever in vrijheid en maak mijn eigen keuzes, dan dat mij verteld wordt wat ik moet dragen.'

Ada stapte de kamer in en gebaarde dat Cara zich om moest draaien. Ze verstelde de koordjes van de schort. 'We onderwerpen ons allemaal ergens aan. Atleten onderwerpen zich aan de regels van hun spel. Juristen en rechters onderwerpen zich aan de wet. Het hoge gerechtshof onderwerpt zich aan de grondwet. Zelfs de meest rebelse persoon onderwerpt zich ergens aan, meestal aan de duisternis van hun zondige natuur. Amish kiezen ervoor om zich te onderwerpen aan de Ordnung, om op die manier weerstand te kunnen bieden tegen grenzeloze verleidingen. De voorgangers, diakenen en bisschoppen helpen ons om de geschreven en ongeschreven regels te houden. Als je je daar niet aan wilt onderwerpen, hoeft dat ook niet, maar denk niet dat je zelf vrij bent.' Ada's stem brak en toen Cara zich omdraaide, zag ze tranen in haar ogen. 'Niemand is vrij, Cara. En degenen die denken dat ze het zijn, hebben er gewoon niet lang genoeg over nagedacht.'

Cara kwam voortdurend in opstand tegen Ada's verklaringen over alles wat Amish was. Misschien was ze te ver gegaan. 'Is er iets mis?'

Ada trok de enveloppe uit de zak in haar schort tevoorschijn. 'Dit lag vanmorgen toen ik wakker werd op de mat onder de brievenbus van de voordeur.' Ada gaf het aan haar en liep daarna naar het raam en keek naar buiten.

Cara las wat er stond opgekrabbeld. *Mamm, dit is het moeilijkste dat ik ooit heb gedaan. Ik kom niet terug. Het spijt me. Zorg goed voor jezelf en help Deborah om mij te vergeven. Liefs, Mahlon*

De woorden balden zich tot een knoop in haar maag. Soms leken al die regels genoeg om iedereen weg te jagen. En toch, voor de meesten zorgde deze manier van leven voor een niet te ontkennen kracht tegen alles wat de wereld wilde wegroven – de ziel van een mens, zijn familie en zijn geloof.

Ze hoefde niet in God te geloven om te weten dat haar ziel vertrapt kon worden en dat goed en kwaad echt bestonden. Waarom zou iemand als Mahlon dus de kracht van de goede zaken opgeven, om zich vrij te voelen van de minder goede dingen? Het was een beetje zoals Ada het uitlegde, dat iedereen zich ergens aan onderwierp. Elke manier van leven kende tegenslagen en fouten.

Ada ging op bed zitten en keek onbeschrijfelijk verdrietig. 'Eerder deze week stuurde hij een brief waaruit ik begreep dat dit eraan zat te komen, maar ik bleef bidden dat het niet zou gebeuren. Ik heb mijn best gedaan om Mahlon goed op te voeden. Er ging geen dag voorbij dat ik niet alles gaf om een goede moeder te zijn en een positieve invloed op hem te hebben.'

Haar woorden herinnerden Cara aan iets wat haar eigen moeder had geschreven aan haar vader. Ze liep naar haar ladekast en bladerde door de brieven. Toen ze de juiste vond, nam ze die mee naar Ada en ging naast haar zitten. 'Mama schreef ooit dat de reden waarom ze er alles aan had gedaan om mijn vader van zijn verslaving af te helpen, was omdat ze zeker moest weten dat ze haar best had gedaan, en daarna kon ze accepteren wat er gebeurde. Ze schrijft het zelf veel beter dan ik kan zeggen.' Cara gaf haar de brief.

'*Denki.*' Ada gleed met haar vingers over de opgevouwen papieren. 'Ik kan me van onze schooltijd herinneren dat Malinda een speciale manier had om dingen te zeggen.'

Cara liep naar de ladekast en verzamelde een grote stapel brieven.

'U mag deze lezen wanneer u wilt.'

Er werd geclaxonneerd, wat betekende dat Robbie voor de deur stond.

Ada hield de brieven vast alsof ze van porselein waren. 'Ik ga niet mee op bezoek, vandaag niet.'

'Die mannen in het zwart...'

'De kerkleiders zijn geen mannen met geweren uit een Engelse film. Ze zijn dienaren van God die hun best doen, wat het resultaat ook is.'

Voor het eerst begreep Cara wie de mannen waren en waarom ze zich zo gedroegen. 'U hebt gelijk. Het spijt me. De kerkleiders vertelden Ephraïm dat Mahlon mogelijk vertrokken was, en hij is bezorgd vanwege zijn zus. Hij wil dat ik vandaag naar Dry Lake ga en als een soort tolk optreed tussen hem en Deborah, zodat ze op een bepaalde manier kunnen praten.'

Ada knikte. 'Ga. Ik pas hier op Lori.'

'Voorspoed is nog steeds hier. Er moet nog veel gedaan worden aan de achtertuin, maar het is veilig genoeg om hen te laten spelen. Ephraïm heeft de twee hoeken waar veel glasscherven in het gras liggen afgezet met touw. Zeg haar dat ze daar niet mag komen.'

'Ik zal goed voor haar zorgen.' Ada veegde een verdwaalde traan weg. 'Ik denk niet dat Deborah me ooit nog wil zien, dus het is maar goed dat ik zo ver van Dry Lake woon. Maar wil je haar zeggen dat ik het heel erg vind?'

'Dat doe ik.'

Er werd opnieuw getoeterd. Cara haastte zich de trap af en naar buiten. Het was niet meer zo ongemakkelijk als de eerste keer dat Robbie en zij samen in de auto zaten, maar de terugkeer naar Dry Lake was moeilijk genoeg zonder een gesprek met hem op gang te houden. Nadat ze elkaar beleefd gedag hadden gezegd, ging ze gemakkelijk in haar stoel zitten, blij dat hij zweeg.

'De Masts zijn aardige mensen.' Ze schrok toen Robbie begon te praten. 'Abner, de vader van Ephraïm, kent je gewoon nog niet. De ene dag loop je in een spijkerbroek en strompel je rond alsof je dronken bent en de volgende dag draag je een jurk die je van zijn waslijn hebt gestolen. Je sliep in de schuur waarvan zijn zoon je had gevraagd die te verlaten en vervolgens ging je bij zijn zoon inwonen. Volgens mij zou iedereen daar enigszins wantrouwend van worden.'

'Je weet teveel.'

'Ik klets regelmatig met Abner. Anders dan Ephraïm is hij een prater. Dus, was je iets van de familie Swarey aan het stelen terwijl je dronken was, toen hij je op de weg zag?'

'Ongelofelijk.' Ze rolde met haar ogen. 'Ja. Ik heb een paar schoenen gestolen en wat zalf voor de blaren van Lori. En ik zou het weer doen als het nodig was. Maar ik was niet dronken.'

Hij haalde zijn schouders op en zei een paar minuten niets. 'Ik weet dat de meeste Amish in Dry Lake er spijt van hebben hoe ze je behandelden. En de anderen weten niet wat ze moeten denken. Nog niet. Dus je kunt het beste heel weinig zeggen en veel knikken als je in de buurt van een groepje bent. Bijna iedereen van hen kent wel Engelsen die ze graag mogen. De Amish zijn bijzonder voorzichtig als het eropaan komt wie er invloed heeft op hun kinderen. Jij lijkt bijzonder veel invloed te hebben op Abners kind – een volwassen man – maar toch, Abners kind.'

'Weet je, eigenlijk klink je best verstandig als je niet zo aanstootgevend nieuwsgierig bent.'

Robbie lachte. 'In eerste instantie vertrouwde ik je ook niet met Ephraïm.'

'En nu?'

'Het maakt hem niks uit wat ik ervan vind. En jou kan ik niet tegenhouden om deel van zijn leven te zijn. Dus als ik niet van je afkom, dan probeer ik maar om ervoor te zorgen dat je de zaken niet verergert tussen hem en zijn familie.'

'*Denki.*'

Robbie glimlachte en hield een plastic zakje omhoog. 'Dit is voor jou.'

Cara nam het aan en keek erin. Hij had een pakje sigaretten voor haar gekocht. 'Weet je dat deze dingen een mens heel langzaam ombrengen? Als het je doel is om van me af te komen, dan is dit niet je beste plan.'

Hij grinnikte. 'Nee. Ik moest onderweg hiernaartoe tanken en toen bedacht ik dat je de afgelopen keer dat we samen reden wilde roken.'

Ze gaf hem de tas terug. 'Dat is erg attent, ik ben onder de indruk. Maar ik ben volledig ontwend, niet eens mijn eigen keus, en ik ben niet van plan mezelf opnieuw te wennen.'

'Verstandige dame.' Hij draaide de lange oprit van de Masts op. Er moesten minstens twintig mensen in de schaduw van de bomen zitten, en de meesten van hen keken rechtstreeks naar haar toen ze voorbijreden.

'Wat dacht Ephraïm wel niet?'

'Wilde hij dat je kwam?'

'Ja.'

'Dat is interessant. Ze zijn hier om Deborah te steunen, maar ik zie haar nergens. Ze is waarschijnlijk niet in een bui om mensen te zien, maar ze willen toch graag hun medeleven uitdrukken door hier aanwezig te zijn.' Hij klakte met zijn tong van afschuw. 'Ik heb heel wat jaren met Mahlon samengewerkt, maar dit heb ik nooit zien aankomen. Weggaan is een ding. Maar om weg te gaan nadat je tot geloof bent gekomen en iemand ten huwelijk hebt gevraagd, dat hoort gewoon niet – zeker niet op deze manier.'

'Ik moet dus mijn mond houden en veel knikken, zeg je?'

'Precies.'

'Ik denk niet dat ik meer dan een paar minuten weg ben. Ik ga kijken of Deborah met me mee wil om te praten in de schuilplaats van Ephraïm. Wil je wachten?'

Hij zette de auto stil. 'Abner zit onder een van de bomen achter ons. Ik ga even met hem praten.'

'Is het jou toegestaan om hier te komen en je onder de Amish te begeven als je dat wilt?'

'Het kost een paar jaar als goed buurman en goede werknemer om zo ongedwongen met elkaar om te gaan. Maar ik blijf een buitenstaander, dus de spelregels zijn verschillend. Mahlon kan zich bekeren en morgen terugkeren, maar het kan dan nog tien jaar duren voordat hij weer welkom is in veel van de huizen.'

'En Ephraïm?'

'Dat weet ik echt niet. Met hem is het anders. Hij is over een grens gegaan, dat is zeker. Nu ze weten wie jij bent, bewonderen sommigen hem om wat hij heeft gedaan. Anderen denken dat jullie twee, nou ja, je weet wel.'

'Met elkaar naar bed zijn geweest.'

'Precies. En ze zijn verontwaardigd omdat hij je daar liet slapen. Nadat de uitsluiting voorbij is, zal het jaren kosten om het respect van de meeste mensen terug te winnen. Hij zal dat nooit van iedereen krijgen.'

'Weet je, er zijn voordelen aan het niet hebben van familie of een gemeenschap.'

'O ja? Zijn die de moeite waard?' Hij deed de autodeur open.

Zodra ze uitstapten kwamen verschillende mannen en vrouwen hun kant op. Ze herkende Emma en Levi Riehl.

'Cara.' Levi stapte naar voren. 'Je herinnert je mijn vrouw Emma nog.'

Emma leek onzeker over zichzelf en stak haar hand uit. 'Welkom.'

Welkom? Wie probeerde de vrouw voor de gek te houden?

Maar ze herinnerde zich Robbie's advies, schudde de hand van de vrouw en knikte zonder iets te zeggen.

'Er zijn een paar mensen aan wie ik je graag wil voorstellen,' zei Levi. De namen gingen het ene oor in, het andere uit toen Levi haar introduceerde bij tantes, ooms, neven en nichten. Ze knikte alleen maar en glimlachte terwijl iedereen haar de hand schudde en zich ofwel bij haar verontschuldigde, of haar verwelkomde. Ze keek langs de menigte en zag Ephraïm verderop tegen het huis geleund staan met een vriendelijke lach op zijn lippen die zijn gedachten verraadden. Hij had de prijs betaald voor deze dag, en betaalde die nog steeds. Had hij geweten dat dit zou gebeuren toen hij haar vroeg om vandaag naar Dry Lake te komen?

Links van haar stond Robbie te praten met de man die ze de eerste dag in het weiland had gezien in Dry Lake en die 's avonds bij Ephraïm binnen was gekomen toen zij en Lori stonden te dansen. Hij liep traag naar haar toe.

Levi stelde hen niet aan elkaar voor zoals hij bij alle anderen had gedaan.

'Ik ben Abner, de vader van Ephraïm. Ik... ik had het verkeerd toen ik iedereen vertelde om voor jou op te passen, en dat je dronken was of stoned, terwijl ik maar een glimp van je had opgevangen.'

Cara slikte en wenste dat een simpel knikje voldoende zou zijn als antwoord. 'Ik weet zeker dat ik net zo vreemd op u overkwam, als u op mij. Bovendien, kort nadat u mij een dronkaard noemde, noemde ik uw zoon harteloos.' Ze wierp een vluchtige blik op Ephraïm. 'Het lijkt erop dat we het allebei mis hadden.'

Abner stak zijn hand uit, maar toen zij de hare in de zijne legde, schudde hij die niet, maar klopte hij er zachtjes op. '*Denki.*'

'Hoe is het met Ada?' De vrouwenstem kwam van ergens boven haar.

Abner keek naar een plek aan de zijkant van het huis en Cara volgde zijn blik. Deborah stond voor het raam op de eerste verdieping en keek naar buiten.

Cara kwam een stap dichterbij. 'Ze heeft me gevraagd je te zeggen dat ze het echt heel erg vindt.'

Zonder nog iets te zeggen, stapte Deborah bij het raam vandaan.

Levi gebaarde naar een stoel.

Cara nam plaats. Vrouwen fluisterden. Sommigen huilden.

'We begrijpen gewoon niet waarom hij is vertrokken.' Emma zat in een stoel naast haar. 'Het slaat gewoon nergens op.'

Cara bedacht hoeveel verdriet ze gevoeld moesten hebben toen haar moeder vertrok. Het raakte haar dat als zij ergens wegging, dat niemand daar iets om gaf – behalve Mike dan. Misschien hield het families bij elkaar en was het daarom waardevol om volgens deze regels te leven.

'Toen je moeder vertrok, dachten we dat we het hadden begrepen. Pas recent ontdekten we wat de echte reden was.'

Cara had willen vragen wat Emma bedoelde, maar ze bleef knikken. Bovendien wilde ze niet al te vriendschappelijk en gezellig worden met deze mensen. Ze voelden spijt en medelijden. Dat was niet goed genoeg. Cara was de kruimeltjes genegenheid die van de familietafel vielen al lang geleden ontgroeid.

Deborah kwam om de hoek van het huis aanlopen op blote voeten en zonder schort. Sprieten haar vielen langs haar gezicht en hals, en haar witte kapje zat niet helemaal in het midden op haar hoofd, maar niemand leek het erg te vinden. De zachte schoonheid die Cara op haar gezicht had gezien bij de veiling, was vrijwel verdwenen. Op dit moment deed haar huidkleur nog het meest denken aan een opgezette grijze stormwolk. 'Ik wil naar Ada toe, *Daed*.'

Haar vader keek haar onderzoekend aan. 'Natuurlijk mag je naar haar toe. Ze heeft bezoek van jou nodig.'

'Ik wil haar Ruth zijn.'

Abner schudde zijn hoofd. 'Kind, luister naar me.'

'Nee.' Deborah barstte in huilen uit. 'U moet luisteren. Alstublieft, *Daed*.'

Verward wendde Cara zich tot Emma. 'Wie is Ruth?' fluisterde ze.

Emma leunde naar haar toe. 'Ze heeft het over Naomi en Ruth. Uit de Bijbel.'

Cara voelde de verleiding opkomen om te zeggen dat ze niet in sprookjes geloofde, maar ze onderdrukte dat en trok eenvoudig haar wenkbrauwen op alsof ze het begreep. Flarden van gedachten dwarrelden door haar hoofd, gedachten die eerder aan haar twijfelden dan aan God. Het had soms geleken alsof dat boek helder en eerlijk de waarheid sprak over wie de mens was – niet dat ze er veel in had gelezen.

Abner keek onderzoekend Cara's kant op. Als ze het verhaal van Naomi en Ruth had gekend, dan zou ze misschien hebben kunnen raden wat hij dacht.

'Dit is jouw huis, Deborah. We hebben je nodig. Maar als je een paar nachten daar wilt blijven, moet je dat doen.'

'Ada heeft me nodig. Haar enige kind is vertrokken. Uw gezondheid is enorm verbeterd sinds de operatie. En zelfs als ik vertrek, wonen er nog zes kinderen in uw huis, van wie vijf dochters. Kunt u er niet één missen voor een vrouw die haar hele leven goed is geweest voor *Mamm*, maar nu zelf helemaal geen kinderen meer heeft?'

Cara realiseerde zich dat Deborah vroeg of ze bij Ada mocht gaan wonen. Voor altijd.

Abner keek opnieuw naar Cara en ze kon zijn gedachten bijna lezen. Hij was bang dat hij Deborah helemaal kwijt zou raken als ze in hetzelfde huis als Cara zou komen te wonen. Ze kon de man geen ongelijk geven. Cara had weinig banden met hun geloof, en ze had schade aan Ephraïms leven toegebracht zonder dat zelf te weten. Bezorgd realiseerde ze zich dat als Deborah introk bij Ada, zij zou moeten verhuizen. Ze zouden beslist niet willen dat zij zoveel invloed op Deborah kon uitoefenen. Cara keek naar Ephraïm. Hij had zo zijn best gedaan om ervoor te zorgen dat zij een dak boven haar hoofd kreeg en tussen de mensen van haar moeder kon zitten, en zo met hen kon praten.

'Ik kan verhuizen.' Ze zei het zachtjes, maar voldoende mensen hadden het gehoord en ze begonnen het door te geven aan anderen die het niet hadden verstaan.

Deborah kwam dichter bij haar vader staan. 'Dat is niet wat ik wil. Ada's huurovereenkomst is gebaseerd op het werk dat Cara doet.' Ze draaide zich om naar Cara. 'En zij denkt dat het de bedoeling is dat jij daar met haar bent. Ik wil niet iets van Ada afnemen. Ik wil alleen goedmaken wat er nu ontbreekt.'

Abner zuchtte diep en moeizaam toen hij naast Cara plaatsnam. 'Mijn eerste vrouw, de moeder van Ephraïm en Deborah, hield net zoveel van jouw moeder als Ada. Was je je daarvan bewust?'

Cara schudde haar hoofd.

'Dat is de reden waarom Ephraïm toestemming had om zoveel tijd met je door te brengen in de zomer dat je moeder je hier bracht. Mijn vrouw keek jou één keer in de ogen en vertrouwde je. Maar ik was zo in beslag genomen door mijn angst voor wat Malinda dit district zou aandoen, dat ik een heleboel verkeerde dingen geloofde. Het was gemakkelijker om te denken dat Malinda kreeg wat ze verdiende, dan om de kans te grijpen om me open te stellen. Dus werd haar verteld dat jij mocht terugkeren, maar zij niet.'

Deborah schoof een stoel bij naast haar vader en ging zitten.

Hij nam Deborah's hand in de zijne. 'Ik ben jarenlang te bang geweest om dat wat van mij was te verliezen, zodat ik anderen nooit echt goed zag. Als voorganger moedigde ik mensen aan om onzichtbare muren rondom zichzelf en hun familie op te trekken. Maar dat veroorzaakte zoveel wantrouwen naar buitenstaanders dat het voor een vreemdeling onmogelijk was om niet schuldig te lijken bij het eerste het beste voorval. Vervolgens was het makkelijk om tegen elkaar te zeggen: "Zie je wel, ik wist wel dat ze niet te vertrouwen waren," of "Ik wist dat ze problemen zouden veroorzaken."'

Hij keek naar Ephraïm die bij de achterkant van het huis stond, een verschoppeling in zijn eigen tuin. 'Ephraïm en Deborah lijken op hun moeder.' Hij wendde zich tot zijn dochter. 'En Ada heeft een goed hart, net als je *Mamm*. Als jij je op deze manier wilt openstellen voor haar, dan moet je dat doen, kind. Ik zal je niet tegenhouden.'

Deborah barstte in tranen uit en omhelsde hem. '*Denki.*' Ze stond op en verschillende vrouwen omringden haar en liepen met haar mee het huis in.

VEERTIG

Ondanks de open ramen, kwam de vochtige lucht eind augustus niet in beweging. De geur van Ada's gebak vulde het huis. Deborah hield een ladder vast voor Cara terwijl die met een speciale rolperforator gaatjes prikte in het behang om het makkelijk eraf te kunnen trekken.

Ada's telefoon rinkelde lang en luid. De bisschop had toestemming gegeven voor het plaatsen van een telefoon voor zakelijk gebruik. Even later hoorden ze de hordeur slaan en Cara wist dat Ada door de achtertuin aan kwam snellen in de hoop op tijd te zijn om op te nemen.

Het was twee maanden geleden sinds Mahlon was vertrokken. Het verdriet en de verwarring van Deborah leken sommige dagen grenzeloos, maar Cara probeerde haar op de been te houden. Het verdriet van Ada was stiller en misschien dieper, maar de aanwezigheid van Deborah gaf haar de mogelijkheid om voor iemand te zorgen en dat leek te helpen. Cara zelf worstelde met een somberheid die niets te maken had met hun verlies, maar dat wilde ze hen niet vertellen. Mahlon was weg en kwam niet terug. Ephraïm was in Dry Lake, met Anna Mary, dacht ze, maar daar wilde ze niet teveel aan denken.

Ze tilde de zoom van haar rok op en klom een trede lager. Met zoveel Amish die het huis van Ada in en uit liepen, had Cara besloten om maar jurken te blijven dragen. Deborah had genoeg kleren die ze wilde delen, en Cara hoopte dat haar besluit een goede uitwerking had voor Ephraïm. Het kon geen kwaad en als het ook maar enig verschil maakte voor hoe de kerkleiders naar hem keken, dan droeg ze de niet eens zo aparte dracht zonder bezwaren.

Ze gaf de rolperforator door aan Deborah. 'Dit gedeelte is gedaan.'

Alle bewegingen van Deborah waren traag, als van een vrouw die geketend was met zware kettingen. Ze tilde de emmer met warm water en azijn op naar Cara. 'Hierzo.'

Cara doopte een grote spons in de oplossing en begon de muren nat te maken, terwijl Deborah de wiebelige ladder vasthield.

Nadat Deborah was verhuisd, had Cara vaak de dekens over haar heen moeten trekken en haar vastgehouden terwijl ze huilde. Die eerste paar weken moest Cara beide vrouwen aansporen om door te gaan, richting een onbekende toekomst. Maar nu, met de hulp van de Amish gemeenschappen in Dry Lake en Hope Crossing, konden Ada en Deborah zo af en toe zelfs weer lachen. En ze breidden hun zaak uit door bakproducten te verkopen aan een plaatselijk hotel voor hun restaurant en ontbijtbuffet.

Cara kwam van de ladder af. 'Laten we het gedeelte daar weghalen. Volgens mij trekken we het er zo af.'

Ze zette de ladder op de goede plek en klom weer omhoog.

Na een van Deborah's zeldzame bezoekjes aan Dry Lake, was ze teruggekomen met de mededeling dat Ephraïms verbanning ten einde was. Toen hij eenmaal had laten zien dat het zijn bedoeling was om zich te gedragen zoals de kerkleiders wilden, had de bisschop de uitsluiting heroverwogen. Vanaf begin juli was Ephraïm weer een gerespecteerd lid en kon hij weer aan het werk.

Ze had hem maar drie keer gezien sinds hij in juni de achtertuin had opgeruimd. En zelfs dan kwam hij alleen als er anderen uit Dry Lake bij waren, en zag ze hem in een kamer vol mensen. Hun kalme ochtenden met een bakje koffie, de vrolijke scherts gedurende de dag en de lange avondwandelingen waren verleden tijd, maar ze zou ze voor altijd koesteren in haar herinnering.

Zou hij dat ook doen?

Hoewel ze had gewild dat dingen anders waren voor haar en Ephraïm, had ze enige vrede met haar verleden en had ze besloten om mensen die al dan niet schuldig waren, niet langer verwijten te maken. Dus nu tolereerde ze – misschien genoot ze er zelfs van – de brieven en bezoekjes die ze kreeg van haar tantes, ooms, neven en nichten.

'Je kunt de ladder beter achter me vasthouden, Deb.'

Deborah snakte naar adem. 'O, ja, sorry, je hebt gelijk. De Amish jurk is niet bevorderlijk voor het fatsoen als een meisje op een ladder staat.'

'Een rood zijden slipje – is dat het uitzicht, Deborah?' Cara pakte de bovenhoek van het behang en trok het langzaam naar zich toe.

'Hou je vingers gekruist.'

'Moet ik de ladder daarvoor loslaten?'

'Wat is er belangrijker, dat dit behang er in één stuk afkomt, of dat ik niet val?'

Het zeldzame geluid van Deborah's gegrinnik verwarmde Cara's hart. 'Heb ik op dit moment een keuze?'

Een dikke druppel behangafweekmiddel spatte op de vloer. 'Sorry. Er is niets moeilijker dan antiek behang afhalen. Waarmee hebben ze dit vastgemaakt?'

Cara stapte een sport lager op de ladder.

'Ik geloof dat het olifantenlijm is.'

Terwijl ze langzaam verder trok, lukte het Cara om nog een trede naar beneden te gaan. 'Wat is olifantenlijm?'

'Je weet wel, van dat spul waarmee ze olifanten tegen de muur vastlijmen.'

Cara gluurde naar beneden.

Deborah trok een gezicht. 'Toen ik het bedacht, klonk het heel logisch.'

Cara kneep haar lippen samen en onderdrukte een lach. 'Was dat een van de gedachten die je had toen je half wakker was en half sliep?'

'Hoezo, dat klopt inderdaad, ja.'

'Dat zijn de leukste. Ze zijn grappig. Het helpt niets, maar levert altijd een glimlach op. Mijn favoriete zijn degene die je mompelt vlak voordat je in slaap valt.'

'Hé, ga je zondag mee naar de kerk in Hope Crossing met Ada en mij?'

'Een keer was wel genoeg, bedankt.'

'Meiden,' riep Ada, 'de lunch is klaar. De koerier belde dat hij vandaag niet kan komen, dus ik heb alle taarten ingeladen in de wagen om naar de bakkerij, het hotel en het restaurant te brengen. Ik kom over een paar uur terug. Lori gaat met me mee.'

'Oké, Ada. Dank je.'

'*Denki*.' Deborah verplaatste zich naar de zijkant. 'Kwam het door de banken zonder rugleuning of door de lengte van de dienst?'

'Geen van beide.' Cara trok aan het laatste stukje behang dat nog vastzat en stapte op de vloer. 'Ondanks je verwoede pogingen in de afgelopen maand om me jullie taal te leren, heb ik er geen idee van wat er gezegd wordt. Waarom zou ik daar gaan zitten als ik je na afloop om een samenvatting moet vragen?' Cara bracht het behang naar een hoop in de hoek en liet het vallen. Daarna veegde ze haar handen af aan haar zwarte schort. Ze sloeg haar arm om Deborah heen en leidde haar de kamer uit. 'Wat betekent bijvoorbeeld *geziemt*?'

'Dat hangt ervan af. Het kan geschikt betekenen, als in een geschikte partner. Maar het kan ook betekenen bevallig, in de betekenis dat je mooi bent in Gods ogen in kleding en gedrag.' Ze liepen de trap af. 'Wanneer heb je dat gehoord? Misschien kan ik er dan achter komen wat er bedoeld werd.'

'Ik hoorde het in de kerk.'

'De voorganger had het erover dat je in waarheid leeft naar hoe God je bedoeld heeft, en dat je er niet naar zoekt om te zijn wie de wereld wil dat je bent.'

'Waarom is het zo belangrijk voor je om naar de kerk te gaan? Het is een vrije dag. Waarom zou je die bederven?'

'Omdat...'

Cara stak haar hand op om Deborah te onderbreken. 'Het was een retorische vraag.'

'Bedoel je dat je geen antwoord van me verwachtte?'

'Precies.' Cara duwde tegen de zwaaideur naar de keuken. De warmte sloeg haar in het gezicht. 'Het leven van een Amish geeft in elk geval een nieuwe betekenis aan het spreekwoord: "Als je de hitte niet kunt verdragen, moet je niet in de keuken komen."'

'Zullen we in de schaduw van de boom in de achtertuin gaan zitten?'

'Ik stem ervoor om een airconditioner aan te schaffen.'

'Een airconditioner zal weinig nut hebben zonder elektriciteit, mijn lieve Engelse. Maar een ventilator op batterijen is een idee waar ik wel voor zou gaan, al zou onze bisschop zeggen van niet.'

Ze pakten hun bord met broodjes, patatjes en fruit. 'Hoe houdt Ada het uit tijdens de zomermaanden?'

'Dat zal ik ook maar opvatten als een retorische vraag. Dat scheelt weer een poging om het uit te leggen.' Nadat ze waren gaan zitten, boog Deborah haar hoofd voor stil gebed en Cara wachtte.

Deborah keek op. 'Een paar meisjes uit dit district vroegen of ik met ze meewil naar de samenzang op zaterdag. Ik weet niet zeker of ik er al klaar voor ben. Als ik eraan denk om te gaan, moet ik alweer huilen.'

'Waarom?'

'Omdat Mahlons vertrek ongeveer hetzelfde is als een publiek pak ransel. Iedereen weet dat hij niet alleen mijn hart heeft gebroken, maar me ook heeft vernederd.'

'Pffft.' Cara rolde met haar ogen. 'Als ze een greintje verstand hebben, weten ze wel hoe gestoord hij is om jou achter te laten. Wat hij deed heeft met hem te maken, Deb. Als ik jou was, zou ik met opgeheven hoofd rondlopen, en laat ze het maar wagen om minder over je te denken vanwege de stommiteit van iemand anders.'

'Als je gelijk hebt, waarom ben ik dan degene die zich een volslagen idioot voelt omdat ik van hem houd?'

'Omdat hij je het hoofd op hol heeft gebracht.'

'Dat deed hij niet expres.'

'En hij deed het ook niet per ongeluk.'

Deb haalde haar schouders op. 'Misschien heb je gelijk. Als ik naar de samenzang ga, wil je dan met me mee?'

'Absoluut niet. Het is voor vrijgezellen, niet voor weduwen, toch?'

'Ja. Maar voor mij is de samenzang zoveel meer dan iemand vinden. Het is de tijd dat je vrienden maakt die over vijftig jaar nog steeds je vrienden zijn. De muren trillen van het gezang en de vrolijkheid. Ik denk dat ik er klaar voor ben om wat echte vriendschappen aan te gaan in Hope Crossing.'

'Dan moet je ook maar wat vaker mensen gaan uitnodigen.'

Deborah ging gemakkelijk in haar stoel zitten en glimlachte. 'Dus je bedoelt te zeggen dat jij geen vriendin bent?'

Cara knipperde met haar ogen. 'Ik... ik... mij?'

'Ik mag je nederigheid, Cara. Het zou je zeker passen als Amish vrouw.'

'Het is moeilijk om Amish te zijn als je niet in God gelooft, denk je niet?'

Deborah wilde iets zeggen, maar Cara hield haar hand op. 'Vat het maar op als een retorische vraag, Deb.'

⚬

Onweer rommelde in de verte en de geur van regen hing in de lucht. Cara en Lori hadden zich op bed genesteld en Cara las voor. Ada had het kinderboek in een doos vol spullen gevonden bij de verhuizing en het aan Lori gegeven. In eerste instantie leek *Het meisje van de schommel* een heel onschuldig boekje. Maar het ging helemaal over een meisje dat opgroeide als Amish, en Lori vond het geweldig.

'Ze vond het fijn om naar de kerk te gaan, hè mams?'

'Ja. En nu onder de dekens en slapen.' Cara stond op van het bed en stopte haar dochter losjes in, terwijl ze zich afvroeg hoe iemand kon slapen in de hitte van de augustusmaand.

'Ik wil nog een keer met Ephraïm mee naar de kerk.'

Tientallen emoties overspoelden haar bij het horen van die naam, en ze voelde pijnlijk duidelijk hoe erg ze hem miste. 'Ik betwijfel of naar binnen sluipen en bij hem op schoot kruipen hetzelfde is als met hem mee naar de kerk gaan.' Ze kuste haar dochters voorhoofd. 'Bovendien begrijp je toch niet wat er gezegd wordt.'

'Ik ken al een paar woordjes. Deborah heeft het me geleerd. Ik hoef niet alle woorden te weten. Ik kan ook voelen wat ze zeggen, u niet?' Ze streek een paar haren uit Lori's gezicht. 'Ja, soms wel misschien.'

Het onweer kwam dichterbij en Cara hoopte dat Deborah's avondje uit met haar nieuwe vrienden in Hope Crossing niet in het water viel.

De laatste tijd voelde ze het verlangen in haar hart om in meer te geloven dan alleen in wat ze kon zien. Soms leek God overal. En toch wist ze tegelijkertijd niet of ze dat echt kon geloven. De kerstman en de paashaas hadden ook echt geleken toen ze klein was.

'Het meisje van de schommel vindt het heerlijk om Amish te zijn.'

'Het is belachelijk zwaar om zo te leven als zij. Er zijn meer regels dan insecten in een schuur.'

Ze giechelde. 'Maar er zijn overal toch regels? Dat zei u heel vaak, zelfs voordat we de Amish kenden.'

'Ja, dat heb ik inderdaad gezegd. Ga maar slapen. Wil je dat ik het lichtje van de kerosinelamp op een laag pitje laat branden op je nachtkastje?'

'Nee hoor. Ik vertrouw net als het meisje met de schommel op God. Wilt u nog bidden?'

Nee, dat wilde ze niet. Niet nu. Niet later. Ze had gebeden toen haar moeder was overleden en gesmeekt of ze haar terug mocht krijgen. Ze had gebeden in de pleeghuizen en het uitgeschreeuwd om iemand die iets om haar gaf. Maar op een dag realiseerde ze zich dat niemand naar haar gebeden luisterde. 'Ik doe mijn ogen dicht en dan zeg jij de woorden, oké?'

Lori sloot haar ogen. 'Lieve Here, vergeef me wat ik verkeerd heb gedaan en help me om goed te doen. Amen.'

'Amen.'

Cara pakte de kerosinelamp. 'Welterusten, Loralief.'

'Mama?'

'Ja?'

'Vertrouwt u op God?'

'Je moet nu gaan slapen, oké?'

'Oké. Welterusten mam.'

'Welterusten.' Cara gaf Voorspoed een aai en trok de deur achter zich dicht.

Ze bleef boven aan de trap staan en kwam in de verleiding om dezelfde dagboeken en brieven van haar moeder te lezen die ze iedere avond las. Maar ze had het gevoel dat ze haar tijd ergens anders voor kon gebruiken. Er was niets nieuws meer te ontdekken in de doos die haar vader gestuurd had, maar toch liep ze de trap af naar de gangkast. Nadat ze de lamp op een bijzettafeltje had neergezet, strekte ze zich uit naar de bovenste plank en pakte ze haar portaal naar het verleden. Met de doos in haar ene hand en de lamp in de andere, liep ze naar de keuken. Eenmaal aan tafel, opende ze de doos.

Ze legde haar moeders Bijbel opzij voordat ze alle brieven opende en uitspreidde op de tafel. Ze had ze allemaal net als de dagboek-aantekeningen verschillende keren gelezen.

De trap kraakte en Ada kwam de keuken binnen met een lantaarn in haar hand. Ze streek met haar hand over Cara's rug toen ze langsliep. 'Zal ik een glaasje ijswater voor je maken?'

'Nee, dank u.' Cara leunde achterover in haar stoel. 'Ada, als uw district nooit de waarheid had ontdekt over waarom mijn moeder Dry Lake had verlaten, zouden ze me dan ook schrijven en bezoeken?'

'Ik denk het wel, maar dat is moeilijk na te gaan.' Met een glas water in haar hand nam Ada plaats.

'Het moet m'n moeders hart gebroken hebben om het geheim van haar verloofde enkele weken voor de trouwerij te ontdekken.'

'Rueben is behoorlijk in de moeilijkheden geraakt omdat hij het geheim heeft gehouden.'

'Maar niet uitgesloten?'

Ada schudde haar hoofd. 'Dat kan later nog gebeuren, de bisschop heeft nog geen besluit genomen. Het is een lastige kwestie – hij moet iemand terechtwijzen voor iets wat hij dertig jaar geleden heeft gedaan. Als hij niet voorzichtig is, dan krijgen de jongeren opnieuw een uitsluiting te zien, en samen met Ephraïms en Mahlons problemen zou dat ervoor kunnen zorgen dat ze zich niet willen aansluiten bij het geloof.'

'Ik ben er nog steeds boos over. Wat mij betreft worden Rueben en zijn vrouw voor altijd uitgesloten.'

'Dat het de ouders zijn van Anna Mary maakt het nog moeilijker, of niet?'

Cara knikte. 'Soms veel te moeilijk.'

'Je doet me zo veel aan je moeder denken. Je hebt mij en Deborah geholpen om het ergst mogelijke te overleven. Na wat Mahlon heeft gedaan, had ik de afgelopen maanden niet kunnen verdragen zonder te zien wat God jou gebracht heeft vanuit je pijn. En dan die verschrikkelijke denkbeeldige zweep die je laat knallen om mij en Deborah te laten doorzetten bij het opbouwen van de eigen zaak. Ik ben eigenlijk blij dat je een strenge opzichter bent.'

De tranen prikten in Cara's ogen en ze keek naar een van de brieven van haar moeder. 'Soms voel ik me bijna weer genezen. Alsof ik de antwoorden heb gevonden die weer zin geven aan mijn krankzinnige leven. Andere keren voel ik me verward, verbitterd en verloren en kan ik mezelf niet uitstaan.' Ze liet de brief op tafel vallen. 'Ik blijf alle schrijfsels keer op keer lezen, alsof ik wil nagaan wat het leven de moeite waard maakt.'

Ze keek naar haar moeders gesloten Bijbel. Van alle dingen die haar vader had gestuurd, en die ze had gelezen en herlezen, had ze alleen dat boek nog niet geopend. Ze had heel kort in die van Ephraïm gekeken en in die van Ada, maar niet in die van haar moeder. Het gaf haar steeds een angstaanjagend gevoel. Alsof in dat boek meer van haar moeders hart te vinden zou zijn dan in haar brieven.

Ada legde haar hand op die van Cara. 'Alleen God kan een mens bevrijden en een leven de moeite waard maken. Zonder Zijn waarheid die ons bedekt en in ons is, bestaat de geschiedenis van de mens alleen maar uit valse hoop en bedrieglijke dromen.' Ze pakte de Bijbel op van de tafel en gaf hem aan Cara. 'Hij kan je verlossen van de pijn uit het verleden en van de pijn die nog komen gaat.'

Cara hield de Bijbel in beide handen en liet hem openvallen. De pagina's fladderden op en een geel papiertje trok haar aandacht. Ze legde het boek op tafel en begon het door te bladeren. Na een paar seconden vond ze het papiertje en trok het tevoorschijn. Ze vouwde het open en herkende onmiddellijk het handschrift van haar moeder.

en Ik zal u tot een Vader zijn, en u zult Mij tot zonen en dochters zijn.

De woorden overweldigden haar hart.

Haar tranen wegslikkend stond ze op. Haar hart bonsde in haar keel terwijl het besef keihard binnenkwam. 'Hij bestaat.' De kamer leek te krimpen, en ze voelde wanhopig dat ze alleen moest zijn. 'Ik ga een wandeling maken. Blijft u bij Lori?'

'Natuurlijk doe ik dat.'

Ze haastte zich de achterdeur uit. Zo snel als ze kon, liep ze door de miezerige regen die uit de lucht viel. Ze herleefde alle verliezen die ze ooit had meegemaakt en de pijn overspoelde haar hart. Fragmenten uit haar verleden trokken haar uiteen en smeekten om oplossingen. Maar die waren er niet. Er was alleen de duistere leegte in haar ziel, die alle kracht uit haar zoog. Het begon harder te regenen toen ze het smalle pad naar de top van de heuvel volgde. Uitkijkend over de vallei onder haar, balde ze haar vuisten. 'Waarom?' schreeuwde ze tegen de regen in. 'Ik wil weten waarom!'

Haar tranen vermengden zich met de regen, maar er kwam geen antwoord.

De lucht was doordrongen met regen, maar zij zag zichzelf in Ephraims schuur, hongerig en ellendig, op zoek naar een schuilplaats. Ze was daar uit wanhoop beland. De lange reis was begonnen omdat ze vervlogen herinneringen aan haar moeder had, en een verborgen boodschap in haar dagboek. Maar meer nog was ze daar terechtgekomen omdat iets buiten haarzelf haar had geleid.

Alsof ze naar filmbeelden keek, zo scherp zag ze Ephraïm die bij de deur van de schuur stond en zijn hand uitstak. Hij bood haar geen antwoorden op al haar vragen, maar hij liet haar een weg zien naar een beter leven. Hij gaf hulp en kracht en zichzelf, als een veelzijdig schild – maar toch een ander soort bescherming dan die zij Lori bood, door de realiteit voor haar verborgen te houden tot ze ouder was. Het schild stopte de werkelijkheid en de pijn niet weg; het ving eenvoudig elke klap op voordat die op haar neerkwam.

Plotseling besefte ze dat ook de hulp van Ephraïm beperkt was. Maar direct daarop voelde ze een liefde die zo diep was dat ze er met haar begrip niet bij kon. God wilde naar haar omzien. Hij wilde voor haar een deur openen – op dezelfde manier als Ephraïm dat had gedaan, maar veel dieper en rijker.

Haar eerdere vraag naar het waarom deed er niet toe. De enige vraag die er nu toe deed was wat vanaf nu haar keus zou zijn.

Ze viel op haar knieën.

EENENVEERTIG

Met een geopend boek en een mok koffie in zijn hand, zat Ephraïm op zijn bank naar de regen te luisteren.

Hij had duizenden van deze kalme avonden in zijn eentje doorgebracht sinds hij dit huis negen jaar geleden gebouwd had. Voordat hij Cara kende had hij het nooit als eenzaam ervaren. Hooguit een beetje. Maar hij had zich nooit eenzaam gevoeld vanwege iemand in het bijzonder.

Toen verscheen Cara, en zonder dat ze het in de gaten had droeg ze een lang en gezond leven in eenzaamheid op hem over.

De eenzaamheid verleidde hem om...

Hij stopte zijn gedachten, gromde zacht en liep naar de keuken. De bliksem flitste door de lucht, onmiddellijk gevolgd door een luide donderklap. Hij meende dat hij de telefoon hoorde rinkelen. Hij zette de koffiemok op tafel en draaide zijn hoofd om te luisteren. Hij hoorde inderdaad de telefoon. Drie. Vier. Vijf keer ging hij over. Toen was het stil.

Hij wachtte af in zijn donkere huis. Toen ging de telefoon opnieuw. Hij greep zijn zwarte vilthoed en vloog de deur uit. Vijf keer overgaan, dan een pauze en vervolgens opnieuw gerinkel betekende dat het geen zakelijk telefoontje was, of iemand die verkeerd was verbonden. Het was iemand die probeerde hem te bereiken. Hij sprintte over het doorweekte veld en over de weg. Struikelend bereikte hij de telefoon en nam op.

'Hallo.'

'Ephraïm.' Ada's stem klonk bezorgd. 'Ik zit in een moeilijke situatie.'

358

'Wat is er?'

'Cara is naar buiten gegaan voor een wandeling, maar het is gaan storten van de regen. Ze is bijna twee uur weg. De kreek is overstroomd. Ik pas op Lori en Deborah is er niet, dus ik weet niet wat ik moet doen.'

'Ik huur een chauffeur en kom zo snel ik kan. Wat je ook doet, laat Lori niet alleen, en probeer niet om met haar op sleeptouw de kreek over te steken.'

Ephraïm belde een handvol chauffeurs voor hij Bill thuis trof. Tien minuten later was hij er. En vijftien minuten later stapte Ephraïm uit bij Ada's huis. Ze deed de deur voor hem open.

'Is ze al terug?' Ephraïm moest schreeuwen om boven de stortbui uit te komen.

Ada wenkte hem naar binnen en liet de deur open voor Bill om te volgen. 'Nee. Ze was behoorlijk overstuur toen ze hier wegging.'

'Waarom?'

'We waren aan het praten en ze had de Bijbel van haar moeder in haar hand – die haar vader naar haar had gestuurd. Toen vond ze een briefje. Volgens mij beefde ze toen ze me aankeek en zei: "Hij bestaat." Daarna ging ze ervandoor.'

Zijn hoofd begon te tollen en even voelde hij zich opgewonden. Als het al spanning opleverde om je eigen familie te leren kennen, dan was het helemaal emotioneel om je te realiseren dat God echt bestaat. 'Welke kant ging ze op?'

'Ik weet het niet, maar ze liep dwars door het weiland richting dat kronkelende riviertje. Begrijpt ze als stadsmeisje wel hoe gevaarlijk de stroming is met dit weer?'

Ephraïm wist waar ze heen was gegaan, maar Ada's vraag baarde hem zorgen. 'Ik neem je paard mee.'

'Heb je hulp nodig?' vroeg Bill.

'Nee. We hebben maar een paard en te voet is het te gevaarlijk. Ik vind haar wel.' Hij haastte zich de trap af.

'Ephraïm,' schreeuwde Ada door de stromende regen. Hij stopte.

Ze wenkte hem en verdween toen weer naar binnen. Toen hij bij haar deur was, gaf ze hem een quilt en een walkietalkie. 'Zodra je haar hebt gevonden, laat je het weten. Als ik binnen een uur niks van je hoor, bel ik de politie.'

'Je hoort van me,' antwoordde Ephraïm en hij bad dat het waar was. Ongezadeld reed hij spoorslags over het modderspoor. In de verte rommelde het onweer en de regen nam af. Toen hij bij de kreek kwam, zag hij dat die buiten de oevers was getreden en zich uitstrekte over de laaglanden en het weiland. Hij leidde het paard voorzichtig door het ondiepe gedeelte en probeerde het beeld van zich af te zetten van Cara die worstelde om aan de overkant te komen en werd meegesleurd met de stroom. Even later was het paard aan de overkant. 'Cara!' Hij zette zijn handen aan zijn mond en riep. Hij vroeg zich af hoe ze zich voelde na haar ontdekking. Het probleem met geloven was dat het alles in een mens veranderde, behalve het verleden. En soms veranderde het heden niet eens – alleen het hart van iemand.

Zelfs onder het bladerdak van de bomen kletterde de regen in dikke druppels op hem neer. Hij trok zijn vilthoed strakker over zijn hoofd en liet het paard verder lopen over het glibberige spoor. 'Cara!' riep hij opnieuw tegen de regen in. Zijn stem droeg niet ver. Door een opening zag hij de oude schuur waar ze zo van hield. Hopend dat hij haar daar veilig zou aantreffen, voelde hij zich vredig en warm worden. Toen hij zo'n dertig meter van de schuur verwijderd was, verlichtte een bliksemflits een kort moment de omgeving, maar hij zag geen spoor van haar. Hij spoorde het paard aan. 'Cara!'

De schuurdeur ging open. Daar stond ze in de opening met druipnatte haren en kleren. Hij spoedde het paard richting de schuur. Ze stapte naar achteren om het dier ruimte te geven het ruwe bouwwerk binnen te komen. Hij trok aan de teugels en hield halt. Toen ze naar hem opkeek, voelde hij zich in verleiding gebracht door zijn eigen hoop en verlangen om dingen te zeggen die hij niet moest zeggen.

'Hij bestaat.' Haar toon was tegelijk zeker en verrast.

Te emotioneel om te spreken, wees hij naar een houten veehek achter haar en stak toen zijn hand uit. Met de stromende regen en de stijgende rivier, was het nodig om de vallei uit te komen en over te steken voordat de stroming te sterk zou zijn en ze hier de komende twee dagen vast zouden zitten. Ze beklom een paar sporten van het verweerde hek en pakte zijn hand. Hij trok haar omhoog het paard op en zette haar achter zich.

Hij gaf haar de deken en wachtte tot ze die had omgeslagen. Daarna verplaatste hij zich zodat hij haar in de ogen kon kijken.

Met de deken veegde ze de regen uit haar gezicht. 'Hij... Hij stierf, zodat niemand meer zo van Hem gescheiden hoefde te worden zoals ik van mijn familie.' Ondanks haar getuigenis, was de verwarring te lezen in haar ogen.

Ephraïm zette zijn hoed op haar hoofd en streelde met een vinger over haar wang. Hij voelde zich sterker met haar verbonden dan met zichzelf. Hij richtte zich op het paard. Ze sloeg haar armen om hem heen en legde haar wang tegen zijn rug. Hij trok de walkietalkie tevoorschijn uit zijn zak. 'Ada.'

'Hier ben ik. Heb je haar gevonden?'

'Ja. We komen terug.'

Hij stak de walkietalkie weer in zijn zak. Met een hand leidde hij het paard en met de andere hield hij haar hand vast, blij dat de duisternis en de regen de tranen verborgen die in zijn ogen prikten. Ze was in orde.

Ja, méér dan dat.

Het water van de kreek kolkte sneller en heviger toen hij de tweede keer overstak, maar al snel bereikten ze Ada's schuur, en hielp hij Cara van het paard. Ze gaf hem zijn hoed terug. De ruimte geurde naar vers hooi. Ingepakt in de natte quilt, leunde Cara tegen een stalbox en keek hoe hij het paard afdroogde met een oude doek. Hij gooide extra haver in de voerbak. 'Ik... wil je alleen laten weten dat je niet per se Amish hoeft te worden.' Hij gooide wat hooi in de stal en sloot het hek. 'Je bent vrij om te gaan waar je wilt. En je aan te sluiten waarbij je wilt.'

'Dank je, Frim. Voor alles.'

Hij nam haar in zijn armen en voelde haar rillen door de deken heen. 'Je maakt me bang.' Hij leunde met zijn wang tegen haar hoofd en zo keken ze samen naar de regen.

TWEEËNVEERTIG

Deborah bracht het laagje glazuur aan over de laatste cakejes en hoopte dat zij en Ada genoeg lekkernijen hadden voor vanavond. Het was de perfecte manier om Labor Day door te brengen: koken en bakken voor een gezelschap. Ada was in de voortuin bezig met de bloemen, en Cara maakte een lange wandeling met Lori. Ze lieten Deborah een paar minuten alleen voordat ze een huis vol met gasten zou verwelkomen – vrienden, familie en nieuwe kennissen die wisten dat Mahlon bij haar was weggelopen.

Hoewel het verlangen naar hem haar soms nog bezighield, was ze het zat om zich nog langer te schamen voor wat hij haar had aangedaan. Ze had met Ada gepraat over de schande die ze beiden droegen, en ze gaven toe eigenlijk alleen het huis uit te gaan als dat noodzakelijk was. Dus besloten ze een open huis te houden en Amish uit beide districten – Dry Lake en Hope Crossing – te verwelkomen.

Cara had gelijk, het was niet de schuld van Deborah of Ada dat Mahlon hen en het leven volgens de Oude Orde niet koesterde.

Het woord *koesteren* deed haar aan Ephraïm denken. Omdat de kerkleiders de ban hadden opgeheven, zou hij er vanavond ook wel bij zijn – al was het alleen maar om een glimp op te vangen van Cara. Het was niet altijd eenvoudig, maar Deborah had tegen geen van beiden iets gezegd over de ander. Dat vroegen ze van haar en daar hield ze zich aan. Niettemin had ze geen gesprek met Ephraïm nodig om te weten dat hij verliefd was, en Cara leek dat niet te weten.

De kerkleiders hadden er halverwege juni op gestaan dat Ephraïm terug zou keren naar Dry Lake, en nu was het begin september. Toch had hij zijn status als gerespecteerd lid alweer terug. Deborah kon zich vinden in hoe de bisschop tegen de zaak aankeek – het zou hypocriet zijn om Ephraïm te blijven straffen omdat hij de situatie met Cara verkeerd had aangepakt, terwijl ze allemaal verkeerd waren geweest op de een of andere manier. Hoewel Ephraïm toestemming had om Cara te bezoeken, had hij dat nog steeds niet gedaan. Hij wilde haar beslissing niet beïnvloeden om te kiezen voor of tegen de Oude Gebruiken, dus hield hij afstand. Maar hij had Deborah laten weten dat het hem gek maakte.

Gelukkig ging de gezondheid van *Daed* nog steeds vooruit, dus was hij echt behulpzaam geweest, nadat Mahlon zonder iets te laten weten weg was gegaan. Ephraïm werd er door ontlast en *Daed* won er zijn zelfrespect door terug. Zoals de zaak nu draaide, moest Ephraïm op zoek naar Amish buiten Dry Lake om te komen werken.

Toen Deborah een paard en wagen hoorde stoppen bij het huis, keek ze naar de klok. Degene die was aangekomen, was veel vroeger dan verwacht. Ze keek door het raam en zag Lena richting het huis lopen. Haar mooie nichtje leek zich nooit druk te maken over de grote moedervlek op haar wang. Deborah stelde zich pijnlijk en langzaam in op het idee om alleen te blijven, maar ze kon zich niet voorstellen hoe Lena zich voelde – drieëntwintig jaar oud en nog nooit uitgevraagd. Deborah voelde zich warm worden toen ze zich realiseerde dat ze eindelijk begreep wat Lena altijd zei: mannen vermijden haar en de mensen fluisteren over haar, maar dat komt niet door wat er op haar gezicht zit, maar door wat er in hun hart zit. Mahlon was vertrokken vanwege zijn hart en Deborah kon eindelijk toegeven dat ze hem nooit echt had gekend. Maar nu, bijna drie maanden later, voelde ze dat er een tijd zou komen dat ze dankbaar was om van hem verlost te zijn. Tegelijk groeide haar liefde voor Ada elke week.

De achterdeur zwaaide open en Lena stapte naar binnen. 'Jongens toch, wat ruikt het hier heerlijk.' Ze hield de deur open en Jonathan verscheen met een vat op zijn schouder.

Hij plaatste het vat op de vloer. 'Hé kleine Deb. Ik heb een partij goed spul gemaakt. Ik dacht dat je wel een sterk drankje kon gebruiken om de komende uren door te komen.'

Het was vreemd dat hij aanvoelde dat vanavond niet gemakkelijk voor haar zou worden. 'Hoe sterk?'

'Extra citroenen, minder suiker.'

Ze tuitte haar lippen en maakte een smakkend geluid. 'De beroemde limonade van Jonathan, extra gezuurd, speciaal voor mij!'

Hij doopte zijn vinger in de bijna lege kom met glazuur en stak hem in zijn mond. 'Man, wat mis ik de tijd dat jij en Ada aan de andere kant van de straat woonden.'

'Ja, maar nu verdienen we tenminste geld.'

Lena lachte. 'Bedoel je te zeggen dat hij alles opat zodat je niets verdiende?'

'Hallo?' De stem van Anna Mary klonk vanaf het verandatrapje achter.

'Hierheen.' Deborah liep naar de deur en zag Rachel, Linda, Nancy, Lydia, Frieda en Esther. Ze waren weer allemaal bij elkaar en het had nog nooit zo goed gevoeld.

'Hoi.' Anna Mary omhelsde haar. 'We waren met Jonathan meegereden, maar we zijn voor het huis uitgestapt om even met Ada te kletsen.'

'We zijn allemaal vroeg gekomen om jou en Ada te helpen,' zei Rachel.

Anna Mary keek samenzweerderig rond. 'En om zeker te weten dat we vooraan staan om de alleenstaande mannen van Hope Crossing uit te zoeken.'

De meisjes lachten, maar Deborah wist dat het voor Anna Mary ook niet gemakkelijk was om hier vanavond te komen. Cara woonde hier, en als Ephraïm op kwam dagen – en die kans was groot – dan zou het nog zwaar worden voor Anna Mary. Toch was ze er.

Deborah voelde hoe iedere vezel zich vulde met kracht en ze gaf

Jonathan een soeplepel. Hij opende de deksel van het vat en Deborah deelde plastic bekertjes uit aan de meisjes.

Daarna zette ze een kom ijs op tafel. 'Dus, Jonathan, je neemt acht meiden mee uit Dry Lake, waarvan vier hartstikke vrijgezel, en het lijkt erop dat niet een van hen geïnteresseerd is in iemand uit Dry Lake.'

'Dat is niet erg.' Jonathan liep de lepel in de citrusdrank zakken. 'Ik ben ook niet geïnteresseerd in iemand die in Dry Lake woont.' Lena grinnikte terwijl hij haar kopje vulde met het glinsterende gele sap.

Ada kwam vanuit de gang de keuken in lopen. 'Waar zijn Cara en Lori?'

Deborah gaf Ada een beker limonade. 'Ze gingen een lange wandeling maken. Cara wilde zeker weten dat Voorspoed lekker moe was, zodat hij zich rustig zou houden als er mensen in en uit lopen.'

Toen iedereen limonade had, hield Jonathan zijn beker omhoog. 'Op Ada's huis...'

'Ada's huis!' onderbrak Deborah hem. Ze draaide zich om naar Ada. 'Dat heeft deze plek nodig. Een goede naam, toch?'

'Ada's Huis?' Ada keek een beetje onzeker, en toen brak er een brede glimlach door. 'Ada's Huis.' Ze hield haar beker omhoog naar Jonathan.

Hij glimlachte terug. 'Op Ada's Huis. Dat God het zegene met oneindig veel meer dan wij vragen of denken.'

Deborah kende de favoriete bijbelpassage van Jonathan goed – hij doelde op Efeze drie vers twintig. Ze was nooit zo geraakt geweest door dat gedeelte als hij, maar ditmaal had het voor haar een nieuwe betekenis gekregen. Ze nam een slokje van de limonade en voelde dat ze gevuld werd met hoop voor wat er komen ging.

Ada sloeg een arm om Deborah's middel. 'Hij heeft mij al gezegend met oneindig veel meer dan ik had gevraagd of bedacht,' fluisterde Ada.

Deborah trok speels een wenkbrauw op: 'Maar we staan open voor meer. Ja toch?'

Ada lachte en knikte. 'Als dat voor jou geldt, dan ook voor mij.'

&

Ephraïm bewoog zijn hand over het hout voor zich en veegde het zaagsel weg. De gedachte aan Cara bleef voortdurend terugkeren. En de geruchten over haar deden als een razende de ronde. Sommigen zeiden dat de kerkleiders van plan waren om haar welkom te heten in de Amish gemeenschap. Anderen zeiden dat er twee alleenstaande Amish waren in Hope Crossing die haar graag het hof wilden maken en dat de Riehls bezig waren een relatie met haar op te bouwen.

Hij zou graag vooraan in de rij staan als het erom ging haar het hof te maken. Eigenlijk wilde hij alleen in de rij staan. Maar hij wilde geen jacht op haar maken.

Toen ze voor het eerst bij hem thuis was geweest, had ze duidelijk gemaakt dat ze hem niets schuldig wilde zijn. Hij begreep wat er met Johnny gebeurd was: Cara was met hem getrouwd vanwege de veiligheid en het dak boven haar hoofd, zonder dat ze verliefd op hem was. Maar zelfs al herinnerde hij zichzelf aan zijn standpunt, toch verlangde hij er met iedere vezel naar om haar te zien en te vertellen hoe hij zich voelde.

Ze zou niet dezelfde persoon geweest zijn als ze was opgegroeid binnen de Oude Orde. Onschuld en vertrouwen waren van haar afgenomen, dankzij de ene slechte ervaring na de andere. Toch vond hij zelfs haar minder vriendelijke houding fascinerend. Hij voelde zich zozeer tot haar aangetrokken dat hij er bang van werd.

Hij slaakte een diepe zucht en ruimde zijn gereedschap op. Misschien moest hij toch maar naar Deborah's huisfeest gaan om tenminste een paar minuten met Cara alleen te zijn. Ze zou moeten weten dat hij niet meer met Anna Mary was, nietwaar? Of was dat teveel eigenbelang?

Onzeker over wat hij wel of niet wilde zeggen tegen haar, ging hij naar zijn kantoor en belde Robbie. Het had geen zin om er een uur over te doen naar Hope Crossing, als Robbie hem in tien minuten kon brengen.

৵

In haar cape, zwarte schort en op blote voeten, praatte Cara met Deborah's bezoekers voordat ze langs hen heen liep naar de veranda aan de voorkant. Het leek een leuke groep, zelfs met Anna Mary die duidelijk niet op haar gemak was met Cara in de buurt – niet dat ze het haar verweet. Tussen Cara en Ephraïm was een heleboel gebeurd en of hij dat Anna Mary had verteld of niet, ze moest het aanvoelen.

Het zonlicht speelde tussen de bladeren en de lange schaduwen van de septembermaand strekten zich uit over de tuin. Het maakte niet uit, hoe ze ook haar best deed, ze miste Ephraïm nog net zoveel als toen de kerkleiders hier half juni kwamen om hem ervan te overtuigen terug te keren naar Dry Lake.

Een paar keer had ze kort met hem gesproken sinds de nacht dat ze was overvallen door de stortbui. Had ooit iets zo krachtig en goed gevoeld als toen ze in zijn armen samen naar de regen keken? Maar als hij vanavond kwam, dan zou hij zijn tijd met Anna Mary doorbrengen.

Ongeacht Ephraïm of iemand anders, Cara stond op het punt om toe te treden tot het geloof. Over een paar dingen was ze nog niet uit. Ze had met Deborah en Ada gesproken en gezegd dat ze iets voor zichzelf wilde opbouwen in Hope Crossing als ze klaar was met het werk aan het huis. Ada zei dat zoiets een tijdje kon duren, maar daarna zei ze dat als Cara bij hen wilde blijven en toch wilde leven als een Engelse, dat de voorraadkamers boven het koetshuis voor haar konden worden opgeknapt, en er kon elektriciteit en een telefoon worden aangelegd.

Ze dachten er hetzelfde over als Ephraïm. Het was niet nodig om tot het Amish geloof toe te treden om deel te zijn van hun leven. Ze leunde met haar rug tegen een verandapaal en sloot haar ogen. Met elke week die voorbijging, wilde ze zich meer aansluiten bij het geloof. Er waren zaken die ze niet gemakkelijk zou vinden – zoals nooit haar haren knippen, zelfs in de zomer zwarte kousen dragen, een kerkleider erkennen als haar autoriteit en proberen de taal te verstaan. Maar ze was aan hun meeste gewoonten gewend geraakt.

Een man schraapte zijn keel. Twee mannen in zwarte pakken stonden voor haar. Omdat de paal om paarden vast te binden en de ruimte voor de koetsen aan de achterkant waren, had ze niet verwacht dat er iemand door de voordeur naar binnen of naar buiten zou komen. Ze herkende een van hen en realiseerde zich dat ze hen op een correcte manier moest begroeten, dus sprong ze overeind.

De bekende man stak zijn hand uit. 'Mijn naam is Sol Fisher. Ik ben de bisschop van Ephraïm.'

Ze vroeg zich af hoe vreemd zij eruit moest zien met kort haar en zonder *Kapp*, maar in een Amish jurk. Ze schudde zijn hand. 'Ik ben Cara Moore. De dochter van Malinda Riehl.'

'Ja, dat weten we.' Hij gebaarde naar de man naast hem. 'Dit is Jacob King. Hij is diaken in Hope Crossing.'

Ze schudde ook zijn hand. 'Ada is binnen, net als Deborah en de anderen. Wilt u dat ik een van hen roep?'

'We bezoeken ze dadelijk. Eerst zouden we graag met jou willen praten.' Sol liet zijn hand door zijn grijze baard gaan. 'Ephraïm heeft er verkeerd aan gedaan om je zonder toezicht toe te laten in zijn huis. Begrijp je dat?'

Meer dan ooit. Ze knikte.

De man haalde diep adem. 'Dat is een serieuze zaak. Maar ik wil jou vragen om mij te vergeven dat ik daar zo mee bezig was, dat ik niet op jou lette – op degene die onze hulp nodig had. Ik keek niet verder dan je uiterlijke verschijning en ik ging af op geruchten. Als Ephraïm zich niet over je had ontfermd, dan had niemand van ons dat gedaan. En daar bied ik mijn excuus voor aan.'

Ze herinnerde zich wat ze tegen Ephraïm gezegd had, namelijk dat ze in God zou geloven als de bisschop zijn excuses zou aanbieden, en ze onderdrukte haar pret. 'Dank u.'

Jacob stapte naar voren. 'Je moet zeggen: "Ik vergeef u." Dat is de manier van de Amish.'

Ze probeerde de woorden uit te spreken en realiseerde zich hoe vernederend sommige Amish manieren waren. 'Ik vergeef u.'

Hij stak zijn hand opnieuw uit. 'Ik sta vergeven voor Hem. Dank je.'

'Is het zo simpel?'

'Nee, maar het is de eerste stap. Ik zal soms worstelen met spijt en jij met gevoelens van verontwaardiging. Maar we zijn de reis begonnen met een daad van wilskracht en geloof. Als je er meer over wilt praten, dan staat mijn deur altijd voor je open.'

Jacob knikte. 'Je hebt een bijzondere eerste stap gezet, Cara.'

Ze voelde zich vreemd en niet op haar plek en wist niet wat ze moest zeggen.

'We hebben je in de gaten gehouden sinds je bij Ada bent ingetrokken,' zei Jacob. 'En je bent een paar keer met haar en Deborah meegegaan naar de dienst.'

'Ja.'

'Omdat je moeder Amish was en ze jou wilde opvoeden in de tradities van ons geloof,' ging Jacob verder, 'vinden we dat je moet weten dat we geen enkele terughoudendheid hebben, mocht je overwegen om een van ons te worden. Ik heb een programma meegenomen en een kaart met daarop elk huis waar de diensten worden gehouden.'

Sol knikte. 'Het is niet eenvoudig om op onze manier te leven, en je moet er ook niet lichtvaardig over denken, maar we zijn beschikbaar om op al je vragen antwoord te geven.'

'Dank u.'

'En je bent welkom om elke gemeenschap te bezoeken, of erheen te gaan. Natuurlijk komen we langs als er zich zaken voordoen van ongepast gedrag.'

Ze had geleerd om te accepteren dat regels onderdeel waren van elke samenleving en dat als ze een verheven doel dienden, ze de moeite waard waren. En het was duidelijk dat het leven als Amish meer beloften in zich droeg dan beperkingen.

Een verlangen om Ephraïm te zien overspoelde haar. Ze wilde hem vertellen dat de bisschop zijn excuus had aangeboden. En nog meer had ze er schoon genoeg van om hem te moeten missen. De mannen gingen naar binnen en Cara nam weer plaats op de veranda en overdacht alles.

Lori zou het fantastisch vinden om Amish te worden. Dat was het enige waar ze over praatte. Ze droeg zelfs Amish kleren naar de openbare school en het kon haar niets schelen wat de andere kinderen dachten. Ze had broeken nooit fijn gevonden, tot Cara's frustratie. Als Cara alle dingen had gedaan die nodig waren om zich aan te sluiten, dan kon Lori naar de Amish schoolklas niet ver hiervandaan. Dat zou ze ook fantastisch vinden. Maar dat waren niet de zaken waarom Cara zich wilde aansluiten bij de Amish en hun geloof.

Het was een vreemde manier van leven, maar ze begreep er de waarde van.

De auto van Robbie stopte naast de stoep en Ephraïm stapte uit.

Als ze Amish werd, zou het moeilijkste nog zijn dat het tussen haar en Ephraïm niets uitmaakte. Maar als Deborah een toekomst zonder Mahlon voor zich zag, kon Cara haar leven ook voor zich zien zonder Ephraïm. Toch wilde ze hem vertellen over haar beslissing om zich aan te sluiten bij de Amish voordat ze het iemand anders verteld had. En ze wilde hem vertellen over de nieuwe Amish vaardigheden die Deborah en Ada haar hadden bijgebracht.

Anna Mary moest er maar mee leren omgaan dat ze met Ephraïm sprak.

Hij liep met kalme pas over de stoep, een halve grijns op zijn knappe gezicht. 'Hé.'

'Hoi.'

Hij stopte aan de voet van de trap. 'Wat doe je hier in je eentje?'

'Ik zat te wensen dat jij hier zou zijn om mee te praten. Heb je even?'

Zijn grijsblauwe ogen betoverden haar, en ze probeerde kalm te blijven. Hij kwam naast haar zitten. 'Ik heb de hele avond.'

'Ik denk niet dat Anna Mary die gevoelens op prijs stelt.'

Hij leunde met zijn onderarmen op zijn knieën. 'Nou, dat is iets wat ik aan jou kwam vertellen. Anna Mary en ik zijn niet meer bij elkaar.'

Haar hart ging als een razende tekeer. 'Wat? Waarom heeft Deborah me dat niet verteld?'

'Omdat ik haar dat gevraagd heb.'

'Waarom?'

'Om redenen waarover we het misschien over een paar maanden een keer kunnen hebben, oké?'

'Ja. Ik wist dat Anna Mary verdrietig en boos was, maar ik had niet gedacht dat ze jou zou dumpen omdat je vriendelijk tegen mij was.'

'Dat deed ze niet, en kunnen we ergens anders over praten?'

'Nog niet. Wanneer zijn jullie uit elkaar gegaan?'

'Voordat je wegging uit mijn huis.'

'Drie maanden geleden?'

Hij knikte. 'Waar wilde jij met me over praten?'

Ze knipperde met haar ogen en probeerde de controle te herwinnen over haar emoties. Kon hij aan haar zien dat ze hoop koesterde? 'O ja, eh, de bisschop kwam langs. Hij nodigde me niet alleen uit om de kerkdiensten te bezoeken en me aan te sluiten bij het geloof van de Amish, hij bood ook zijn excuus aan.'

Ephraïm grinnikte. 'Betekent dit dat je nu in God gelooft?'

Ze lachte. 'Zullen we een stukje gaan lopen?'

'Natuurlijk.'

'Wacht even, dan kijk ik hoe het met Lori is en vraag of Ada op haar wil letten. De laatste keer dat ik keek zat Lori bij Deborah op schoot in de keuken.' Cara snelde het huis in, maakte afspraken met Ada, pakte haar sweater en sprong de deur uit.

Zonder een woord te zeggen liepen zij en Ephraïm naar hun lievelingsplek. 'Als Anna Mary geen probleem meer is, en ik niet meer taboe ben, waarom blijf je dan weg?'

Lachend sloeg hij zijn hoofd achterover. Daarna slaakte hij een spottende zucht. 'Waarom zeg je niet gewoon ronduit wat je bedoelt?'

'Kennelijk moet een van ons het doen.'

'Je weet wel waarom. Ik wil je niet onder druk zetten of invloed op je uitoefenen voor wat betreft de keuzes die voor je liggen.'

'Slim bekeken. Maar ik heb mijn keuze al gemaakt.'

Ephraïm kwam voor haar staan en stopte. 'En?'

'Ah, dus eerst laat je mij maanden in onzekerheid en laat je me denken dat je nog steeds een vriendin had, en nu wil je meteen mijn antwoord?'

'Ik had al een antwoord gewild toen je nog niet eens wist dat je er eentje moest geven. Dus ik ben ongelofelijk geduldig geweest.'

'Je verwoordt de zaken op zo'n manier dat er weinig tegen in te brengen is.'

'Maar dat houdt je niet tegen om er toch iets tegenin te brengen, of wel?'

'Hou je mond, Frim. Ik probeer je iets te vertellen.' Ze streek een haarlok achter haar oor. 'Het is mijn bedoeling om me aan te sluiten bij de Amish.'

Hij glimlachte niet, hij bewoog niet. Niets.

'De wereld heeft mij niets te bieden dat ooit zoveel voor me betekenen kan als het deel zijn van een gemeenschap die dezelfde waarden heeft.'

Zijn ogen gleden over haar gezicht. 'Hoe zeker ben je.'

'Absoluut.'

Hij keek haar onderzoekend aan en langzaam verscheen er een scheve glimlach die haar vertelde wat ze wilde weten – hoop voor wat zij samen konden hebben, dat was de reden waarom hij een punt achter Anna Mary had gezet.

'Ik heb je zo verschrikkelijk gemist, Ephraïm.'

Hij nam haar handen in de zijne en zag er opeens ongemakkelijk verlegen uit. 'Alles is leeg zonder jou. Ik zou graag vaker hiernaartoe komen, en misschien dat jij je ooit op een dag vrij voelt om naar Dry Lake te komen.'

Eindelijk had Cara een onbezoedeld moment van complete blijdschap. 'Voor een afspraakje?'

Hij knikte. 'Wat is het woord voor wanneer je er alleen maar voor een iemand bent?'

'Exclusief.'

'Ja, dat bedoel ik.'

'Ben je bang dat ik interesse krijg in andere Amish mannen, Frim?'

Hij liet een van haar handen los en streelde haar wang met zijn vingers. 'Misschien een beetje.'

Cara deed de afwas terwijl Lori afdroogde en alles doorgaf aan Deborah om op te bergen. Ada stond in de voorraadkamer en controleerde aan de hand van de lijst met artikelen die ze de volgende dag moest bakken of ze alle ingrediënten daarvoor in huis had. De bisschop was haar de avond ervoor komen opzoeken en ze had groot nieuws dat ze aan Ephraïm wilde vertellen. Er waren pas drie weken voorbij sinds Labor Day, maar toch was de bisschop langsgekomen om haar iets fijns te vertellen.

Deborah zette een schaal in de keukenkast. 'Ik mis Ephraïm vanavond. Hij heeft nog geen dag overgeslagen sinds Labor Day.'

'Ik weet het. Met z'n allen elke avond naar de top van de heuvel om sterren te kijken is zo geweldig dat ik me verwend voel.' Cara droogde haar handen aan haar zwarte schort en stak een haarlok achter haar oor. Zelfs met haarnetje, spelden en een gebeds-*Kapp*, ontsnapten haar korte haren.

'Denk maar niet dat ik vanavond weer die heuvel op klim.' Vanuit de voorraadkamer klonken Ada's half klagerige, half lachende woorden. 'Waar is hij trouwens?'

Cara spoelde een glas schoon. 'Hij is aan het overwerken. Iets met materialen voor een paar kasten die te laat binnen waren. Ik ben geneigd om erheen te gaan en hem te helpen. Heeft iemand zin in een ritje naar Dry Lake?'

Deborah pakte een bord aan van Lori. 'Ik moet *Daed* weer eens bezoeken. Ada, rijd je met ons mee?'

Ze kwam uit de voorraadkamer tevoorschijn. 'Ik heb met Lori afgesproken dat ik haar vanavond leer om poppenkleren te naaien.'

'We gaan voor de pop net zo'n Amish jurk maken als ik heb.'

Deborah zette het laatste serviesgoed in de keukenkast. 'Ephraïm zal verrast zijn om je in Dry Lake te zien. Ik begon al te denken dat het zes maanden zou duren voor je over de grens zou stappen.'

'Volgens Ephraïm ben ik koppig. En soms denk ik dat hij gelijk heeft.'

Ada liet de lijst uit haar handen glijden en veinsde verbazing. 'Jij? Hij moet zich vergissen.'

Deborah beet op haar lip om niet te lachen. 'Ik ga mijn spullen pakken, dan blijf ik een nachtje bij *Daed*. Je kunt mijn kleren en slaapkamer delen. Span jij het paard in?'

'We gaan én blijven slapen?'

'Dat zal je goed doen. Je zou wat tijd moeten doorbrengen met *Daed* en Becca.'

Cara droogde haar handen af en gooide de handdoek in het afdruiprek. 'Dat zal wel. Ik bedoel, als jij het zegt.'

Deborah sloeg haar arm om Cara heen en gaf haar een knuffel. 'Jij en Lori hebben familie en vrienden in Dry Lake. Wen er maar aan.' Deborah lachte, maar er stonden tranen in haar ogen. 'Ga je klaarmaken. Ephraïm zal het heerlijk vinden om verrast te worden. Je weet toch dat niemand van ons Ephraïm ooit zo... tja... ik heb hem zelfs nooit een beetje gek op iemand gezien. Ik dacht altijd dat hij gewoon zo was – niet in staat om gepassioneerd om iemand te geven.'

Lori pakte Ada's notitieblok van de vloer. 'Hij houdt van mij en mama.'

Cara's hart stond even stil en ze keek naar Deborah en toen naar Ada. 'Zei hij dat?'

'Ja,' zei Lori. 'En hij hoopt dat we op een dag een gezin zijn. Maar hij denkt dat je er nog niet klaar voor bent om daarover te praten.'

Cara grinnikte. 'Ik denk dat ik maar een beetje bij jou in de buurt blijf, meisje, dan kun je me op de hoogte houden van alles.'

Lori hielp Cara om het paard voor de wagen te spannen. Ada en haar dochter zwaaiden Cara en Deborah uit tot ze uit het zicht verdwenen waren. Het voelde bevrijdend dat er mensen in Lori's leven waren gekomen die ze volkomen vertrouwde. Ze vroeg Deborah tientallen zaken over de leefwijze van de Amish, terwijl ze meer dan een uur op de wagen naar Dry Lake reden. Ze vroeg hoe de voorganger, de diaken en de bisschop werden verkozen, hoe de Amish altijd werk vonden binnen de eigen gemeenschap, en waarom sommige jongere meisjes wel een schort droegen en andere niet. Al snel waren ze in de buurt van Levina's oude huis.

'Hé Deb, laat me hier maar uitstappen, bij dit groepje bomen.'

'Oké.' Deborah liet het rijtuig halt houden. 'Maar wat je ook doet, zorg dat je niet naar het huis van mijn broer gaat en daar in slaap valt.'

'Erg leuk. Vertel hem maar dat er iemand rond de schuur hangt met een nest vol puppy's. Dan komt hij deze kant wel op.'

'Of hij vlucht voor zijn leven.'

'Dan zit ik de hele nacht in die boom daar te wachten.' Ze sprong van de wagen en rende naar de boom. Tientallen herinneringen kwamen boven terwijl Deborah wegreed. Toen ze de boom in klom, wenste ze dat ze een spijkerbroek aan had. Op de dikste tak ging ze met haar rug tegen de stam zitten wachten.

&

Ephraïm keek op van het hout voor hem en ving een glimp op van zijn zus. Steeds als hij haar zag begon ze er beter uit te zien. Hij was niet zo naïef om te denken dat ze haar verdriet achter zich had gelaten maar ze werd er niet meer door in beslag genomen. Cara was erg goed voor haar geweest. Een beetje van die rechtstreekse New Yorkse onbuigzaamheid betekende een heleboel voor de hulp aan zijn zus.

Deborah stond in de deuropening van de werkplaats. 'Je moet naar Levina's schuur.' Ze had hetzelfde een paar minuten eerder ook al gezegd. Hij duwde de schaaf over het gladde oppervlak en haalde wat hout weg. 'Ik ben bezig.'

Zijn zus pufte. 'Als het niet belangrijk was, zou ik het niet gezegd hebben.'

Haar toon verwonderde hem en hij lachte. 'Ik geloof dat ik daar een beetje Cara in je stem hoor.'

'Ja, dat hoor je goed. Welterusten Ephraïm.' De hordeur naar de werkplaats klapte dicht en zijn zus vertrok.

Hij haalde diep adem en zette het gereedschap op z'n plek. Misschien moest hij uitzoeken wat er aan de hand was bij de schuur.

Wandelend door het verdroogde maïsveld, dacht hij na over de eerste keer dat hij Cara had ontmoet. Als ze in Dry Lake had gewoond zoals de bedoeling was, zouden ze jaren geleden al getrouwd zijn. Dan had hij waarschijnlijk nooit met een ander meisje gelopen. Ze raakte hem vanbinnen zoals niemand anders dat kon. Ze pasten bij elkaar.

Hoe meer tijd ze met elkaar doorbrachten, hoe meer ze bij elkaar wilden zijn. En hij wist zeker dat het de rest van hun leven zo zou blijven.

Toen hij voorbij de rand van het maïsveld was, zag hij beweging in de boom.

'Een meisje kan een heleboel tijd verspillen om te wachten tot jij een keertje langskomt.'

Zijn hart vulde zich met vreugde en hij stapte naar voren. 'Het is bijna te donker om je te zien, en ik wilde eigenlijk helemaal niet deze kant opkomen, maar zoals mijn *Daadi* altijd zei: zelfs een blinde eekhoorn vindt nog wel eens een nootje.'

'Noem je mij een nootje, Ephraïm?'

Hij liep naar de voet van de boom. 'Wat doe je daar in de boom?'

'Op jou wachten.'

Hij plaatste de palm van zijn hand tegen de stam. 'Ik ben hier. Kom je naar beneden?'

'Nee. Ik wil eerst een paar dingen weten.'

'Zoals hoe hard de grond is als je uit de boom valt?' Hij vroeg zich af of ze er enig idee van had wat ze met zijn hart deed, en hij leunde met zijn rug tegen de boom. 'Kom maar op.'

'Ik mag deze lente beginnen met de verordeningen.'

'Echt? Heeft de bisschop dat gezegd?'

'Ja. En je weet wat dat betekent, toch?'

'Ja. Dan ben je vanaf komende zomer een gelovig lid van de Amish van de Oude Orde.'

'Dat ook.'

'Ook?'

'Als in "daarnaast". Wat betekent dat het niet het belangrijkste is.'

'Wat is dan wel het belangrijkste, Cara?'

Ze verplaatste haar lichaam totdat haar buik op de tak lag. Ze klemde zich vast en liet zich naar beneden zakken, waar Ephraïm zijn handen om haar middel legde en hielp met de zachte landing. Zo stonden ze tegenover elkaar, maar hij kon geen woord uitbrengen.

Ze leunde tegen de boom en liet haar vingertoppen langs de palm van zijn hand glijden. 'Dat je me volgende herfst kunt trouwen, of in de winter, als we zo lang willen wachten.'

Ephraïm wilde zijn voorzichtigheid laten varen en haar kussen, maar hij dwong zichzelf logisch na te denken. 'Je weet dat de meeste Amish grote gezinnen hebben, maar weet je ook dat de Amish het aan God overlaten hoeveel kinderen ze krijgen? Dat is meestal het breekpunt voor degenen die als Engelsen zijn opgevoed.'

'Probeer je me een huwelijksaanzoek uit het hoofd te praten dat je nog niet eens hebt gedaan?'

Hij moest vanbinnen zachtjes lachen. 'Je bent me er eentje, Cara Moore. En ik wil niets anders dan meer tijd met jou en meer zien van je hart. Maar je moet een aantal dingen begrijpen.'

'Ik begrijp het. Jij hoopt dat je vaak genoeg in de prijzen valt en veel kinderen krijgt, en je probeert voor elkaar te krijgen dat ik daarmee nu akkoord ga.'

'Weet je wat ik eigenlijk denk?'

'Nee, maar dat ga je me vast vertellen.'

Hij legde een hand om haar middel. 'Ik denk dat je verliefd op mij bent.'

'Denk je dat? Bedoel je dat je het niet zeker weet?'

Kon zijn hart nog sneller kloppen? 'Ik heb goede hoop.'

'Je zult nog zeker een maand of dertien moeten wachten.' Ze wees met haar vinger naar hem. 'Maar je zult op me wachten.'

Hij nam haar gezicht in zijn handen. 'En waarom zou ik dat doen?'

'Omdat jij verliefd op mij bent.'

Hij bracht zijn lippen naar de hare en voelde de kracht van alles waarop hij altijd gehoopt had. 'Dat ben ik inderdaad. Daar heb je helemaal gelijk in. Ik denk dat ik het misschien altijd geweest ben, dus het komende trouwseizoen klinkt helemaal niet zo gek.'

Lees ook de andere boeken van Cindy Woodsmall

Maak kennis met Hanna Fisher, een jonge vrouw die zich gedwongen ziet de Amish-gemeenschap te verlaten na een afschuwelijke ervaring. Beschadigd door haar familie en gewantrouwd door haar verloofde, worstelt Hanna met de vraag waar ze thuishoort.

Een trilogie, vol details uit het leven van de Amish, getekend door de vreugde en het verdriet van menselijke verhoudingen.

Verkrijgbaar in de boekhandel

Den Hertog *uitgeverij*

Lees ook van Cindy Woodsmall

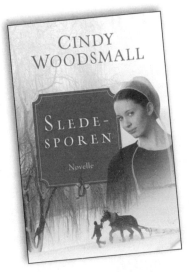

Beth Hertzler treurt nog dagelijks over het verlies van haar verloofde, die een jaar geleden overleed. In haar eenzaamheid voelt ze zich sterk aangesproken door een stuk houtsnijwerk dat een groepje Amish-kinderen verbeeldt, spelend in de sneeuw. Beth verlangt ernaar om de onbekende kunstenaar te ontmoeten.

Beths tante Lizzy slaagt erin Jonah, de kunstenaar, te vinden. Lizzy doet er alles aan om haar nichtje met hem in aanraking te brengen. Zal Jonah in staat zijn om Beth uit te nodigen voor de sledetocht waarvan ze altijd gedroomd heeft, of dreigt er een nieuwe teleurstelling?

Verkrijgbaar in de boekhandel

Den Hertog uitgeverij